Да проговорим АНГЛИЙСКИ с 40 урока

ИЗЛЕЗЛИ ОТ ПЕЧАТ

Да проговорим английски с 40 урока
Да проговорим френски с 40 урока
Да проговорим португалски с 40 урока
Да проговорим италиански с 40 урока
Да проговорим немски с 40 урока
Да проговорим нидерландски с 40 урока
Да проговорим гръцки с 40 урока
Да проговорим испански с 40 урока

Michel Marcheteau, Jean-Pierre Berman, Michel Savio,
Jo-Ann Peters, Declan McCavana
Оригинално заглавие: 40 leçons pour parler anglais

ISBN 954-459-736-0

от

МИШЕЛ МАРШЕТО
университетски преподавател

ЖАН-ПИЕР БЕРМАН
асистент в университета
Париж IV – Сорбоната

МИШЕЛ САВИО
началник на Езиков отдел
към Висшето електротехническо
училище

ДЖО-АН ПИТЪРС

със сътрудничеството на

Д. МАККАВАНА

ТРИНИТИ КОЛИДЖ ДЪБЛИН
завеждащ катедра по практически
упражнения към
Политехническото училище

Издателска къща „Хермес“

СЪДЪРЖАНИЕ

0 Предговор

„Да проговорим английски с 40 урока" е пълна система за самостоятелно изучаване на английски език, наречена „всичко в едно", тъй като предлага на тези, които я ползват:

- **методично представяне, веднъж вече осъществено с успех в една първоначална версия за изучаване основите на езика, придружено от поредица точно определени упражнения с отговори за солидно затвърдяване на знанията;**
- **тестове, позволяващи на учащия да следи процеса на овладяване на езика;**
- **кратки географски, исторически и културни справки за по-добро опознаване и разбиране на Великобритания и САЩ, както и за по-добро общуване с англосаксонците;**
- **живи диалози, за да се упражним да разбираме;**
- **практически справочник за ежедневието;**
- **кратък двуезичен курс по граматика, както и речник.**

За кого е предназначен настоящият учебник?

- за всички и на първо място за тези, които *започват изучаването на английски от АБ* и които ще могат да напредват с бързина, зависеща от самите тях, и то съвсем самостоятелно;
- за тези, които не са могли да отделят за изучаването на английски език необходимото време и при които следователно *липсва последователност в натрупването на знанията;*
- и най-накрая за тези, които са изучавали английски при добри условия, *но дълги години не са могли да го практикуват* и знанията им се нуждаят от опресняване.

Ето защо авторите са се постарали:

- да осигурят *ясно и точно овладяване основите* на езика, като са направили всичко възможно всички елементи, присъстващи в учебника, да бъдат окончателно усвоени;
- да илюстрират описаните структури с *изрази, употребявани много често* в ежедневието;
- да пробудят *интерес към езика и страните, в които се говори.*

Тези характерни черти превръщат **„Да проговорим английски с 40 урока"** в *допълнителен учебник* както за учениците и студентите, така и за участниците в курсове за по-продължително обучение.
Описанието и съветите, които следват, ще ви позволят да използвате тази система и по-ефективно да организирате работата си.

План на уроците

Ще откриете, че всички уроци имат еднаква структура, състояща се от 4 части, чиято цел е да улесни тези, които учат сами:

Части **А, Б, В** и **Г** са разположени всяка на две страници. Така вие ще можете да работите **с ритъм, който ви устройва**. Дори ако нямате време да научите целия урок, можете само да го започнете и **научите само част** от него, без да се объркване или пък да имате чувството, че се разпилявате.

- Части **А** и **Б** представят основните елементи.
- Част **В** предлага упражнения с отговори, както и кратки бележки по странознание.
- Част **Г** предлага диалози за конкретна ситуация, както и практически справочник.

Части А и Б

се разделят от своя страна на 4 подчасти:

А1 и Б1 – ПРЕДСТАВЯНЕ

Тази първа част ви дава новите, основни знания *(по граматика, лексика, произношение),* които ще трябва да научите и да съумеете да използвате за съставяне на изречения.

А2 и Б2 – ПРИЛОЖЕНИЕ

В тази част ви се предлагат *поредица от примерни изречения* от елементите, представени в **А1** и **Б1** (и впоследствие ще трябва да се упражнявате сами в съставянето на такива).

А3 и Б3 – ЗАБЕЛЕЖКИ

Различни *забележки,* отнасящи се до изреченията от **А2** и **Б2**, внасят уточнение в една или друга граматическа, лексикална или фонетична единица.

А4 и Б4 – ПРЕВОД

Тази последна част дава пълния превод на части **А2** и **Б2**.

Част В

тя, от своя страна, се подразделя също на 4 части:

В1 – УПРАЖНЕНИЯ
Служат за *проверка на овладяното* в части **А** и **Б**.
В2 – ОТГОВОРИ
Тук се намират всички отговори на упражнения **В1**, позволяващи *сами да се поправим.*
В3 – ИЗРАЗИ
Известен брой *изрази* или *обяснения* допълват предложените в части **А** и **Б** нови знания.
В4 – СТРАНОЗНАНИЕ
Представена на български език, тази част съдържа *географски, исторически и културни сведения,* които ще ви позволят да опознаете и да разберете по-добре вашите бъдещи събеседници. Тя може да бъде четена, без да се съобразявате с ритъма, наложен от части **А** и **Б**.

Част Г

се подразделя също на 4 части:

Г1 и **Г3** предлагат *жив диалог,* в който са използвани думите, изучени в части **А** и **Б**.
Г2 и **Г4** са посветени на *практическата употреба на езика* и предлагат думи, изрази и полезна информация за ежедневието.
→ **Диалозите започват чак в 6-и урок.**
→ **От 6-и урок** всяка част **Г4** съдържа *един въпрос* (един *quizz*), който ще ви позволи, ако не знаете отговора или ако искате да проверите знанията си, да прелистите учебника и така ще ви окуражи да продължите да полагате усилия.

Уроци 10а, 20а, 30а и 40а

- Направете всяка серия от 10 теста за по-малко от 5 минути, *без да правите справка с изучените уроци.*
- Сверете с отговорите и научете тези неща, които сте сгрешили.
  - ➠ Ако не сте начинаещ, направете всичките 4 теста за 10–15 минути, *без да правите справка с учебника,* и си направете равносметка.

Кратък граматичен курс и двуезичен речник

- **Краткият граматичен курс** ви предлага в сбит вид всички основни граматически правила.
- **Двуезичният речник** обединява цялата нова лексика, която сте срещнали в части **А, Б, В** и **Г**.

Основни препоръки

- **Работете редовно:** да се учи по 20–30 минути на ден от един урок е по-полезно, отколкото да прескачате от урок на урок в продължение на 3 часа на всеки 10 дни.
- **Програмирайте усилията си:** не преминавайте към част **Б**, без да сте усвоили добре част **А**.
- **Върнете се назад:** не се колебайте да направите упражненията по няколко пъти:
  - → за части **А** и **Б** – след като сте се запознали с **А1** и **Б1**, след като добре сте прочели **А2** и **Б2**, преминете към забележки **А3** и **Б3**. Опитайте се да възстановите изреченията от **А2** и **Б2**, като започнете с **А4** и **Б4**.
- **Част В4** (странознание), както и части **Г2** и **Г3** (практични съвети), можете да ги четете последователно или пък наслуки, ако това е в състояние да стимулира интереса ви.
- **Част В** (упражнения): направете упражненията писмено за 10 минути, преди да проверите отговорите.
- **Част Г** (диалог): учете диалозите наизуст.

1 I am

A1 ПРЕДСТАВЯНЕ

- **I** [ai], *аз,* **се пише винаги с главна буква**.
- **am,** *съм,* 1 лице, единствено число на глагола *съм* на английски.

I am [ai æm]	*аз съм*
glad	*щастлив, щастлива*
sad	*тъжен, тъжна*
Pam	*Пам(ела)*
Dan	*Дан(иел)*

A2 ПРИЛОЖЕНИЕ

1. I am glad.
2. I am sad.
3. I am Pam.
4. I am Dan.

1 Аз съм

А3 ЗАБЕЛЕЖКИ

■ Произношение

- **I**, *аз,* се произнася на български като *„ай“,* например в *„майка“,* обозначава се с [ai] между скоби.
- Съгласни, които се намират в края на думата, се произнасят: например в **glad, sad** крайното **d** се чува също както в българската дума *„дар“;* в името **Dan n** се чува също както в българското име *„Йордан“*.
  Освен това съгласните се произнасят винаги по-енергично и отчетливо, отколкото в българския език, и то най-вече в началото на думите: **g**lad, **D**an.
- Гласната **a** в думите **am, glad, sad, Pam, Dan** представя един много кратък звук, нещо средно между *a* и *e*, който се изговаря с по-широко отворени уста, отколкото *e*. Този звук се обозначава с [æ].

■ Граматика

- В английския език прилагателните (например **sad, glad** и т. н.) не се променят по род и число.

А4 ПРЕВОД

1. Аз съм щастлив(а).
2. Аз съм тъжен(а).
3. Аз съм Пам.
4. Аз съм Дан.

1 I'm

Б1 ПРЕДСТАВЯНЕ

- **I am – I'm**
  [ai æm] [aim]
- **I am**, *аз съм,* може да се използва в разговорния език с краткатa си форма **I'm** [aim].

a	*неопределителен член*
man	*мъж*
woman [w'umən]	*жена*
Vic(tor)	*Вик(тор)*
Linda [l'ində]	*Линда*
Liz	*Лиз*

Б2 ПРИЛОЖЕНИЕ

1. I'm a man.
2. I'm a woman.
3. I'm Vic.
4. I'm Linda.
5. I'm Liz.
6. I'm glad.

1 Аз съм

Б3 ЗАБЕЛЕЖКИ

■ Произношение

На английски език отделните срички на една дума не се произнасят по еднакъв начин. Сричката, върху която пада ударението, тук обозначена с по-плътен шрифт, се произнася по-енергично.

- Буквата **a** от *неопределителния член* се произнася като [ъ] в българската дума *„хитър"*. Този звук се обозначава с [ə]; по същия начин се произнася и **a** в **Linda**.
- Буквата **o** в **woman** се произнася като [у] в българското *„тук"*, но по-кратко. Този звук се обозначава с [u].
- Буквата **i** във **Vic, Linda, Liz** прилича на българското [и] в думата *„шип"*, но с по-кратък изговор. Този звук се обозначава с [i].

- Да си припомним:

1. За разлика от българския език, където звучните съгласни се обеззвучават в краесловието, в английския език те запазват звучността си. Обеззвучаването на такива съгласни трябва да се избягва, тъй като се получава смесване на думи като **back** и **bag**.
2. Звукът **a** в **man** е същият като в **Dan, Pam** (А3).

■ Граматика

a [ə], неопределителен член, ед. ч.

Б4 ПРЕВОД

1. Аз съм мъж.
2. Аз съм жена.
3. Аз съм Вик.
4. Аз съм Линда.
5. Аз съм Лиз.
6. Аз съм щастлив, -а (= доволен, -а).

1 Упражнения

B1 УПРАЖНЕНИЯ

А. Преведете на английски:

1. Аз съм мъж.
2. Аз съм Линда.
3. Аз съм жена.
4. Аз съм Вик.
5. Аз съм щастлив.
6. Аз съм щастлива.

Б. Дайте кратките форми:

1. I am Pam.
2. I am a man.
3. I am sad.
4. I am a woman.
5. I am glad.
6. I am Vic.

B2 ОТГОВОРИ

А. 1. I am a man.
2. I am Linda.
3. I am a woman.
4. I am Vic.
5. I am glad.
6. I am glad.

Б. 1. I'm Pam.
2. I'm a man.
3. I'm sad.
4. I'm a woman.
5. I'm glad.
4. I'm Vic.

B3 УПРАЖНЕНИЯ ЗА ПРОИЗНОШЕНИЕ

■ Произнесете

1. I [ai]
   am [æm]
   I am [ai æm]
   I am a man [ai æm‿ə mæn]

2. I'm [aim]
   I'm a woman [aim‿ə'w**u**mən]

• Забележка: направете добре свързването между **m** от **am** и звука [ə] от **a**.

В4 ОТКЪДЕ ИДВАТ БРИТАНЦИТЕ? (1)

■ Праистория (Prehistory)

Приблизително през 5000 г. пр.н.е. Великобритания била отделена от континента чрез пролив.
За тази отдалечена епоха свидетелстват останки като: *пътища,* **trackways**, *надгробни могили,* **barrows,** и най-вече прочутият мегалитичен храм в Стоунхендж, **Stonehenge** (3000 г. пр.н.е.).

■ Келтите

Към 600 г. пр.н.е. войнолюбиви келтски племена, дошли от Германия, **Celts**, нахлуват на острова и се установяват в Ирландия и Шотландия.
След тях, в 400 г. пр.н.е. идват бритите, **Britons**, които дават името си на Великобритания. Законът и религията са в ръцете на кастата на „друидите". Келтите установяват връзка с галите във Франция и дори им помагат в борбата им с римляните. Именно този факт накарал римляните да дебаркират във Великобритания.

■ Великобритания под римско владичество

Римляните, предвождани от Юлий Цезар, идват на острова през 55 г. пр.н.е., а след това през 43 г. след н.е. римският император Клавдий предприема систематично завладяване на страната на север. През 127 г. римляните построяват укрепление, *Адрианов вал,* за да се защитят от набезите на шотландските племена (**Picts** и **Scots**), факт, който бележи края на римското владичество, приключило през 410 г. От този период са останали пътища и градове, които могат да бъдат разпознати по имената, завършващи на **-chester** (от латинското *caster, укрепен лагер*): **Dorchester, Leicester, Lancaster, Manchester, Winchester** и т.н., да не говорим за красивия град с минерални извори **Bath** и за **London**, наричан по онова време *Londinium.*

(следва на стр. 25)

Г1 КАРТИ. MAPS.

Г2 ОБЕДИНЕНОТО КРАЛСТВО THE UNITED KINGDOM

За да можем да опознаем и разберем по-добре британците, ето някои основни данни:
Това, което наричаме *Англия,* за да назовем острова, разположен отвъд Ламанша, е само една от страните, които образуват *Обединеното кралство,* **the United Kingdom (UK)**, 58 милиона жители, включващо *Великобритания,* **Great Britain,** и *Северна Ирландия,* **Northern Ireland**.

■ ВЕЛИКОБРИТАНИЯ е най-големият от британските острови, **the British Isles**.
Дълга приблизително 1000 км от север на юг, тя има територия от 245 000 кв. км. Съставена е от три главни единици:
- *АНГЛИЯ,* **ENGLAND**: 48 милиона жители; *англичани,* **the English**. Столица: *Лондон,* **London**.
- *УЕЛС,* **WALES**: 3 милиона жители; *уелсци,* **the Welsh**. Столица: *Кардиф,* **Cardiff**.
- *ШОТЛАНДИЯ,* **SCOTLAND**: 5 милиона жители; *шотландци,* **the Scottish people** или **the Scots**. Столица: *Единбург,* **Edinburgh**.

Към тях трябва да се прибавят:
- 200 малки острова на север от Шотландия, *Хебридски острови,* **Hebrides**, *Шетландски острови,* **Shetlands** и *Оркнейски острови*, **Orcades**.
- *Остров Ман,* **Isle of Man**, и *Енгълси*, **Anglesey**, в Ирландско море.
- *Остров Уайт*, **Wight**, и *Англо-нормандските острови*, **Channel Islands**, *Джърси* и *Гернси*, **Jersey** и **Guernesey**, в Ламанша.

■ СЕВЕРНА ИРЛАНДИЯ, **NORTHERN IRELAND**: 1,6 милиона жители (60% протестанти и 40% католици) обитават североизточната част на другия голям остров, *Ирландия,* **Ireland**. Столица: *Белфаст*, **Belfast**.

2 I am not

A1 ПРЕДСТАВЯНЕ

• **not**	не
• **I am not**	*аз не съм*
• **an** [ən]	форма на неопределителния член **a** пред гласна

a, an	*неопределителен член*
animal [ænimәl]	*животно*
child [tʃaild]	*дете*
big	*голям, -а; едър, едра*
English [ingliʃ]	*английски, -а; англичанин, -ка*

• Да си припомним

man [mæn]	*мъж*
woman [wuman]	*жена*

A2 ПРИЛОЖЕНИЕ

1. I am not a kid.
2. I am not big.
3. I am not English.
4. I am not an animal.
5. I am not a man, I'm Linda.
6. I am not a woman, I'm Dan.

2 Аз не съм

А3 ЗАБЕЛЕЖКИ

■ Произношение [ɔ] [ʃ] [tʃ]
- Звукът **o** в **not** напомня звука в българското *„ток"*, но е по-кратък и се произнася с по-слабо закръгляне на устните. Обозначава се с [ɔ].
- Групата **sh** се произнася като в българското *„шип"*. При транскрипция се обозначава с [ʃ].
- Групата **ch** се произнася в английския като [ч] в думата *„чело"*. Обозначава се с [tʃ].

- Да си припомним:

1. В многосрични думи сричката, върху която пада ударението, отбелязана с **по-плътен шрифт**, се произнася по-подчертано: **E**nglish, **a**nimal.

■ Граматика
- Да си припомним: прилагателните не се променят по род и число:
  English: *английски, -а; англичанин, -ка, -и, -ки*
  big: *голям, -а, -и; едър, -а, -и.*

А4 ПРЕВОД

1. Аз не съм дете.
2. Аз не съм голям(а).
3. Аз не съм англичанин(ка).
4. Аз не съм животно.
5 Аз не съм мъж, аз съм Линда.
6. Аз не съм жена, аз съм Дан.

2 I'm not

Б1 ПРЕДСТАВЯНЕ

- **I'm not** [aim nɔt] *аз не съм*

- Да си припомним:

1. Кратката форма на **I am = I'm**
2. Пред съществително име, което стои след глагола *съм,* на английски език поставяме член. **I'm not a kid**.

Bob *Боб (умалително на Робърт)*
Tom *Том (умалително на Томас)*
a baby [beibi] *бебе*
a cook [kuk] *готвач, -ка*
a pilot [pailət] *пилот*
bad *лош, -а; зъл, зла*

Б2 ПРИЛОЖЕНИЕ

1. **I'm not Bob.**
2. **I'm not Tom.**
3. **I'm not a baby.**
4. **I'm not a cook.**
5. **I'm not a pilot.**
6. **I'm not bad.**
7. **I'm not a bad cook.**

Б3 ЗАБЕЛЕЖКИ

■ Произношение [ei] [u] [ai]

- Гласната **a** в **baby** е двугласна; при произнасянето ѝ се чуват свързани заедно **e+i** като [ей] в думата *„пейка“*. Обозначава се с [ei]. Голямото количество двугласни (дифтонги) в английския език му придава особен звуков облик. Затова внимателният им изговор е особено важен за правилното английско произношение.
- Да си припомним: Групата **oo** в **cook** се произнася [u].
  Гласната **i** в думата **pilot** се произнася [ai].
  При думи с две или повече срички, сричката, върху която пада ударението, се произнася по-ясно и отчетливо; тази сричка е отбелязана с **по-плътен шрифт**.

■ Граматика

- **a**: *неопределителен член* се употребява пред дума, означаваща професия или занаят, и след **I'm (not)**.

I'm not a cook.	*Аз не съм готвач.*
I'm a pilot.	*Аз съм пилот.*

Б4 ПРЕВОД

1. Аз не съм Боб.
2. Аз не съм Том.
3. Аз не съм бебе.
4. Аз не съм готвач(ка).
5. Аз не съм пилот.
6. Аз не съм лош(а).
7. Аз не съм лош(а) готвач(ка).

B1 УПРАЖНЕНИЯ

А. Преведете на английски:

1. Аз не съм дете.
2. Аз не съм пилот.
3. Аз не съм животно.
4. Аз не съм лош.

Б. Поставете в отрицателна форма:

1. I am a woman.
2. I am a man.
3. I am an English pilot.
4. I am a bad cook.

В. Дайте кратката форма:

1. I am not Linda.
2. I am not a baby.
3. I am not an animal.
4. I am not Liz.

B2 ОТГОВОРИ

А. 1. I am not a child.
2. I am not a pilot.
3. I am not an animal.
4. I am not bad.

Б. 1. I am not a woman.
2. I am not a man.
3. I am not an English pilot.
4. I am not a bad cook.

В. 1. I'm not Linda.
2. I'm not a baby.
3. I'm not an animal.
4. I'm not Liz.

B3 УПРАЖНЕНИЯ ЗА ПРОИЗНОШЕНИЕ

■ Произнесете

1. I am [ai æm]
   I am an animal [ai æm ən **æ**niməl]

2. I'm not [aim not]
   I'm not English [aim not **i**ngliʃ]
   I'm not a pilot [aim not ə p**ai**lət]

- Забележка: произнасяйте слято **t** от **not** с гласната на думата, която следва: **English, a** и т.н.

В 4 ОТКЪДЕ ИДВАТ БРИТАНЦИТЕ? (2)

■ Англосаксонци

Оттеглянето на римските легиони през 410 г. дало свобода на действие на три групи нашественици (**invaders** [inveidəz]), германски племена, дошли от Северна Европа:

- *Сакси*, **Saxons**, дошли от Северна Германия;
- *Англи*, **Angles**, дошли от Южен Ютланд (Дания);
- *Юти*, **Jutes**, дошли от Ютланд и Фризийските острови.

Въпреки че за известно време *крал Артур* и неговите рицари успели да ги задържат, нашествениците в крайна сметка изтласкали келтите към по-отдалечените области Корнуол, Уелс, Ирландия, а на континента – към тази област във Франция, която днес се нарича Бретан.

Новопристигналите завоеватели образували множество кралства, между които избухнали кървави междуособици. Те приключили в края на IX в. с възкачването на престола на саксонския крал *Алфред*, който обединил южната част на страната, защитавайки я от нашествията на викингите. През тази епоха се полага историческата основа на английския език *(виж стр. 33)*.

■ Норманите (Normans, Vikings)

Норманите били последните нашественици във Великобритания.

На 14 октомври 1066 г. *Уилям Завоевателя* (**William the Conqueror**) победил *Харолд Саксонски* в битката при Хейстингс (Hastings) и станал първият нормански крал на Англия.

Той накарал да построят много укрепления по дължината на Темза, две от които са се запазили и до наши дни: *Лондонската кула* (**the Tower of London**) и *Уиндзорския замък* (**Windsor Castle**). Той отнел земите на многобройните саксонски феодали и ги дал на своите нормански привърженици. Подвизите на *Робин Худ* (**Robin Hood**), повече легенда, отколкото истина, срещу нормански завоевател са свидетелство за тези смутни времена. Именно от този период датира двойният произход на английските думи, както и богатството на речниковия запас, съставен от думи с латински произход, проникнали през нормански, и думи от германски произход, навлезли чрез посредничеството на английския (староанглийския) от тогавашната епоха. *(виж стр. 33)*

Г1 КАРТИ. MAPS.

РЕПУБЛИКА ИРЛАНДИЯ (ЕЙРЕ)

2 Ирландия

Г2 ИРЛАНДИЯ • IRELAND

Разположена на запад от Великобритания, *Ирландия* (**Ireland**) е един от островите, влизащи в състава на британските острови. Политически той е разделен на две общности:

• *Северна Ирландия* (**Northern Ireland**), присъединена към британската корона, с площ приблизително 14 300 кв. км и с население около 1 600 000 жители;

• *Ирландска република* (**Republic of Ireland**), на юг, с площ 70 300 кв. км и население 3 500 000 жители.

Това разделяне е резултат от трагичната история на острова, завладян много скоро от могъщия си съсед от изток, Англия. От средата на XVII в. английската окупация е била окончателна и ирландците заплатили скъпо за упоритата си съпротива и принадлежността си към католицизма. Кланета, глад, грабежи предизвикали преселването на милиони ирландци в САЩ. Въстанията от началото на XX в. довели в крайна сметка до независимостта на по-голямата част от острова, но също и до отделянето на 6 графства от Северен Ълстър, които, в по-голямата си част протестантски, са останали под владичеството на английската корона.

Разположен на площ от около 84 000 кв. м, островът се радва на мек и влажен атлантически климат. Многобройни *реки* (**rivers**) и *езера* (на английски **lakes,** диалектно **loughs**) напояват този *зелен остров (зеленият Ерин)* и допринасят за превръщането на страната в място, благоприятно за отглеждане на *добитък* (**livestock**).

Западният бряг е насечен от *високи отвесни скали* (**cliffs**); източният бряг е по-равен и по-добре заслонен. Тук се намират двата най-големи града на острова, които са същевременно и пристанища: *Дъблин,* **Dublin**, столица на Ирландската република (около 1 000 000 жители), и *Белфаст,* **Belfast**, столица на Северна Ирландия (500 000 жители). Туризмът си остава важен източник на приходи за страната и е обект на внимание от страна на властите. С влизането на страната в Европейския съюз индустриализацията на Ирландия (най-вече в областта на водещи информационни технологии) отбелязва нов подем и от няколко години тя е в период на непрекъсната експанзия.

3 It is...

A1 ПРЕДСТАВЯНЕ

- **it is...** [it iz] *това е*
- Като говорим, често съкращаваме:
  it is в **it's** [its]. Апострофът замества съкратената гласна.

black		*черен, -а*
good	[gud]	*добър, -а; добре*
nice	[nais]	*красив, -а; добър, -а; хубав, -а; любезен, -а*
a bag		*чанта, куфарче*
a taxi	[taxi]	*такси*
Betty	['beti]	*Бети*

- Да си припомним: **bad** *лош, -а*

A2 ПРИЛОЖЕНИЕ

1. It is nice.
2. It is good.
3. It is black.
4. It is a taxi.
5. It is a bag.
6. It is Betty.
7. It's a black taxi.
8. It's a black bag.

3 Това е...

A3 ЗАБЕЛЕЖКИ

■ Произношение [e]

- Гласната **e** в **Betty** се произнася по-кратко, като българското *е*. Обозначава се с [e].

- Да си припомним: съгласните се произнасят винаги по-енергично, и то най-вече в началото на думата:

  good, black, taxi, Betty

■ Граматика

- **It:** 1. Това...

  It is good. *Това е добре.*

  It is Betty. *Това е Бети.*

  2. *Той, тя* за предмети или животни:

  My bag is nice, it is black.

  Моята чанта е хубава, тя е черна.

- Да си припомним:

1. Прилагателните не се изменят по род и число.
2. Те се поставят винаги преди съществителното име, но след определителен или неопределителен член:

   a black taxi *черно такси*

A4 ПРЕВОД

1. Това е хубаво.
2. Това е добре.
3. Това е черно.
4. Това е такси.
5. Това е чанта.
6. Това е Бети.
7. Това е черно такси.
8. Това е черна чанта.

3 It is not... It's not...

Б1 ПРЕДСТАВЯНЕ

- **It is not** *това не е*
- **It is not** се съкращава на **It's not** или на **It isn't** [ˈizənt]

my job	[dʒɔb]	*моята работа*
my book		*моята книга*
my bike	[baik]	*моето колело*
a cat		*котка*

- Да си припомним:

big	*голям, -а; едър, -а*
bad	*лош, -а*
nice	*красив, -а; хубав, -а; добър, -а; мил, -а*

Б2 ПРИЛОЖЕНИЕ

1. It is not my job.
2. It is not my book.
3. It is not my bike.
4. It is not a dog.
5. It is not a cat.
6. It isn't a good job.
7. It isn't a good book.
8. It's not a bad job.

3 Това не е...

Б3 ЗАБЕЛЕЖКИ

■ Произношение [dʒ]

- Звукът **j** от **job** се произнася *дж*, както в думата *„джоб"*. При транскрипция се обозначава с [dʒ].
- Да си припомним:
  1. Групата **oo** в **book, good** се произнася [u], както в българското *„тук"*, но по-кратко.
  2. Съкратената форма **isn't** се произнася [izənt];

■ Граматика

- **my**: *мой, моя,* притежателно местоимение
  my job, *моята работа*; **my bike,** *моето колело*
  My се използва и за мн.ч. (*моите*).
- **a dog** – *куче*; **a cat** – *котка*
  Думите се използват както за мъжки, така и за женски род.
- Да си припомним: прилагателното име се поставя винаги преди съществителното:
  a black cat *черна котка*

Б4 ПРЕВОД

1. Това не е моя работа.
2. Това не е моята книга.
3. Това не е моето колело.
4. Това не е куче.
5. Това не е котка.
6. Това не е добра работа.
7. Това не е хубава книга.
8. Това не е лоша работа.

3 Упражнения

B1 УПРАЖНЕНИЯ

А. Преведете на английски:

1. Това е хубаво колело.
2. Бети е любезна.
3. Това е хубава книга.
4. Това не е чанта.
5. Това не е хубаво.

Б. Дайте кратките форми:

1. It is a man.
2. It is not a woman.
3. It is not a taxi.
4. It is not a black cat.

В. Преведете на английски:

1. Това е моето колело.
2. Това е моята работа.
3. Това не е добро (хубаво).
4. Това е моето куче.
5. Това е моята книга.
6. Това не е Бети.

B2 ОТГОВОРИ

А.
1. It is a good bike.
2. Betty is nice.
3. It is a good book.
4. It is not a bag.
5. It is not good.

Б.
1. It's a man.
2. It isn't a woman.
3. It isn't a taxi.
4. It isn't a black cat.

В.
1. It's my bike.
2. It's my job.
3. It is not good.
4. It's my dog.
5. It's my book.
6. It isn't Betty.

B3 УПРАЖНЕНИЯ ЗА ПРОИЗНОШЕНИЕ

■ Произнесете

а) It's a good bike. [its ə gud baik]
It's a nice book. [its ə nais buk]

б) It isn't Betty. [itizənt beti]
It isn't a kid. [itizənt ə kid]

В4 ПРОИЗХОД НА АНГЛИЙСКИЯ ЕЗИК (1)

Съвременният английски език е резултат от последователни езикови влияния, свързани с различните нашествия и с дългото историческо развитие.

■ В началото на нашата ера Великобритания е населявана от келти, племена (**tribes** [traibz]), които говорят различни диалекти.

■ Завладяването на централната част на страната (от I до IV в.) от *римляните* оставя малко езикови следи, като не смятаме няколко имена на населени места (виж В4, стр. 17) и думи като **street** (от латинското *strata,* улица). Едва по-късно, след евангелизацията на страната (през VII в.), църковният латински и влиянието на духовенството, което пише на този език, ще допринесат за обогатяването на английския.

■ От 449 г. англосаксонските нашествия (*англи*, *юти* и *фризийци*, дошли от Германия и Северна Европа) ще положат началото на „староанглийския", съставляващ историческата основа на езика (смята се, че една трета от използваните днес думи произлизат от него). Нашествията на *викингите* (**Vikings**) (от VIII до XI в.), които през IX в. контролират източната част на Англия, са оставили около 1800 думи от датски произход, освен многобройните наименования на селища.

■ През 1066 г. победата на *Уилям Завоевателя* в битката при Хейстингс бележи началото на френското влияние върху английския език. В продължение на един век *нормандският*, език на завоевателите, и *саксонският*, език на крепостните селяни, съществуват едновременно, без да има голямо взаимно влияние между тях. Именно от тази епоха водят началото си различия като това между **pork**, *свинско*, от френски произход, и **pig**, от саксонски произход, като първата дума обозначава месото, което консумирали нормандците, а втората – животното, което отглеждал саксонският крепостен.

■ Трябва да се изчака така нареченият „среден английски", използван от XII в. до средата на XV в., за да могат двата езика да се съчетаят: думите от френски произход проникват в езика със саксонски произход, а саксонският е използван все повече и повече от управляващата класа. По този начин около 10 000 думи от френски произход (или нормандски) проникват в английския.

■ Най-големият английски писател по онова време е **Джефри Чосър**, **Geoffrey Chaucer** (1340–1400), автор на „Кентърбърийски разкази" (1390). Той е писателят, който осигурява на езика полагащото му се място. *(следва)*

3 Британската общност

Г1 КАРТИ. MAPS.

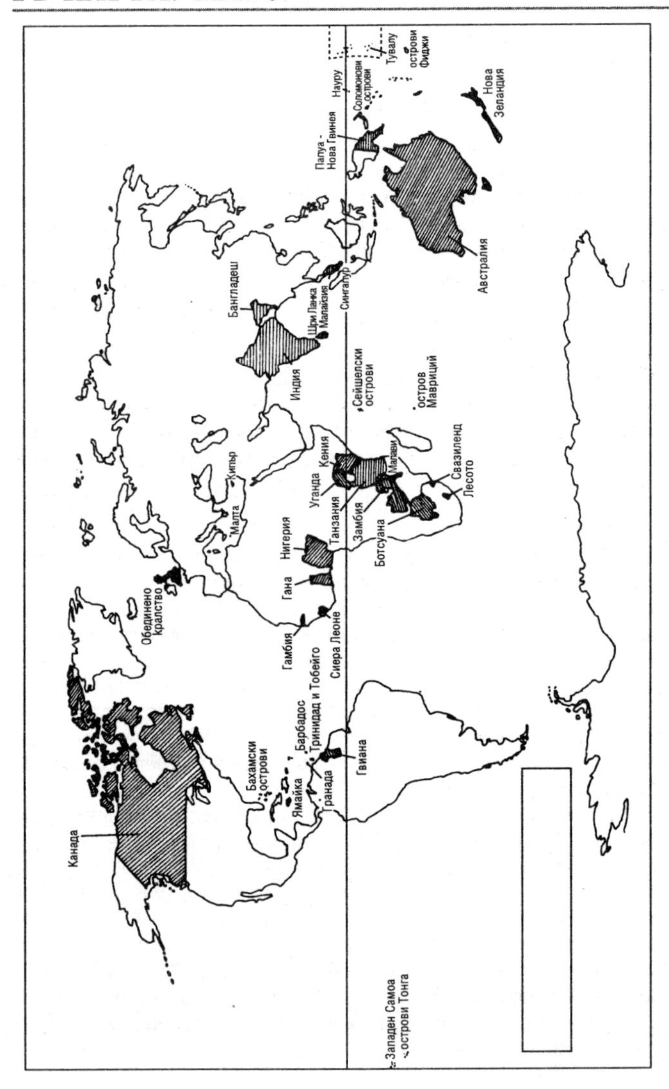

Г2 БРИТАНСКАТА ОБЩНОСТ • THE COMMONWEALTH

■ Днес този термин обозначава доброволния съюз между 37 независими страни, влизали в състава на британската колониална империя, *„империя, над която слънцето никога не залязва“. Страните членки* **(Member States)** продължават да *признават английската кралица* **(the Queen of England)** като глава на Общността, независимо от политическия им режим. По-голямата част от страните членки официално са парламентарни демокрации. Сериозното нарушение на правилата на демокрацията в някоя от тях по принцип води до изключването ѝ.

■ Кралица Елизабет II е държавен глава на дванадесет от страните на Общността: *Австралия* **(Australia)**, *Бахамски острови*, *Великобритания* **(Great Britain** или **United Kingdom)**, *Канада*, *островите Фиджи* **(Fiji Islands)**, *Гранада* **(Granada)**, *Ямайка* **(Jamaica)**, *остров Мавриций* **(Mauritius)**, *Нова Зеландия* **(New Zealand)**, *Папуа-Нова Гвинея* **(Papua-New Guinea)**, *Соломонови острови* **(Solomon Islands)** и *Тувалу*. В тези страни кралицата е представена от генерал-губернатор към местното правителство, когото тя назначава. Двадесетина от страните на Общността са републики, а четири имат свой собствен монарх.

■ Този съюз се проявява в срещи на държавните глави и на правителствата, както и в консултации между министри, но от това не произтича никаква обща политика. *Външната политика* **(foreign policy)** на всеки член се определя свободно от всеки един от тях, в зависимост от неговите собствени позиции и политика. На *развиващите се страни* **(developing countries)** се отпускат финансови помощи. След приемането на Великобритания в *Общия пазар* **(Common Market)**, превърнал се в *Европейски съюз* **(European Union)**, преките изгоди, засягащи *износа* **(exports)**, изглежда, са приели друга форма: по-бедните страни са могли да се присъединят към конвенцията в *Ломе,* осигуряваща им достъп до Европейския съюз.

4 You are...

A1 ПРЕДСТАВЯНЕ

you are...	[ju a:]	} *ти си, Вие сте*
you're	[juə]	}
we are	[wi: a:]	} *ние сме*
we're	[wi:ə]	}
they are	[ðei a:]	} *те са*
they're	[ðeə]	}

invited [invaitid] *поканен, -а*
pleased [pli:zd] *доволен, -а*
sick *болен, -а*
and [ænd] *и*

kids [kidz] *хлапета, деца* (разговорно)

• Основното правило за образуване на множествено число на съществителните имена е като се прибави **s** към формата за единствено число; то се произнася [z] или [s].
• Неопределителният член **a, an** в множествено число изчезва.
• Да си припомним: Спомагателен глагол, пред който стои местоимение, често се съкращава.
Например: **you are – you're** [juə].

A2 ПРИЛОЖЕНИЕ

1. You are invited (you're invited).
2. We are sick (we're sick).
3. They are kids (they're kids).
4. We are pleased (we're pleased).
5. Pam and Betty are invited.

4 Ти си (вие сте)...

A3 ЗАБЕЛЕЖКИ

■ Произношение [a:] [i:] [ju] [juə] [ð]

- Групата **ar** от **are** се произнася като *„а"* с удължение; при транскрипция се обозначава с [a:].

- **Y** от **you** се произнася като същия звук от думата *„Югославия";* обозначава се с [ju].
- Звукът, който се чува при съкратената форма **you're**, е двоен; обозначава се с [juə].
- Групата **ea** в **pleased** се произнася *„ий",* също като в думите *„пий"* и *„Сийка",* но по-удължено; обозначава се с [i:]. Откриваме го при съкратената форма **we're** [wi:ə].
- **Th** от **the** се доближава до българското *„g",* като върхът на езика се поставя между зъбите. Обозначава се с [ð].

■ Граматика: **are**

- Една-единствена форма в английския език се използва при спрежението на глагола *„съм"* в множествено число, сегашно време.

we are	*ние сме*
you are	*вие сте (ти си)*
they are	*те са*

- Забележка:

За да преведем безличното *има..., намира се...,* използваме:

there is	+ *единствено число*
there are	+ *множествено число*

A4 ПРЕВОД

1. (Ти си) вие сте поканен, -а, -и.
2. Ние сме болни.
3. Те са деца.
4. Ние сме доволни.
5. Пам и Бети са поканени.

4 You are not...

Б1 ПРЕДСТАВЯНЕ

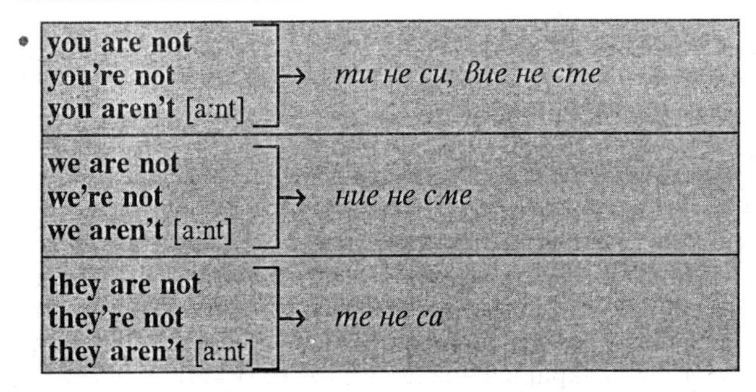

you are not **you're not** **you aren't** [a:nt]	→ *ти не си, Вие не сте*
we are not **we're not** **we aren't** [a:nt]	→ *ние не сме*
they are not **they're not** **they aren't** [a:nt]	→ *те не са*

American	[əmerikən]	*американец, -ка*
Italian	[itæliən]	*италианец, -ка*
different	[difrənt]	*различен, -а*
noisy	[nəizi]	*шумен, -а*

- **American, Italian**: прилагателните имена за националност се пишат винаги с главна буква.
- В отрицателната форма са възможни две кратки форми:
  1. You're not **2. You aren't**

Б2 ПРИЛОЖЕНИЕ

1. You are not American.
2. We are not Italian.
3. They are not different.
4. They are not noisy.

Б3 ЗАБЕЛЕЖКИ

■ Произношение [r] [a:]

- [r] звукът **r** в **American, different** прилича на българското *„р“*, но е по-слаб; произнася се с върха на езика, повдигащ се към небцето. Крайното **r** се произнася рядко в английския език (виж забележката на стр. 37).
- **aren't** [a:nt]: в тази кратка форма на **are not, n** се чува, но слабо.
- Да си припомним:

you're not	[juə not]
we're not	[wi:ə not]
they're not	[ðeiə not]

При образуване на кратка форма апострофът замества премахнатата (премахнатите) букви.

■ Граматика

- **We are not**. *Ние не сме*. Отрицателната частичка *„не“* за спомагателните глаголи е **not**.
- Да си припомним:

1. Лични местоимения – форми за множествено число:

we	*ние*
you	*вие* (но също и *ти*)
they	*те*

2. **Are**: единствена глаголна форма за трите лица в множествено число: *сме, сте (си), са*.

Б4 ПРЕВОД

1. Вие не сте американец, -ка.
2. Ние не сме италианци, -ки.
3. Те не са различни.
4. Те не са шумни.

B1 УПРАЖНЕНИЯ

А. Преведете:

1. Линда, ти си чудесна.
2. Бети, ти не си тъжна.
3. Ти си хлапе.
4. Ние сме щастливи.
5. Те са шумни деца.
6. Те са американци.

Б. Поставете в отрицателна форма:

1. They are noisy kids.
2. You are Italian.
3. We are invited.
4. They are sick.

В. Поставете в съкратена отрицателна форма:

1. We are sad.
2. They are not different.
3. You are not pleased.
4. They are invited.

B2 ОТГОВОРИ

А. 1. Linda, you are nice.
2. Betty, you are not sad.
3. You are a kid.
4. We are glad.
5. They are noisy kids.
6. They are American.

Б. 1. They are not noisy kids.
2. You are not Italian.
3. We are not invited.
4. They are not sick.

В. 1. We aren't sad.
2. They aren't different.
3. You aren't pleased.
4. They're not invited.

B3 УПРАЖНЕНИЯ ЗА ПРОИЗНОШЕНИЕ

■ Произнесете

you're American	[juə əm**e**rikən]
you're Italian	[juə it**æ**liən]
we're sick	[we:ə sik]
you aren't noisy	[ju a:nt n**o**izi]
they aren't kids	[ðei a:nt kidz]

• Забележка: В американския английски **r** от **are** се произнася; същата забележка се отнася и за крайното **r**.

В4 ПРОИЗХОД НА АНГЛИЙСКИЯ ЕЗИК (2)

■ През епохата на Ренесанса (XV–XVI в.) усилената работа на преводачи и писатели обогатява английския език с множество думи от латински, гръцки, френски, италиански, испански и португалски произход. Многобройни са и влиянията, които ще допринесат за стабилизирането му:
• пиесите на *Шекспир,* **Shakespeare** (1564–1616 г.);
• преводът на *Библията* на английски език (1611 г.);
• речникът, публикуван от *Самуел Джонсън,* **Samuel Johnson** (1705–1784 г.), през 1755 г.
■ Английският ще продължи да се развива, но вече без съществени промени. Четенето на автори от XVIII в. не създава много големи проблеми на съвременния студент. Именно от тази епоха можем вече да говорим за модерния английски.
■ Съвременният английски: без да смятаме проникването на американския английски като допълнително нашествие, трябва да признаем неговото влияние, в частност върху младото поколение, както и в търговско-икономическите среди. Като изключим този относително скорошен елемент, съвременният английски има следните характеристики:
• В литературен аспект той е много богат, разполага с голямо разнообразие от описателни и по-конкретни термини; съдържа приблизително *една трета* повече думи от френския език например, факт, който може да се обясни с различните езикови пластове, наслоили се в исторически план. В замяна на това разговорният език си служи с доста ограничен брой думи и изрази.
• Колкото повече този език е идиоматичен, конкретен и описателен, толкова повече откриваме в него англосаксонската основа. Колкото повече той е интелектуален и абстрактен, толкова повече личат латинското и френското влияние.
• Така например, за да се каже, че някой е *интелигентен,* неговите приятели и близки ще употребят думите **clever** или **smart**, докато един преподавател ще каже, че той/тя е **intelligent.**
• В английския език съществуват голям брой думи от латински или френски произход, но честотата на употребата им в разговорния език може да е доста слаба. Ще ги срещнем в много по-голяма степен в научния, юридическия, икономическия и т.н. език, както и при размяната на по-абстрактни идеи.
Този факт прави овладяването на разговорния език по-трудно от това на техническия или литературния език.

4 САЩ

Г1 КАРТИ. MAPS.

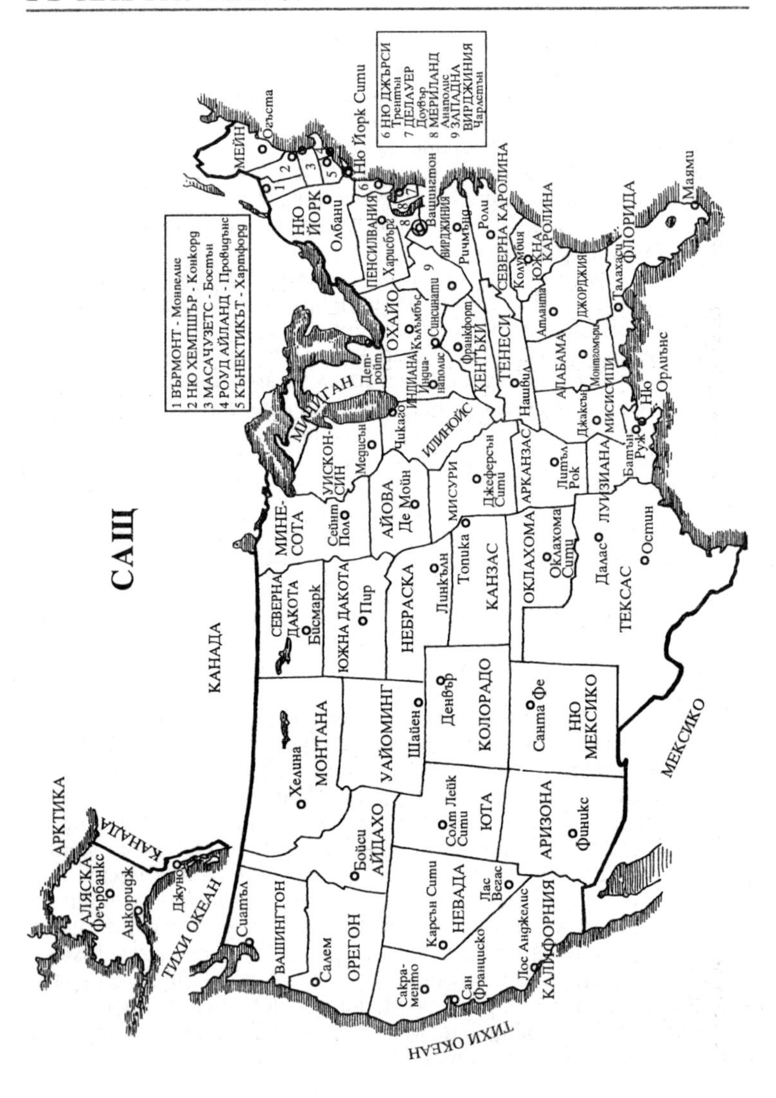

4 САЩ

Г2 САЩ • THE UNITED STATES (1)

■ ГЕОГРАФСКА СПРАВКА

• Площ 9 385 000 кв. км.

• 50 щата, сред които *Аляска,* **Alaska**, и *Хавай,* **Hawai** (да прибавим и **District of Columbia**, където се намира столицата **Washington**).

• На юг от големите езера, в североизточната част, се простират *Големите равнини,* отводнени от *Мисисипи,* **Mississippi**, към *Мексиканския залив* (**Gulf of Mexico**). На изток те граничат със стария планински масив *Апалачите* (**Appalachian High-lands**), а на запад – със *Скалистите планини* (**Rocky Mountains**), които обграждат платата на *Орегон,* **Oregon**, и на *Колорадо,* **Colorado**, и зад които се намира *Калифорния* (**California**).

• Континенталният климат се превръща в субтропичен на юг, а по тихоокеанското крайбрежие на север е океански, а на юг е мек и приятен – също както по крайбрежието на Средиземно море.

• Население: около 260 милиона жители.

Първите преселници от Европа са от Британските острови, а след това дошли скандинавци и германци, по-късно и преселници от средиземноморски, а в края на XIX в. от славянски произход. Най-новите имиграционни потоци са от Латинска Америка (**Hispanics**) и Азия (**Asians**).

■ ИСТОРИЧЕСКА СПРАВКА

• 1776 г. – *Декларация за независимостта* (**Declaration of Independence**) на 13 британски колонии, които приемат името **United States of America.**

• 1776–1783 г. – война за независимост, спечелена от главнокомандващия *Джордж Вашингтон,* **George Washington**, с помощта на Франция (Лафайет, Рошамбо).

• 1787 г. – съставяне на Конституцията, приложена през 1789 година, в която Джордж Вашингтон става първият президент на САЩ.

• 1803 г. – откупуване на *Луизиана* (**Louisiana**) от Франция.

• 1848 г. – завладяване на *Тексас,* **Texas**, *Ню Мексико* (**New Mexico**) и *Калифорния,* отнета от мексиканците.

Първата половина на XIX в. е период на завладяването на Запада (отвъд Мисисипи), при което местното население – индианците – е прогонено в резервати. *(следва на стр. 49)*

5 Are you...

A1 ПРЕДСТАВЯНЕ

- **are you...?** *сте ли вие, си ли ти?*

busy	[bizi]	*зает, -а*
free	[fri:]	*свободен, -а*
French	[frenʃ]	*французин, -ка*
lucky	[lʌki]	*късметлия, -ка*
a doctor	[doktə]	*доктор, лекар*
please	[pli:z]	*ако обичате*

- Въпросителната форма на глагола „съм“ на английски език се образува чрез инверсия (сказуемо + подлог):

are you? *си ли ти? сте ли вие?*
are we? *сме ли ние?*
are they? *са ли те ?*

A2 ПРИЛОЖЕНИЕ

1. **Please, are you free?**
2. **Are you busy?**
3. **Are you lucky?**
4. **Please, are you a docktor?**
5. **Are you French?**

5 Сте ли Вие...?

А3 ЗАБЕЛЕЖКИ

■ Произношение [ʌ] [i] [i:] [o] [r]

- Буквата **u** от **lucky** се произнася приблизително между *„а“* и *„ъ“* (в британския английски по-близо до *„ъ“*); обозначава се с [ʌ].
- **U** от **busy** се произнася [i]: [b**i**zi].
- Да си припомним:

– групите **ee** от **free** и **ea** от **please** имат удължено [i:], също като в българските думи *„пий“* и *„Сийка“*.
– в **doctor** се чува само първото **o** [d**o**ktə].
– **r** от **free** прилича на *„р“*, но по-слабо.

■ Граматика

Да си припомним:

- **Are you a doctor?** *Лекар ли сте?*
  Неопределителният член **a** се използва пред броимо съществително име в единствено число.
- Прилагателните не се изменят по род и число и се поставят пред съществителното име.

a busy doctor	*зает лекар*
busy doctors	*заети лекари*

А4 ПРЕВОД

1. Извинете, свободен ли сте?
2. Зает, (а), (и) ли сте (ли си)?
3. Късметлия ли сте (Имате ли късмет)?
4. Извинете, вие лекар ли сте?
5. Французин, (ка) ли сте?

5 Is it...?

Б1 ПРЕДСТАВЯНЕ

- **is it...?** *е ли това...?*
  е ли той...? е ли тя...?

blue	[blu:]	*син, -я*
new	[nju:]	*нов, -а*
free	[fri:]	*свободен, -а; безплатен, -а*
Linda's job	[lindəz dʒob]	*работата на Линда*
Pam's bike	[pamz baik]	*велосипедът на Пам*
Bill's doctor	[bilz doktər]	*лекарят на Бил*

- Да си приромним:
1. **It:** *той, тя, това*
2. Въпросителната форма на **it is** се образува с обикновена инверсия:

   is it? *е ли това?*

Б2 ПРИЛОЖЕНИЕ

1. **Is it blue?**
2. **Is it new?**
3. **Is it free?**
4. **Is it Linda's job?**
5. **Is it Pam's bike?**
6. **Is it Bill's doctor?**

Б3 ЗАБЕЛЕЖКИ

■ Произношение [u:] [ju:]
• звукът от **blue** е удължено „у“. Обозначава се с [u:].
• групата **ew** от **new** се обозначава с [ju:].

■ Граматика
• Знак за притежание: за да се изрази притежание, използваме следната конструкция:
притежател + апостроф + **s** + притежавано нещо
Напр.: **Linda's bike** *велосипедът на Линда*
Pam's job *работата на Пам*
• Забележки:
1. В този случай на английски език нямаме определителен член.
2. **S** се произнася [z].

Б4 ПРЕВОД

1. Син ли е?
2. Ново ли е това?
3. Свободно ли е?
4. Това работата на Линда ли е?
5. Това велосипедът на Пам ли е?
6. Това лекарят на Бил ли е?

В1 УПРАЖНЕНИЯ

А. Поставете във въпросителна форма:

1. You are free.
2. Linda is lucky.
3. Bill is a doctor.
4. You are French.

Б. Преведете, като използвате притежателна форма:

1. Лекарят на Бил е заеи.
2. Велосипедът на Линда е френски.
3. Работата на Пам е нова.

В. Преведете и поставете в множествено число:

1. Велосипед.
2. Добра работа.
3. Френски лекар.
4. Очарователно дете.

В2 ОТГОВОРИ

А. 1. Are you free?
2. Is Linda lucky?
3. Is Bill a doctor?
4. Are you French?

Б. 1. Bill's doctor is busy.
2. Linda's bike is French.
3. Pam's job is new.

В. 1. Bikes.
2. Good jobs.
3. French doctors.
4. Nice kids.

В3 УПРАЖНЕНИЯ ЗА ПРОИЗНОШЕНИЕ

■ Произнесете **s** от множествено число

doctors [d**o**ktəz]
bikes [baiks] (обърнете вним. на **s**, произнесено като [s])
jobs [dʒobz]

■ Произнесете **s** на притежателната форма

Linda's doctor [l**i**ndəz d**o**ktə]
Bill's bike [bilz baik]
Pam's job [pamz dʒob]

B4 САЩ • THE UNITED STATES (2)

■ ИСТОРИЧЕСКА СПРАВКА (продължение)

• 1860–1865: *Гражданска война* (**Civil war**), загубена от Юга, който трябва да премахне робството. Победителят от войната, президентът *Ейбрахам Линкълн,* **Abraham Lincoln**, е убит от един фанатик през 1865 г.

• 1898: нападение срещу Испания, анексиране на Пуерто Рико, Филипините, Гуам и Хавай.

• 1903: придобиване на зоната около Панамския канал.

• 1917: като се отказват от политиката на изолационизъм, САЩ допринасят за победата в *Първата световна война* (**World War I**).

• Голямата депресия от 1929: *Франклин Делано Рузвелт,* **Franklin Delano Roosevelt**, президент на САЩ от 1933 до 1945, изправя на крака икономиката, благодарение на социалните мерки на **New-Deal**.

• 7 декември 1941: трагедията в *Пърл Харбър,* **Pearl Harbor**. Унищожаването на американския флот от японците хвърля Съединените щати във *Втората световна война* (**World War II**). Главнокомандващият на съюзническите армии в Европа *Дуайт Дейвид Айзенхауер,* **Dwight David Eisenhower**, ще бъде избран за президент през 1953 г.

• През президентския мандат на *Хари Труман,* **Harry Truman** (1945–1953), ще бъде отпусната финансова помощ за Западна Европа (**Plan Marshall**), ще бъде пусната първата атомна бомба над Япония и отношенията със СССР и Китай ще бъдат обтегнати (Корейската война).

• 1961–1963: президентски мандат на *Джон Фитцджералд Кенеди,* **John Fitzgerald Kennedy**, убит през 1963 г.

• 1962: Кубинска криза, предизвикана от разполагането на съветски ракети на острова, последвана от подобряване на отношенията с руснаците.

• 1963: поход към Вашингтон, организиран от чернокожия пастор *Мартин Лутър Кинг,* **Martin Luther King**, за получаване на равни *граждански права* (**civil rights**) за чернокожите, за чието интегриране в американското общество допринася Кенеди.

При приемника на Кенеди, *Линдън Джонсън,* **Lyndon Baines Johnson**, САЩ ще преживеят сериозен проблем с войната във Виетнам.

Следващият президент, *Ричард Никсън,* **Richard Nixon**, избран през 1969 г., подава оставка през 1972 г., без да завърши мандата си, заради политическия скандал *Уотъргейт,* **Watergate**.

Президентът *Роналд Рейгън,* **Ronald Reagan**, инициатор на програмата за противоракетна защита *„Звездни войни“* (**Star Wars**), ще повдигне духа на американците. След рухването на съветската империя неговите приемници *Джордж Буш,* **Georges Bush**, и *Бил Клинтън,* **Bill Clinton** (избран през 1992 г. и преизбран през 1996 г.), ще бъдат начело на единствената световна суперсила.

5 Канада

Г1 КАРТИ. MAPS.

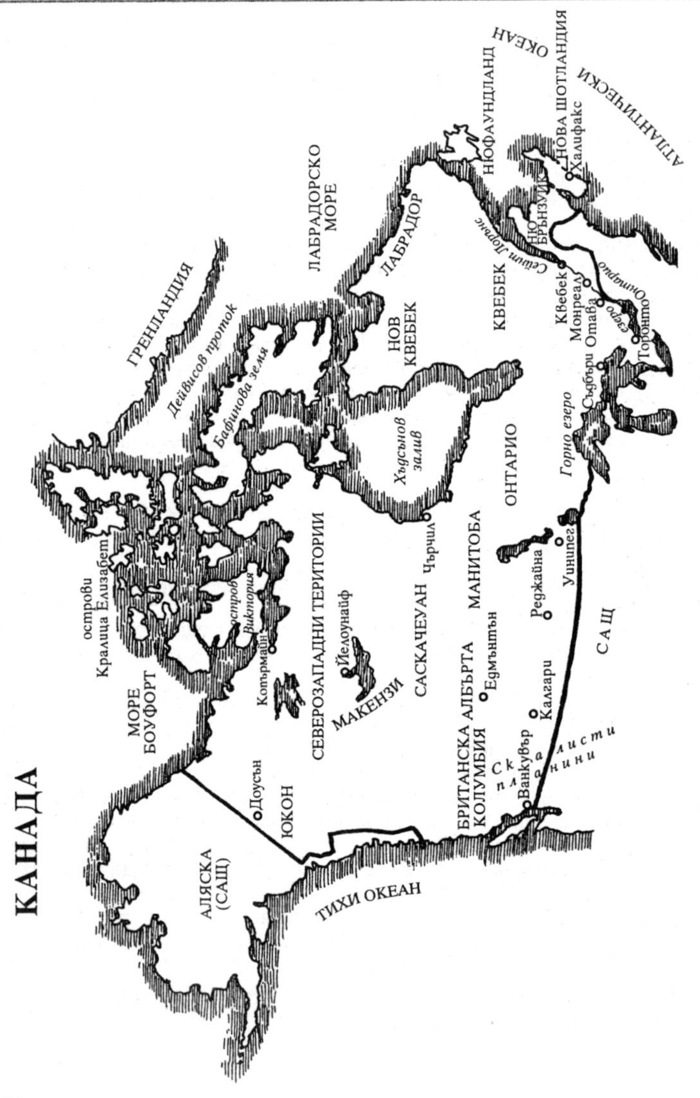

Г2 КАНАДА • CANADA

■ С площ от 9 992 330 *кв. км* (**square kilometers** [k'ilәmi:tәz]) Канада, голяма селскостопанска и миньорска страна, е втората по големина държава в света след Русия.
Площите, осеяни със сладководни басейни – *езера* (**lakes** [leiks]) и *реки* (**rivers** [rivә:z]), – представляват общо 755 165 кв. км (за сравнение територията на Франция е 549 000 кв. км), а около 25% от територията на страната е покрита с *гори* (**forest** [forist]).
■ Гъстотата на населението е само трима души на кв. км, като общият брой на *жителите* ѝ (**inhabitants** [inhæbitәnts]) е приблизително 27 милиона, от които около седем милиона говорят френски език.
■ Член на *Британската общност,* **Commonwealth** (виж стр. 35), Канада е разделена на две области (Северозападни територии и Юкон) и на десет провинции:

Албърта	Британска Колумбия	Остров Принс Едуард
Манитоба	Ню Брънзуик	Нова Шотландия
Онтарио	Квебек	Саскачеуан
Нюфаундланд		

Федералната столица е *Отава,* **Ottawa**.
Суровият климат, най-вече на север, е принудил близо 90% от населението да се съсредоточи по протежение на границата със САЩ. Главните градове са: *Едмънтън,* **Edmonton**, *Хамилтън,* **Hamilton**, *Монреал,* **Montreal**, *Отава,* **Ottawa**, *Квебек,* **Quebec**, *Ванкувър,* **Vancouver**, *Уинипег,* **Winnipeg**.

■ ИСТОРИЧЕСКА СПРАВКА
В началото заселена с индианци, Канада е анексирана от Франция през 1534 г. от *Жак Картие,* **Jacques Cartier**. През 1608 г. *Шамплен,* **Champlain**, създава Квебек, а крал Луи XIV основава през 1663 г. „Индийска компания“. Изправени срещу индианците и англичаните, французите постепенно отстъпват и след падането на Квебек и Монреал Франция се оттегля от Канада през 1763 г. Канадците от френски произход ще получат някои компенсации, но едва през 1848 г. френският ще бъде признат като официален език, също както и английският.
След Първата световна война Канада става световна сила, а през 1926 г. – независима страна.
Въпреки автономистките искания на франкофонската провинция Квебек от 80-те години, Канада си остава и до днес конфедерация.

6 He/she is; he/she is not

А1 ПРЕДСТАВЯНЕ

- **he is** [hi: iz] *той е* **he's** [hi:z] кратка форма
- **she is** [ʃi: iz] *тя е* **she's** [ʃi:z] кратка форма

- **he is not** *той не е* **he's not** или **he isn't** [izənt]
- **she is not** *тя не е* **she's not** или **she isn't** [izənt]

careful	[ˈkeəful]	*грижлив, -а; старателен, -а*
happy	[ˈhæpi]	*щастлив, -а*
pretty	[ˈpriti]	*красив, -а*
ten	[ten]	*десет*

А2 ПРИЛОЖЕНИЕ

1. She is careful.
2. He isn't careful.
3. She is pretty.
4. He isn't happy.
5. He is ten.
6. She isn't ten.

6 Той/тя е; Той/тя не е

А3 ЗАБЕЛЕЖКИ

■ Произношение [h] [eə]

- **h** от **he** или **happy** се произнася „х“, но по-слабо, като придихание. Обозначава се с [h].
- **a** от **careful** е двугласна и се произнася [eə].
- **e** от **pretty** се произнася [i]: [priti].

■ Граматика: лични местоимения, изпълняващи ролята на подлог (виж стр. 345).

- **he** [hi:] *той* (мъжки род)
- **she** [ʃi:] *тя* (женски род)
- **he** и **she** се употребяват за лица

- **it:** *той, тя, това*

it се използва изключително за предмети и за животни, това местоимение е от среден род.

- **we** [wi:] *ние*
- **you** [yu] *ти, вие*
- **they** [ðei] *те*

- Да си припомним:
  is: 3 лице, единствено число на глагола **to be** [tu bi:] в сегашно време.

А4 ПРЕВОД

1. Тя е грижлива (старателна). (Тя внимава.)
2. Той не е грижлив (старателен). (Той не внимава.)
3. Тя е красива.
4. Той не е щастлив.
5. Той е на десет години.
6. Тя не е на десет години.

6 Is he...? Is she...?

Б1 ПРЕДСТАВЯНЕ

- **Is she...?** *тя... ли е? е ли тя...?*
- **Is he...?** *той... ли е? е ли той...?*

cool	[ku:l]	*спокоен, -а; невъзмутим, -а;* (но също и *свеж*)
old	[ould]	*възрастен, -а; стар, -а*
sorry	[sori]	*съжаляващ, -а; жалък, -а*
German	[dʒə:mən]	*германец, -ка*
late	[leit]	*закъснял, -а; късно*

- Да си припомним: *прилагателните имена, означаващи националност, се пишат с главна буква.*

Б2 ПРИЛОЖЕНИЕ

1. Is she sorry?
2. Is he cool?
3. Is she old?
4. Is he old?
5. Is she Italian?
6. Is he Italian?
7. Is she German?
8. Is he German?
9. Is he late?

6 Той... ли е? Тя... ли е?

Б3 ЗАБЕЛЕЖКИ

■ Произношение [ou] [ə:]

- **o** в **old** е двугласна, няма съответствие в българския език, но се среща в известни у нас английски имена като **Стоун**, **Глазгоу**.
- групата **er** от **German** е с удължено ъ; обозначава се с [ə:]. Забележете, че както често след гласна, **r** предизвиква нейното удължаване, но то самото не се произнася.

■ Граматика

Въпрос с **to be** (да си припомним):

Is she...? **Is he...?** Тя... ли е? Той... ли е?

С помощта на спомагателната форма **is** въпросът се получава чрез обикновена инверсия.

Is he old? Той възрастен ли е?
Is she Italian? Тя италианка ли е?

- Да си припомним: на английски език прилагателните не се променят по род и число.

Is he old?	**Is she old?**	**Are they old?**
Той стар ли е?	Тя стара ли е?	Те стари ли са?

Б4 ПРЕВОД

1. Тя съжалява ли?
2. Той спокоен ли е?
3. Тя стара ли е?
4. Той възрастен ли е?
5. Тя италианка ли е?
6. Той италианец ли е?
7. Тя германка ли е?
8. Той германец ли е?
9. Той закъснял ли е?

B1 УПРАЖНЕНИЯ

А. Преведете на английски език:

1. Той е щастлив.
2. Тя е щастлива.
3. Той е закъснял.
4. Той съжалява.
5. Тя съжалява.

Б. Поставете изреченията от горното упражнение във въпросителна форма.

B2 ОТГОВОРИ

А.
1. He is happy.
2. She is happy.
3. He is late.
4. He is sorry.
5. She is sorry.

Б.
1. Is he happy?
2. Is she happy?
3. Is he late?
4. Is he sorry?
5. Is she sorry?

B3 УПРАЖНЕНИЯ ЗА ПРОИЗНОШЕНИЕ

- **Двугласни (дифтонги)**

[eə]	careful	[k**eə**ful]
[ei]	late	[leit]
[ou]	cold	[kould]

- **Кратки форми**

He's ten.	[hi:z ten]
He isn't ten.	[hi:**i**zənt ten]
She's sorry.	[ʃi:z s**o**ri]
She isn't sorry.	[ʃi: **i**zənt s**o**ri]

- **h** като придихателно æ: **he's happy** [hi:z h**æ**pi]

В4 АМЕРИКАНСКИ АНГЛИЙСКИ

■ С езика е същото, както и с гражданите: не съществува само един американски език, а повече. Изразите и ударенията се променят в зависимост от географското разположение и американецът от Североизток не говори по същия начин както южнякът. Към този факт се прибавя и съществуването на регионални диалекти, чийто източник може да бъде открит в произхода на имигрантите (чернокожи африканци, германци и т.н.).

• Обаче писменият език, такъв, какъвто го срещаме в пресата, свидетелства за съществуването на един американски, който е в по-голяма или по-малка степен стандартен и до известна степен различен от британския английски. Но днес би било неестествено да ги противопоставяме. Ако народният език не е един и същ, ако възникват отделни трудности при разбирането на англичанин от Манчестър и американец от Хюстън, този факт е валиден във все по-малка степен за младите поколения, понеже не бива да се пренебрегва влиянието на телевизията, радиото, музиката и пътуванията.

Разбира се, разлики съществуват, пък били те само защото американският е по-отпуснат, по-фамилиарен и неофициален, отколкото британският английски, а и Америка е по-толерантна към начина на изразяване на имигрантите и чужденците.

■ Американският английски се различава най-вече по:

• акцента – и по-точно с отчетливото произнасяне на крайно **-r**, както и с различните варианти на произнасяне или на поставяне на ударението при някои думи;

• правописа

Например:

британски английски	**centre**	**colour**	**cheque**	**traveller**
американски английски	**center**	**color**	**check**	**traveler**

• идиоматични изрази (някои от които, но не всички, са преминали в крайна сметка в британския английски);

• специфична терминология, произтичаща от някои характерни аспекти на институциите, на политическия живот, на съдебната, социалната и образователната система;

• другите лексикални различия, като се изключат диалектите, не превишават стотина думи от разговорния език.

Колкото до граматическите различия – те са малобройни, ако се съобразяваме с „официалната" граматика, преподавана в училищата.

Г1 INVITATIONS[1]

John: Are you invited?
Peter: No. I am not.
John: I'm sorry.
Peter: Is Linda invited?
John: Yes, she is.
Peter: I'm glad she is invited. She is nice.
Peter: Is she American?
John: No. She is English. She is an English doctor.
Peter: Are Linda's children[2] invited?
John: Yes, they are.
Peter: I'm pleased I'm not invited. They are bad and noisy.

1. Произнесете [inviteiʃənz], но ще кажем **invited** [invaitid].
2. **Children** се произнася [tʃildrən]; това е множествено число от **child** [tʃaild].

Г2 ПРАКТИЧНИ СЪВЕТИ

ПРЕДСТАВЯНИЯТА

• Представяме **to introduce** [intrədjus]
• По време на първата среща ще чуете:
How do you do? [hau du: ju du:], което се превежда условно на български *Приятно ми е (да се запознаем)*, на което вие ще отговорите с: **How do you do** (= *На мен също*).
• Британците *стискат ръка* (**shake hands**) само по време на първата среща.
• За да поздравите, можете да използвате:
– **good morning**, добро утро;
– **good afternoon**, добър ден;
– **good evening**, добър вечер.

Г3 ПОКАНИ

Джон: Ти (Вие) поканен ли си (сте)?
Питър: Не, не съм.
Джон: Съжалявам.
Питър: Линда поканена ли е?
Джон: Да, тя е поканена.
Питър: Радвам се, че тя е поканена. Тя е симпатична.
Питър: Тя американка ли е?
Джон: Не, тя е англичанка. Тя е английска лекарка.
Питър: Децата на Линда поканени ли са?
Джон: Да.
Питър: Доволен съм, че не съм поканен. Те са невъзпитани[3] и шумни.

3. буквално: *лоши*.

Г4 ПРАКТИЧНИ СЪВЕТИ

– **good night**, лека нощ.
По-фамилиарно можете да кажете:
Hello!
Hi!,
които съответстват на българското *здравей*!

ЗНАЕТЕ ЛИ ПРОИЗХОДА НА ДУМАТА **DOLLAR**?

⇨ *ОТГОВОР НА СТР. 149*

7 I want...

A1 ПРЕДСТАВЯНЕ

• **I want**	[wont]	*Аз искам*
a bicycle	[baisikəl]	*велосипед*
a boat	[bout]	*кораб*
a cake	[keik]	*сладкиш, торта*
a car	[ka:]	*(лека) кола*
a drink	[drink]	*напитка*
a key	[ki:]	*ключ*
1, one	[wʌn]	*един, -а, -о*
2, two	[tu:]	*две*
black	[blæk]	*черен, -а, -о*
green	[gri:n]	*зелен, -а, -о*
red	[red]	*червен, -а, -о*
white	[wait]	*бял, -а, -о*
too	[tu:]	*също* (но и *много*)

• Да си припомним: прилагателното стои винаги пред съществителното.

A2 ПРИЛОЖЕНИЕ

1. I want a boat.
2. I want a dog.
3. I want a black dog.
4. I want a red car.
5. I want a bicycle.
6. I want a white bicycle.
7. I want a drink.
8. I want a key.
9. I want a book.
10. I want two dogs.

7 Аз искам...

А3 ЗАБЕЛЕЖКИ

■ Произношение [w] [ʌ] [a:]

- [w] Звукът **w** в **want, white** няма съответствие в българския книжовен език, но се среща в изговора на някои известни английски имена и думи като *уиски, Уилсън, Уотъргейт* и др. Обозначава се с [w]. Срещаме го и в **one** [wʌn].
- [ʌ] Това е звукът на гласната в числото **one** [wʌn], *един, -а, -о*.
- [a:] Това е звукът на групата **ar** в **car** [ka:]. Изговаря се като българското *а*, но е удължен. Забележете, че крайното **r** не се произнася.

Внимание: **a** в **want** се произнася [o] и съгласните **n** и **t** се произнасят [wont].

- Групата **ey** от **key** се произнася като дълго **i** [i:].

■ Граматика

- **I want** е 1 лице, единствено число в сегашно време на глагола **to want**, *искам*.
- **one car** **two cars** [tu: ka:z]
  една кола *две коли*: **s** е окончание за множествено число.
- Да си припомним: неопределителният член **a, an** изчезва в множествено число.
  a car, *кола* **cars,** *коли*

А4 ПРЕВОД

1. Аз искам кораб.
2. Аз искам куче.
3. Аз искам черно куче.
4. Аз искам червена кола.
5. Аз искам велосипед.
6. Аз искам бял велосипед.
7. Аз искам едно питие (или напитка).
8. Аз искам ключ.
9. Аз искам книга.
10. Аз искам две кучета.

7 I want (+ глагол)

Б1 ПРЕДСТАВЯНЕ

- **I want to be** [wont tu bi:] *Аз искам да бъда...*

to be*	[tu bi:]	*съм*
to eat*	[tu i:t]	*ям*
to leave*	[tu li:v]	*оставям, заминавам*
to sleep*	[tu sli:p]	*спя*
to find*	[tu faind]	*намирам*
to drive*	[tu draiv]	*шофирам*
to travel*	[tu trævl]	*пътувам*
abroad	[əbro:d]	*в чужбина*
early	[ə:li]	*рано; ранен*

- Наречията **abroad** и **early** се поставят след глагола.

* Виж неправилни глаголи на стр. 368–370.

Б2 ПРИЛОЖЕНИЕ

1. **I want to be happy.**
2. **I want to be a pilot.**
3. **I want to leave.**
4. **I want to eat.**
5. **I want to sleep.**
6. **I want to drive.**
7. **I want to find a good job.**
8. **I want to travel.**
9. **I want to leave early.**
10. **I want to travel abroad.**

7 Аз искам (+ глагол)

Б3 ЗАБЕЛЕЖКИ

■ Произношение [i] [ai] [ə:] [ɔ:]

- [i:] Групата от букви **ee** се произнася винаги *ий*, например като в *пий* и *Сийка.* Групата **ea** често се произнася като [i:].
- [ai] Това е двойният звук от **pilot** [p**ai**lət], **to drive** [dr**ai**v], **to find** [f**ai**nd].
- [ə:] Това е удълженият звук ъ от **early** [ə:li]. Забележете, че **r** не се произнася.
- [ɔ :] Това е удълженият звук от групата **oa** от **abroad** (ударението пада на втората сричка). Този звук е с удължение и с по-слабо закръгляне на устните.

■ Граматика: **инфинитив** *(основна форма на глагола)*

- **To be**, *съм.* Глаголите в инфинитив обикновено са предшествани от частичката **to** [tu:]; например **to be**, *съм*; **to want**, *искам*.

- **I want to eat**. *Аз искам да ям.* Глаголите, които следват друг глагол, обикновено са в инфинитив, предшествани от **to** (изключения, бележка §23, стр. 357).

Б4 ПРЕВОД

1. Аз искам да съм щастлив.
2. Аз искам да бъда (стана) пилот.
3. Аз искам да замина.
4. Аз искам да ям.
5. Аз искам да спя.
6. Аз искам да шофирам.
7. Аз искам да намеря хубава работа.
8. Аз искам да пътувам.
9. Аз искам да замина рано.
10. Аз искам да пътувам в чужбина.

7 Упражнения

В1 УПРАЖНЕНИЯ

А. Преведете на английски език:

1. Аз искам сладкиши.
2. Аз искам два сладкиша.
3. Аз искам да изям един сладкиш.
4. Ние искаме да напуснем Париж.
5. Те искат да бъдат поканени.
6. Аз искам ново колело.

Б. Поставете в множествено число:

1. I want to find a good job.
2. I want a new book.
3. You want an Italian car.
4. I want a cool drink.

В2 ОТГОВОРИ

А.
1. I want cakes.
2. I want two cakes.
3. I want to eat a cake.
4. We want to leave Paris.
5. They want to be invited.
6. I want a new bike.

Б.
1. We want to find good jobs.
2. We want new books.
3. You want Italian cars.
4. We want cool drinks.

В3 УПРАЖНЕНИЯ ЗА ПРОИЗНОШЕНИЕ

■ **Упражнете се да произнесете:**

[dj]	I want a job	[ai w**o**ntə djob]
[a:]	I want a car	[ai w**o**ntə ka:]
[ei]	I want a cake	[ai w**o**ntə keik]
[i:]	I eat, I sleep, I leave	[ai i:t] [ai sli:p] [ai li:v]

B4 СПИСЪК НА 50-ТЕ АМЕРИКАНСКИ ЩАТА

Щати	Съкр.	Произношение	Столици	Произношение
Alabama	Al.	[ələbæmə]	Montgomery	[mɔntgɔməri]
Alaska	Ak.	[əlæskə]	Juneau	[dju:nə]
Arizona	Az.	[ærizounə]	Phoenix	[fi:niks]
Arkansas	Ar.	[a:kənso:]	Little Rock	[litəl rok]
California	Ca.	[kælifo:niə]	Sacramento	[sækrəmentou]
Colorado	Co.	[kolәra:dou]	Denver	[denvə]
Connecticut	Ct.	[kənetikət]	Hartford	[ha:tfәrd]
Delaware	De.	[deləweə]	Dover	[douvə]
Florida	Fl.	[floridə]	Tallahassee	[teləha:si]
Georgia	Ga.	[djo:dʒiə]	Atlanta	[ætlæntə]
Hawaii	Hi.	[ha:waii]	Honolulu	[honəlu:lu:]
Idaho	Id.	[aidəhou]	Boise	[boizi]
Illinois	Il.	[ilinoi]	Springfield	[spriŋfi:ld]
Indiana	In.	[indiænə]	Indianapolis	[indiænɔpəlis]
Iowa	Ia.	[aiɔwa]	Des Moines	[dimoinz]
Kansas	Ks.	[kænzəs]	Topeka	[toupi:kə]
Kentucky	Ky.	[kentʌki]	Frankfort	[frankfə:t]
Louisiana	La.	[louiziænə]	Baton Rouge	[batənru:ʒ]
Maine	Me.	[mein]	Augusta	[o:gʌstə]
Maryland	Md.	[merilənd]	Annapolis	[enæpolis]
Massachusetts	Ma.	[mæsətʃu:sits]	Boston	[bostən]
Michigan	Mi.	[mitʃigən]	Lansing	[lansiŋ]
Minnesota	Mn.	[minisoutə]	St-Paul	[seint po:l]
Mississippi	Ms.	[misisipi]	Jackson	[dʒæksən]
Missouri	Mo.	[misuəri]	Jefferson City	[dʒefəsən siti]
Montana	Mt.	[mɔntænə]	Helena	[helinə]
Nebraska	Ne.	[nibræskə]	Lincoln	[linkən]
Nevada	Nv.	[nəvædə]	Carson City	[ka:sən siti]
New Hampshire	Nh.	[hæmpʃə]	Concord	[konko:d]
New Jersey	NJ	[nju:dʒə:zi]	Trenton	[trentən]
New Mexico	NM	[meksikou]	Santa Fe	[sæntə fei]
New York	NY	[nju: yo:k]	Albany	[o:lbəni]
North Carolina	NC	[kærəlainə]	Raleigh	[rali:]
North Dakota	ND	[dəkoutə]	Bismark	[bizma:k]
Ohio	Oh.	[ouhaiou]	Columbus	[kəlʌmbəs]
Oklahoma	Ok.	[oukləhoumə]	Oklahoma City	[oukləhoumə]
Oregon	Or.	[origən]	Salem	[seiləm]
Pennsylvania	Pa.	[pensilveiniə]	Harrisburg	[harisbə:rg]
Rhode Island	RI	[roudailənd]	Providence	[providəns]
South Carolina	SC	[kærəlainə]	Columbia	[kəlʌmbiə]
South Dakota	SD	[sauð dəkoutə]	Pierre	[pier]
Tennessee	Tn.	[tenesi:]	Nashville	[næʃvil]
Texas	Tx.	[teksəs]	Austin	[ostin]
Utah	Ut.	[ju:tə:]	Salt Lake City	[so:lt leik siti]
Vermont	Vt.	[və:mont]	Montpelier	[montpi:liə]
Virginia	Va.	[vədʒiniə]	Richmond	[ritʃmənd]
Washington	Wa.	[woʃi ŋtən]	Olympia	[oulimpiə]
West Virginia	Wv.	[westvədʒiniə]	Charleston	[tʃa:lstən]
Wisconsin	Wi.	[wiskonsin]	Madison	[mædisən]
Wyoming	Wy.	[waioomiŋ]	Cheyenne	[ʃaien]

Г1 I WANT TO BE...

John: I want to be a pilot and to travel, and you?
Jane: I want to be a doctor and to drive a car.
John: A German car?
Jane: No, an Italian car. Bob's car is Italian.
John: Yes and Linda's bike, too. My bike is French.
Jane: Is it a black bike?
John: No, it's a big red one.
Peter: Well, I want to be a cook and to travel abroad.
John: You are different. You are lucky.
Peter: Now I want a cool drink.

Г2 ПРАКТИЧНИ СЪВЕТИ

JOBS, ПРОФЕСИИ (продължение на стр. 214)		
accountant	[əkauntənt]	*счетоводител*
baker	[beikə]	*хлебар*
bookseller	[bukselə]	*книжар*
butcher	[butʃə]	*месар, касапин*
civil servant	[sivil sə:vənt]	*висш чиновник, служител*
clerk	[kla:k]	*чиновник, служащ*
chemist	[kemist]	*аптекар*
craftsman	[kraftsmən]	*занаятчия*
milkman	[milkmən]	*млекар*
electrician	[ilektriʃən]	*електротехник*
engineer	[endʒiniə]	*инженер*
executive	[igzekjutiv]	*ръководен кадър*
farmer	[fa:mə]	*фермер*
fishmonger	[fiʃmʌngə]	*продавач на риба; рибар*
grocer	[grousə]	*бакалин*
		(следва)

Г2 АЗ ИСКАМ ДА БЪДА...

Джон: Аз искам да бъда пилот и да пътувам, а ти?
Джейн: Аз искам да бъда лекар и да карам кола.
Джон: Немска кола?
Джейн: Не, италианска кола. Колата на Боб е италианска.
Джон: Да, и колелото на Линда също. Моето колело е френско.
Джейн: То черно ли е?
Джон: Не, то е голямо червено колело.
Питър: Е, добре, аз пък искам да бъда готвач и да пътувам в чужбина.
Джон: Ти си различен. Ти си късметлия.
Питър: Сега аз искам една студена напитка.

Г4 ПРАКТИЧНИ СЪВЕТИ

ЦВЕТОВЕТЕ, **COLOURS**		
black	[blak]	*черен, -а, -о*
blue	[blu:]	*син, -я, -ьо*
brown	[braun]	*кафяв, -а, -о; кестеняв, -а, -о*
green	[gri:n]	*зелен, -а, -о*
grey	[grei]	*сив, -а, -о*
purple	[pə:pəl]	*виолетов, -а, -о*
red	[red]	*червен, -а, -о*
white	[wait]	*бял, -а, -о*
yellow	[jelou]	*жълт, -а, -о*

КАКВИ ДРУГИ ЕЗИЦИ ГОВОРЯТ БРИТАНЦИТЕ, ОСВЕН АНГЛИЙСКИ?

⇨ *ОТГОВОР НА СТР. 141*

8 She (he) wants...

A1 ПРЕДСТАВЯНЕ

- **She (he) wants...:** пълнозначните глаголи приемат s в 3 лице единствено число.

a cigarette	[sigəret]	*цигара*
a camera	[kæmərə]	*фотоапарат*
a beer	[biə]	*бира*
a room	[ru:m]	*стая*
a shirt	[ʃə:t]	*риза*

3 three	[θri:]	*три*
4 four	[fo:]	*четири*
5 five	[faiv]	*пет*
6 six	[siks]	*шест*
7 seven	[sevən]	*седем*
8 eight	[eit]	*осем*
9 nine	[nain]	*девет*
10 ten	[ten]	*десет*
20 twenty	[twenti]	*двадесет*

A2 ПРИЛОЖЕНИЕ

1. She wants a camera.
2. He wants three beers.
3. She wants four rooms.
4. He wants five shirts.
5. She wants ten cigarettes.
6. He wants one beer and twenty cigarettes.

А3 ЗАБЕЛЕЖКИ

■ Произношение: [ə:] [θ] [ə]

- Групата **ir** от **shirt** се произнася подобно на българското ъ с удължение. Обозначава се с [ə:].
- Групата **th** от **three** се доближава до *т*, като върхът на езика се поставя между зъбите. Обозначава се с [θ].
- [ə] **а** в края на думите обикновено се произнася като ъ в неударени срички, например в *хитър*: **camera** [kæmərə], **cinema** [sinəmə].

  По същия начин се произнася **а** в **and** [ənd] и в **cigarette** [sigəret].
- Тоничното ударение пада върху третата сричка в думата **cigarette** [sigə'ret] и върху първата сричка в думата **camera** ['kæmərə].

■ Граматика

- спрежението на глагола **to want** в сегашно време на изявително наклонение:

I want	*аз искам*
he, she, it wants	*той, тя иска*
we want	*ние искаме*
you want	*вие искате, ти искаш*
they want	*те искат*

А4 ПРЕВОД

1. Тя иска един фотоапарат.
2. Той иска три бири.
3. Тя иска четири стаи.
4. Той иска пет ризи.
5. Тя иска десет цигари.
6. Той иска една бира и двадесет цигари.

8 She wants to... He wants to...

Б1 ПРЕДСТАВЯНЕ

- **She wants** *тя иска* **He wants** *той иска*

to buy*	[bai]	*купувам*
to drink*	[driŋk]	*пия*
to learn*	[lə:n]	*уча*
to meet*	[mi:t]	*срещам*
to park	[pa:k]	*гарирам, паркирам*
to see*	[si:]	*виждам*
to smoke	[smouk]	*пуша*
to visit	[vizit]	*посещавам*
England	[iŋglənd]	*Англия*
Italy	[itəli]	*Италия*
often	[ofən]	*често*

- Имената на страни не се членуват:

England	**Canada**	**Italy**	**Belgium**
Англия	*Канада*	*Италия*	*Белгия*

* *Виж забележката на стр. 342*

Б2 ПРИЛОЖЕНИЕ

1. **She wants to buy a car.**
2. **He wants to drink a beer.**
3. **She wants to learn English.**
4. **He wants to meet Linda.**
5. **She wants to see Dan.**
6. **He wants to smoke a cigarette.**
7. **She wants to visit England.**
8. **He smokes English cigarettes.**
9. **She often sees Dan.**
10. **He often visits Italy.**

Б3 ЗАБЕЛЕЖКИ

■ Произношение

[ai] **to buy** [bai] – **u** не се произнася
[ə:] групата **ear** от **learn** се произнася [ə:]
[a:] групата **ar** от **to park** се произнася [a:]
[ou] **o** от **smoke** е двугласна [ou]

■ Граматика: да си припомним:

- В 3-то лице, единствено число, сегашно време винаги **s**:
  He wants to drink. *Той иска да пие.*
- **To want** е последвано от пълен инфинитив:
  He wants to see Dan. *Той иска да види Дан.*
- В английския език имената на страните не се членуват.
- Обърнете внимание на мястото на наречието **often**:
  She often sees Dan. *Тя често вижда Дан.*

Б4 ПРЕВОД

1. Тя иска да купи кола.
2. Тя иска да пие една бира.
3. Тя иска да научи английски език.
4. Той иска да срещне Линда.
5. Тя иска да види Дан.
6. Тя иска да изпуши една цигара.
7. Тя иска да посети Англия.
8. Той пуши английски цигари.
9. Тя често вижда Дан.
10. Той често посещава Италия.

B1 УПРАЖНЕНИЯ

А. Преведете на английски език:

1. Тя иска да купи цигари.
2. Той иска да научи английски език.
3. Той иска да пие.
4. Той иска да срещне Дан.

Б. Преведете на български език:

1. He learns English, not French.
2. He drinks beer.
3. She wants to smoke.
4. She visits England.

B2 ОТГОВОРИ

А.
1. She wants to buy cigarettes.
2. He wants to learn English.
3. He wants to drink.
4. He wants to meet Dan.

Б.
1. Той учи английски, а не френски.
2. Той пие бира.
3. Тя иска да пуши.
4. Тя посещава Англия.

B3 УПРАЖНЕНИЯ ЗА ПРОИЗНОШЕНИЕ

■ Поставете ударението:

cigarette [sigər**e**t]
camera [k**æ**mərə]
bicycle [b**ai**sikəl]
pilot [p**ai**lət]

В4 СТРАНИ И ЖИТЕЛИ

Страни	Countries	Жители	Inhabitants
Австрия	Austria	австриец	Austrian (същ./прил.)
Англия	England	англичанин	English (прил.)
			an English man/woman
Белгия	Belgium	белгиец	Belgian (същ./прил.)
Великобритания	Great Britain	британец	British (прил.) Briton (същ.)
Германия	Germany	германец	German (същ./прил.)
Гърция	Greece	грък	Greek (същ./прил.)
Дания	Denmark	датчанин	Danish (прил.) Dane (същ.)
Индия	India	индиец	Indian (същ./прил.)
Ирландия	Ireland	ирландец	Irish (прил.)
			an Irish man/woman
Испания	Spain	испанец	Spanish (прил.)
			Spaniard (същ.)
Италия	Italy	италианец	Italian (същ./прил.)
Канада	Canada	канадец	Canadian (същ./прил.)
Китай	China	китаец	Chinese (прил.) the
			Chinese (същ., неизм. в мн. ч.)
Корея	Korea	кореец	Korean (същ./прил.)
Мексико	Mexico	мексиканец	Mexican (същ./прил.)
Норвегия	Norway	норвежец	Norwegian (същ./прил.)
Полша	Poland	поляк	Polish (прил.)
			Pole (същ./прил.)
Португалия	Portugal	португалец	Portuguese (прил.)
			the Portuguese
			(същ., неизм. в мн. ч.)
Русия	Russia	руснак	Russian (същ./прил.)
САЩ	United States	американец	American (прил.)
			American (същ.)
Турция	Turkey	турчин	Turkish (прил.) Turk (същ.)
Унгария	Hungary	унгарец	Hungarian (същ./прил.)
Финландия	Finland	финландец	Finnish (прил.) Finn (същ.)
Франция	France	французин	French (прил.)
			a French man/woman
Холандия	Holland	холандец	Dutch (прил.)
			a Dutch man/woman
Швейцария	Switzerland	швейцарец	Swiss (прил.)
			the Swiss
			(същ., неизм. в мн. ч.)
Швеция	Sweden	швед	Swedish (прил.)
			Swede (същ., неизм. в мн. ч.)
Япония	Japan	японец	Japanese (прил.)
			the Japanese
			(същ., неизм. в мн. ч.)

Г1 THEY WANT TO...

HE WANTS TO VISIT EUROPE

Patricia: Alan wants to travel. He wants to leave and to travel abroad.
John: Good, he wants to visit Italy and Germany and England.
Patricia: Yes, he wants to see London and Berlin and to meet Italians, Germans and Belgians.
John: Good I want to travel too.

PETER AND JANE WANT TO BUY...

Jane: Peter, I want to smoke. I want to buy cigarettes. I want to smoke French cigarettes.
Peter: Good, Jane. I want to drink. I want to buy a beer. I want to drink a German beer.
Children: You want to smoke and drink, well we want to eat. We want to eat a cake, a good English cake.

Г2 ПРАКТИЧНИ СЪВЕТИ

ЧИСЛАТА (1–20) (NUMBERS)		
1 one	**11 eleven**	[ilevən]
2 two	**12 twelve**	[twelv]
3 three	**13 thirteen**	[θə:ti:n]
4 four	**14 fourteen**	[fo:ti:n]
5 five	**15 fifteen**	[fifti:n]
6 six	**16 sixteen**	[siksti:n]
7 seven	**17 seventeen**	[sevənti:n]
8 eight	**18 eighteen**	[eiti:n]
9 nine	**19 nineteen**	[nainti:n]
10 ten	**20 twenty**	[twenti]

Г2 ТЕ ИСКАТ...

ТОЙ ИСКА ДА ПОСЕТИ ЕВРОПА

Патриша: Алън иска да пътува. Той иска да замине и да пътува в чужбина.

Джон: Добре, той иска да посети Италия, Германия и Англия.

Патриша: Да, той иска да види Лондон и Берлин и да срещне италианци, германци и белгийци.

Джон: Добре, аз също искам да пътувам.

ПИТЪР И ДЖЕЙН ИСКАТ ДА КУПЯТ...

Джейн: Питър, аз искам да пуша. Искам да купя цигари. Искам да пуша френски цигари.

Питър: Добре, Джейн. А аз искам да пия. Искам да купя една бира. Искам да изпия една немска бира.

Деца: Вие искате да пушите и да пиете, е, добре, а ние искаме да ядем. Ние искаме да ядем кейк, един хубав английски кейк.

Г4 ПРАКТИЧНИ СЪВЕТИ

НЯКОЛКО ДУМИ И ИЗРАЗИ, КОИТО ТРЯБВА ДА ЗНАЕТЕ, АКО СТЕ В ТАКСИ

meter	[mi:tə]	*брояч*
receipt	[risi:t]	*разписка*
tip	[tip]	*бакшиш*

Can I have a receipt? — *Мога ли да получа разписка?*

Keep the change. [tʃeindʒ] — *Запазете рестото.*

КАКВО ОЗНАЧАВАТ ИНИЦИАЛИТЕ **G.O.P.**?

⇨ *ОТГОВОР НА СТР. 213*

9 Do you want...? Does he want...?

A1 ПРЕДСТАВЯНЕ

- **do you want...?** *искате ли...?*
  does he/she want...? *иска ли той/тя...?*
  do they want...? *искат ли те...?*

- Въпросителната форма за всички обикновени глаголи се образува с помощта на спомагателния глагол **to do** [du:].

an orange	[orindʒ]	*портокал*
a banana	[bənænə]	*банан*
an apple	[æpəl]	*ябълка*
an aspirin	[æspirin]	*аспирин (хапче аспирин)*
a watch	[wotʃ]	*ръчен часовник*
a cab	[kæb]	*такси* (ам.)
a cup of tea	[kʌp əv ti:]	*чаша чай*
an explanation	[eksplənei∫ən]	*обяснение*
to like	[laik]	*харесвам, обичам*

A2 ПРИЛОЖЕНИЕ

1. **Do you want an orange?**
2. **Do you want a banana?**
3. **Do you like apples?**
4. **Does she want an aspirin?**
5. **Does he want a cab?**
6. **Do you want a cup of tea?**
7. **Does she want a new watch?**
8. **Does he like tea?**
9. **Do they want an explanation?**
10. **Do they want explanations?**

9 Искате ли...? Иска ли той...?

A3 ЗАБЕЛЕЖКИ

■ Произношение

- **does** [dʌz]: **oe** в **does** се произнася приблизително между *a* и ъ (в британския английски по-близо до *a*, а в американския английски – до ъ).
  По същия начин се произнася **u** в **cup** [kʌp].
- **explanation** [eksplən**e**iʃən]: в думи от френски произход, завършващи на **-tion**:
  – ударението пада върху сричката, предшестваща крайната сричка **-tion**;
  – **tion** се произнася [ʃən], например **creation** [kri**e**iʃən].

■ Граматика

- Въпросителната форма на пълнозначните глаголи се образува с помощта на глагола **to do** по следната схема:

  Do + подлог + сказуемо (в инфинитив без **to**)

  Do you like oranges? *Обичате ли портокали?*
- В трето лице, единствено число, сегашно време **do** се превръща в **does**:
  Does he want a cab? *Иска ли той такси?*
  Does Pam like oranges? *Пам обича ли портокали?*

A4 ПРЕВОД

1. Искате ли портокал?
2. Искате ли банан?
3. Обичате ли ябълки?
4. Иска ли тя аспирин (хапче аспирин)?
5. Иска ли той такси?
6. Искате ли чаша чай?
7. Иска ли тя нов ръчен часовник?
8. Обича ли тя чай?
9. Искат ли те обяснение?
10. Искат ли те обяснения?

9 Do you want to go?

Б1 ПРЕДСТАВЯНЕ

• **do you want...?**	*искате ли...? искаш ли...?*
does she (he) want...?	*иска ли тя/той...?*
do they want...?	*искат ли те...?*

to go*	[gou]	*отивам, заминавам*
to read*	[ri:d]	*чета*
to come*	[kʌm]	*идвам*
to ask		*питам*
to help	[help]	*помагам*
to drive*	[draiv]	*карам, шофирам*
to take	[teik]	*взимам*
with		*с*
me	[mi]	*аз*
a question	[kwestʃən]	*въпрос*
to London		*в (към) Лондон*
now	[nau]	*сега*

• Да си припомним: в множествено число няма неопределителен член.
Например: **Do they want explanations?**
Искат ли те обяснения?

** Виж бележката на стр. 342.*

Б2 ПРИЛОЖЕНИЕ

1. Do you want to go?
2. Do you want to come?
3. Do you want to ask a question?
4. Do you want to help me?
5. Does he want to drive me?
6. Do you want to take an aspirin?
7. Does she want to help Bob?
8. Do you want to read Peter's book?
9. Do they want to go to London?
10. Do they want to ask Ted a question?

9 Искате ли да заминете?

Б3 ЗАБЕЛЕЖКИ

■ Произношение
- **to go** [gou], **o** е двугласна, произнася се като българското *оу* и се обозначава [ou].
- **to help** [help], **h** е придихателен звук.

■ Граматика:
- **Do you want to come?** *Искаш ли да дойдеш?*
  Също както и на български език, един глагол може да бъде допълнение на друг: той се поставя в пълен инфинитив с **to** (виж изключения на стр. 355, форма на **-ing** и стр. 357, инфинитив без **to**).
- **Do you want to help me?** *Искате ли да ми помогнете?*
  Допълнението **me** на английски винаги следва глагола.
- **to ask Ted a question**: *задавам въпрос на Тед*
  На английски глаголът е последван от две преки допълнения.
- **one watch** — **two watches** [wɔtʃiz]
  един часовник — *два часовника*
  добавяме **-es**, за да образуваме множествено число на съществителни имена, завършващи на **-ch** или **-sh**.
- **me**, лично местоимение като допълнение, съответстващо на личното местоимение, което изпълнява роля на подлог, **I**, *аз* (виж стр. 137).

Б4 ПРЕВОД

1. Искате ли да заминете?
2. Искате ли да дойдете?
3. Искате ли да зададете един въпрос?
4. Искате ли да ми помогнете?
5. Иска ли той да ме закара?
6. Искате ли да вземете един аспирин (едно хапче аспирин)?
7. Иска ли тя да помогне на Боб?
8. Искате ли да прочетете книгата на Питър?
9. Искат ли те да отидат в Лондон?
10. Искат ли те да зададат въпрос на Тед?

В1 УПРАЖНЕНИЯ

А. Превърнете във въпросителна форма:

1. You want an apple.
2. She wants an aspirin.
3. They want an explanation.
4. He wants to come.

Б. Преведете на английски език:

1. Искате ли да ме закарате в Лондон?
2. Искате ли обяснение?
3. Иска ли тя да дойде с мен?
4. Обичате ли портокали?
5. Искат ли те да тръгнат сега?

В2 ОТГОВОРИ

А.
1. Do you want an apple?
2. Does she want an aspirin?
3. Do they want an explanation?
4. Does he want to come?

Б.
1. Do you want to drive me to London?
2. Do you want an explanation?
3. Does she want to come with me?
4. Do you like oranges?
5. Do they want to go now?

В3 УПРАЖНЕНИЯ ЗА ПРОИЗНОШЕНИЕ

■ Произнесете:

an orange	[ən **o**rindʒ]
two oranges	[tu: **o**rindʒiz]
a watch	[əw**ɔ**tʃ]
two watches	[tu w**ɔ**tʃiz]
a cup of tea	[ə kʌp əv ti:]
an explanation	[ən ekspləne**i**ʃən]
explanations	[ekspl**ə**ne**i**ʃənz]
a question	[ə kw**e**stʃən]
questions	[kw**e**stʃənz]
a banana	[ə bən**æ**nə]
bananas	[bən**æ**nəz]
an apple	[ən **æ**pəl]
apples	[**æ**pəlz]

В4 ЧАЯТ • TEA

■ *Чаят* (**tea**) е като че ли най-старата напитка на света; изглежда, се е появил преди пет хиляди години... Той е едно универсално питие, с което са свикнали както в студените, така и в топлите страни, а също така се използва и в най-разнообразни социални ритуали. Той заема много важно място в *ежедневието* (**daily life**) на британците, които пият чай по всяко време. В народния език изразът *една хубава чаша чай*, **a nice cup of tea,** е станал дори **a (nice) "cuppa"** (да се произнесе [kʌpə]).

■ *Чаят в ранно утро* (**early morning tea**) предшества *закуската* (**breakfast**), след това той придружава както **обеда (lunch** или **luncheon**), така и *вечерята* (**dinner**) или *късната вечеря след 22 часа* (**supper**). Той е и в основата на *следобедната закуска* (**high tea**). В някои *домове* (**homes**) *чайникът за възвиране на водата* (**tea-kettle**) е непрекъснато включен, а *съдът, в който той се запарва* (**tea-pot**), стои в ъгъла на масата.

Чаят е напитка, която може да бъде предложена през целия ден, особено следобед (**four o'clock tea**), с *бисквити* (**biscuits** [biskits]) или различни сладкиши (**cakes**): **scones, crumpets** или **muffins**.

При приготвянето му трябва да се спазват точно определени правила: (**brewing**):

- водата трябва да е много чиста, а в някои случаи даже се използва минерална;
- тя не трябва да *кипва* (**boil**), а само да *къкри* (**simmer**);
- чайникът, в който ще се запарва чай, се затопля предварително; за предпочитане е той да е от *глина* (**earthenware**) или от *порцелан* (**china**);
- слага се по една лъжичка чай (2 до 2,5 г) на човек и още една за чайника;
- чаят трябва да се запарва от 2 до 5 мин, в зависимост от това дали е зелен, червен или черен.

Чаят, който дълго време е бил ценен хранителен продукт, често се съхранява в *кутия за чай* (**tea-caddy**).

Уилям Гладстон (1808–1898), известен британски политик от XIX в. и неколкократен *министър-председател* (**Prime Minister**), е написал следната възхвала за националната напитка:

If you are cold, tea will warm you (*Ако ти е студено, един чай ще те сгрее*)
If you are too heated, it will cool you (*Ако ти е топло, той ще те разхлади*)
If you are depressed, it will cheer you (*Ако си потиснат, той ще те ободри*)
If you are exhausted, it will calm you (*Ако си изтощен, той ще те успокои*)

9 Диалози и практични съвети

Г1 DO YOU LIKE TEA?

Jane: Do you like tea?
Henry: Yes, tea is good.
Jane: Do you want a cup of tea, a nice cup of tea?
Henry: Yes. I want to drink a cup of tea and to eat an orange. And you?
Jane: Yes. I want to eat an orange and an apple.
Henry: Does John want an apple or a banana?
Jane: No, he's sick. He wants an aspirin. He wants to go and see a doctor.
Henry: Hello, Doctor, are you busy?
Patricia: No, I'm free now.
Henry: Good. John wants to see you.

Г2 ПРАКТИЧНИ СЪВЕТИ

ЗДРАВЕТО, HEALTH

■ Ето няколко думи, които е добре да знаете при посещение при лекар.

appointment	[əpɔintmənt]	*среща с предварително уговорен час*
drug	[drʌg]	*лекарство*
headache	[hedeik]	*главоболие*
heart attack	[ha:t ətæk]	*сърдечна криза*
pill	[pil]	*хапче*
prescription	[priskripʃən]	*рецепта*
sore throat	[sɔ: θrout]	*болка в гърлото (гърлобол)*

■ Ето някои думи, които е добре да знаете при посещение на зъболекар.

to hurt	[hə:t]	*боля, причинявам болка*
painkiller	[peinkilə]	*болкоуспокояващо лекарство*
toothache	[tu:θeik]	*зъбобол*

Г3 ОБИЧАТЕ ЛИ ЧАЙ?

Джейн: Обичате ли чай?
Хенри: Чаят е добро питие.
Джейн: Искате ли чай, една хубава чаша чай?
Хенри: Да, искам да изпия една чаша чай и да изям един портокал. А вие?
Джейн: Да, аз искам да изям един портокал и една ябълка.
Хенри: Джон ябълка ли иска или банан?
Джейн: Не, той е болен. Той иска аспирин. Той иска да отиде на лекар.
Хенри: Ало, докторе, заета ли сте?
Патриша: Не, сега съм свободна.
Хенри: Добре. Джон иска да дойде при вас.

Г4 ПРАКТИЧНИ СЪВЕТИ

МЕСЕЦИТЕ НА ГОДИНАТА (MONTHS)		
January	[dʒænjuəri]	*януари*
February	[februəri]	*февруари*
March	[ma:tʃ]	*март*
April	[eipril]	*април*
May	[mei]	*май*
June	[dʒu:n]	*юни*
July	[dʒu:lai]	*юли*
August	[ɔ:gəst]	*август*
September	[siptembə]	*септември*
October	[ɔktoubə]	*октомври*
November	[nouvembə]	*ноември*
December	[disembə]	*декември*

КАКВО ОЗНАЧАВАТ ИНИЦИАЛИТЕ **N. H. S.**?

⇨ *ОТГОВОР НА СТР. 263*

10 I do not want...

A1 ПРЕДСТАВЯНЕ

- **I do not want** *аз не искам*
  you do not want ← *ти не искаш* / *Вие не искате*
  we do not want *ние не искаме*
  they do not want *те не искат*

- Кратката форма на **do not – don't** [dount] се среща най-вече в разговорния език:

  They do not want. → They don't want.

to give*	[giv]	*давам*
to live*	[liv]	*живея, обитавам*
to show*	[ʃou]	*показвам*
to work	[wə:k]	*работя*
me	[mi]	*ме, мене*
my	[mai]	*мой, моя, мои*
in	[in]	*в, на*
France	[fra:ns]	*Франция*

* Виж бележката на стр. 354–355.

A2 ПРИЛОЖЕНИЕ

1. **I do not want to go.**
2. **You do not want to work.**
3. **I don't want to show my car.**
4. **They don't want to live in Paris.**
5. **I don't want to give my book.**
6. **They don't want to work in England.**
7. **They don't want to give me a book.**
8. **I do not live in Italy.**
9. **They do not work in France.**
10. **You do not want to leave early.**

10 Аз не искам...

АЗ ЗАБЕЛЕЖКИ

■ Произношение: да си припомним:

[ou] **to go, to show**
[ə:] **to work**
[i] **to give, to live, in**

■ Граматика: **отрицателна форма**

• **I do not want.** *Аз не искам.*
Както при въпросителната форма (сравни Урок 9, А4), отрицателната форма на пълнозначните глаголи се образува с помощта на спомагателния глагол **to do** по следната схема:

подлог + **do not** + глагол в инфинитив без **to**

Ние не работим. **We do not work.**
Те не живеят в Париж. **They do not live in Paris.**

• Да си припомним: допълнението се поставя винаги след глагола, дори и когато се касае за местоимение:
They don't want to give me a book.
Те не искат да ми дадат книга.

А4 ПРЕВОД

1. Аз не искам да замина.
2. Вие не искате (ти не искаш) да работите (работиш).
3. Аз не искам да покажа моята кола.
4. Те не искат да живеят в Париж.
5. Аз не искам да дам моята книга.
6. Те не искат да работят в Англия.
7. Те не искат да ми дадат книга.
8. Аз не живея в Италия.
9. Те не работят във Франция.
10. Вие не искате да заминете рано.

10 She/he does not want

Б1 ПРЕДСТАВЯНЕ

- **she/he does not want** *тя/той не иска*

В 3-то лице, единствено число **do** се превръща в **does** [dʌz].
Doesn't [dʌznt] е кратката форма на **does not.**

She does not come. → She doesn't come.
Тя не идва.

to answer	[a:nsə]	*отговарям*
to call	[kɔ:l]	*викам, наричам*
to play	[plei]	*играя*
to tell*	[tel]	*казвам*
age	[eidʒ]	*възраст*
surname	[sə:neim]	*фамилно име*

- Забележка: **to answer,** *отговарям*, на английски език изисква пряко допълнение:

He answers my questions.
Той отговаря на моите въпроси.

* *Виж бележката на стр. 368–370.*

Б2 ПРИЛОЖЕНИЕ

1. **He doesn't want to tell me Susan's age.**
2. **She doesn't want to tell me John's surname.**
3. **He doesn't want to call a doctor.**
4. **She doesn't want to play with Betty.**
5. **He doesn't want to answer Jeff's questions.**

10 Тя/той не иска

Б3 ЗАБЕЛЕЖКИ

■ Произношение: да си припомним:

- [ʌ] се произнася приблизително между *а* и ъ (в британския английски по-близо до *а*, в американския английски по-близо до ъ: **doesn't** [dʌzənt]; **lucky** [lʌki]; **funny** [fʌni]).
- [ɔ:] този звук се произнася с удължение и по-слабо закръгляне на устните: **call** [kɔ:l].
- **-tion**: тази група, която откриваме в края на думите, се произнася [ʃən] и ударението пада върху предишната сричка: **question** ['kuestʃən].

■ Граматика: **родителен падеж** (да си припомним)

- За да се обозначи притежание, принадлежност или роднинска връзка, се използва следната конструкция (сравни Урок 4 Б3)

притежател + **'s** + притежавано нещо (или роднина)

Например: **John's surname** *фамилното име на Джон*
Bett's book *книгата на Бет*

- Забележете отсъствието на член пред притежавания предмет.

Б4 ПРЕВОД

1. Той не иска да ми каже възрастта на Сюзан.
2. Тя не иска да ми каже фамилията на Джон.
3. Той не иска да повика лекар.
4. Тя не иска да играе с Бети.
5. Той не иска да отговаря на въпросите на Джеф.

B1 УПРАЖНЕНИЯ

А. Поставете в отрицателна форма:

1. I want to work.
2. She wants to go.
3. They want to play.
4. We want a car.

Б. Дайте кратката форма:

1. I do not live in Paris.
2. He does not come.
3. They do not answer.
4. She does not work.

В. Преведете, като използвате притежателната форма:

1. Кажете фамилията на Джеф.
2. Той не иска да ми каже възрастта на Сюзан.
3. Джон не иска да ми даде колелото на Бил.
4. Те не искат да отговорят на въпроса на Вик.

B2 ОТГОВОРИ

А.
1. I do not want to work.
2. She does not want to go.
3. They do not want to play.
4. We do not want a car.

Б.
1. I don't live in Paris.
2. He doesn't come.
3. They don't answer.
4. She doesn't work.

В.
1. Tell me Jeff's surname.
2. He doesn't want to tell me Susan's age.
3. John doesn't want to give me Bill's bike.
4. They do not want to answer Vic's question.

B3 УПРАЖНЕНИЯ ЗА ПРОИЗНОШЕНИЕ

■ Произнесете:

I go	[ai gou]
I don't want to go.	[ai dount wɔnt to gou]
He wants to work.	[hi: wɔnts tu wə:k]
Answer me!	[**a**:nsə mi]
Answer my question!	[**a**:ncə mai kw**e**stʃən]

В4 ЛОНДОН • LONDON

■ С близо 7 милиона жители, столицата на *Обединеното кралство* (**United Kingdom**) заема девето място сред най-населените градове в света, непосредствено след Ню Йорк. Лондон е и най-големият град в *Европа* (**Europe**) след *Москва* (**Moskow**), учудващо за страна с по-малко от 58 милиона жители. Той е и културна столица с интензивен художествен и културен живот (изключително много театри, музеи и операта **Covent Garden**), а също и всепризнат център на икономиката и финансите със **City**, трети сред борсовите центрове в света.

■ Името на града, Лондон, произлиза от келтското *Lyn-Din „крепост, построена върху вода"*. Той е бил прекръстен в *Londinium* от римляните през I в. пр.н.е., които построили в него първия каменен мост над Темза (**the Thames**). През 1066 г. битката при Хейстингс, в която *Уилям Завоевателя* (**William the Conqueror**) победил саксонската династия, поставя началото за Лондон като *столица* на кралството (**capital city**). Голяма част от паметниците, ценени от туристите, са били построени или започнати през нормандската епоха: *Уестминстърското абатство* (**Westminster Abbey**), *Бялата кула* (**White Tower**), централната част на *Лондонската кула* (**the Tower of London**), в която се съхраняват между другото и *кралските атрибути на властта* (**Crown Jewels**). През XVII в. *големият пожар* (**Great Fire**) разрушил почти всички къщи, които били построени от дървен материал. Градът бил наново построен, а самият Кристофър Рен построил около петдесетина църкви, сред които *катедралата „Свети Павел"* (**St Paul's Cathedral**). По време на Втората световна война Лондон бил много сериозно засегнат от германските бомбардировки (**the Blitz**), което довело до реконструкция, продължаваща и в наши дни в източната част на Лондон (**the Dockland**, виж стр. 90).

■ Лондон се гордее също и със своите квартали, преди села, които са запазили предишните си имена и очарованието си (**Chelsea, Kensington, Knightsbridge, Mayfair, Soho** и т. н.), както и със своите паркове и градини (**Green Park, Greenwich Park, Hampton Court, Hyde Park, Kensington Gardens, Kew Gardens, Regent's Park, St James's Park**) и с много други, по-малки, които могат да се видят в края на някоя улица или зад някой площад. Така посещението на града се прекъсва от време на време от почивки по моравите (**lawns**), където често е възможно човек да повърви или да се поизлегне.

Г1 HE DOES NOT LIVE IN LONDON

Linda: I call John but he doesn't answer. Is he busy? I want to ask a question.
Patrick: Sorry, John is in London. He's in London with Susan.
Linda: Do they live in London?
Patrick: She does. She works in London and John often goes to visit her. He likes Susan. She is a nice woman.
Linda: Does he drive to London?
Patrick: Yes, he takes Bob's car, Bob's Italian car.
Linda: Do you go to London too?
Patrick: No, I don't. I don't like to drive to London in my car.

Г2 ПРАКТИЧНИ СЪВЕТИ

ДОКЛАНД

На северния бряг на *Темза* (**the Thames** [temz]) се намира един обширен квартал, в процес на пълно обновление (от 1975 г.), съставен от *докове* (**docks**), *складове* (**warehouses** [weəhauziz]) и *понтони за товарене и разтоварване на кораби* (**wharves** [wɔ:vz]), наречен **Dockland**: това е Лондон на 2000 година.

Един нов, свръхмодерен квартал се ражда в зона, където през XIX в. е кипяла търговията на Англия. Там ще откриете сградата на вестник **The Times**, комплекс за развлечения, търговски център, летище, пазар за риба и малък автоматичен влак (**Dockland Light Train**).

Г3 ТОЙ НЕ ЖИВЕЕ В ЛОНДОН

Линда: Звъня на Джон, но той не отговаря. Зает ли е? Искам да му задам един въпрос.
Патрик: Съжалявам, Джон е в Лондон. Той е в Лондон със Сюзан.
Линда: Те в Лондон ли живеят?
Патрик: Тя, да. Тя работи в Лондон и Джон често я посещава. Той много обича Сюзан. Тя е симпатична жена.
Линда: Той с кола ли ходи в Лондон?
Патрик: Да, той често взема колата на Боб, италианската кола на Боб.
Линда: Вие също ли ходите в Лондон?
Патрик: Не, не обичам да ходя в Лондон с моята кола.

Г4 ПРАКТИЧНИ СЪВЕТИ

ХАЙД ПАРК КОРНЪР

Олицетворение на *Свободата на изразяването* (**freedom of expression** [fri:dəm əv ikspreʃən]) – основа на така скъпата за британците лична свобода – е живописният обичай на *ораторите* (**speakers**) в **Hide Park Corner**.
Този ъгъл в североизточната част на парка е официално запазен от 1872 г. за всички онези, които искат да говорят на публично място. Изправени върху *сандък за сапун* (**soap-box** [soupbɔks]), откъдето и името им (**soap-box orators**), или върху стол, тези оратори се обръщат към *минувачите* (**passers-by** [pa:səz bai]), като темата няма значение – сериозна или невероятна, нравствена, религиозна, политическа и т.н.

КАКВО ОЗНАЧАВА ДУМАТА **BUCK** НА РАЗГОВОРЕН АМЕРИКАНСКИ?

⇨ *ОТГОВОР НА СТР. 147*

10a ТЕСТ – УРОЦИ ОТ 1 ДО 10

*Попълнете с **а**, **б**, **в** или **г**:*
(има само един подходящ отговор на всеки въпрос)

1. I ______ glad.
а) am
б) a
в) am a
г) 'm a

2. I'm ______ cook.
а) bad not
б) a bad
в) not bad
г) bad a

3. It's ______ a good job.
а) not is
б) isn't
в) not
г) is my

4. You are ______ .
а) invite
б) invited
в) not invite
г) invited not

5. Please, ______ doctor?
а) are you a
б) you are
в) are you
г) you are not

(Виж отговорите на стр. 373.)

6. Is ______ ?
а) German he
б) he German
в) she German
г) not German

7. I want ______ early.
а) leave
б) to leave
в) I leave
г) she

8. He ______ Italy.
а) often visit
б) visit often
в) often visits
г) visits often

9. Do you ______ book?
а) want to read Peter
б) want I read Peter's
в) me read Peter's
г) want to read Peter's

10. Do you want ______ my question?
а) answer
б) to answer
в) answer to
г) answer me

(Виж отговорите на стр. 373.)

11 I have...

A1 ПРЕДСТАВЯНЕ

• **I have**	*аз имам*	могат	**I've**	[aiv]
you have	*ти имаш (вие имате)*	да се	**you've**	[juv]
we have	*ние имаме*	→ съкратят	**we've**	[wi:v]
they have	*те имат*	на	**they've**	[θeiv]

no	[nou]	отрицателно местоимение, определящо съществително име, *никой*
a lot of	[ə lɔt əv]	*много* (наречие)
but	[bʌt]	*но*
computer	[kəmpj**u**tə]	*компютър*
time	[taim]	*време*
friend	[frend]	*приятел, -ка*
money	[mʌni]	*пари*
idea	[aidiə]	*идея*
intelligent	[int**e**lidʒənt]	*интелигентен, -а, -о*
interesting	[**i**ntristiŋ]	*интересен, -а, -о*

(**g** от групата **ing** не се произнася)

A2 ПРИЛОЖЕНИЕ

1. **I have a new computer.**
2. **I have an intelligent friend.**
3. **I have two intelligent friends.**
4. **I have money.**
5. **I have no money.**
6. **I have no time.**
7. **You have friends.**
8. **We have no money.**
9. **They have an idea.**
10. **They have an interesting idea.**
11. **You have a lot of ideas.**
12. **We have a lot of ideas but no money.**

11 Аз имам...

А3 ЗАБЕЛЕЖКИ

■ Произношение

- В групата **ing** в края на **interesting** *н* се произнася носово пред **g** и се обозначава с [ŋ], както в *Ангел, Анка*. **G** не се произнася.
- **h** от **have** се произнася както при въздъхване.
- **o** от **money** и **u** от **but** се произнасят [ʌ].
- **o** от **no** е двугласна [ou].
- Внимание:
  1. Две двугласни в **idea** [ai'diə].
  2. В **intelligent** [inte'lidʒənt] ударението пада на 2-та сричка.
  3. В **interesting** ['intristiŋ] ударението пада на 1-та сричка.

■ Граматика

- **To have** е спомагателен глагол (сравни урок 26, стр. 216), с който можем също да обозначим и притежание.

  Имам кола. **I have a car.**

  To have може също да изрази идеята, съдържаща се в глагола **вземам** (сравни с урок 11, Б1, Б2, Б3).
- Внимание: когато изразява притежание, **to have** е последван често от миналото причастие **got** (което служи за подсилване на идеята за притежание); в този случай **to have** често се съкращава:

  They have got (They've got) a lot of friends.
  Те имат много приятели.

А4 ПРЕВОД

1. Аз имам нов компютър.
2. Аз имам интелигентен приятел.
3. Аз имам двама интелигентни приятели.
4. Аз имам пари.
5. Аз нямам пари.
6. Аз нямам време.
7. Вие имате приятели.
8. Ние нямаме пари.
9. Те имат идея.
10. Те имат интересна идея.
11. Вие имате много идеи.
12. Ние имаме много идеи, но нямаме пари.

11 He has... She has...

Б1 ПРЕДСТАВЯНЕ

- **He/she has** *той/ тя има*
  It has *той/тя има* (за животни и предмети)
- Кратки форми: **he has** = **he's** [hi:z]
  she has = **she's** [ʃi:z]

at	[æt]	*в, на* и т.н.
before	[bifɔ:]	*пред, преди да*
problem	[prɔbləm]	*проблем*
hair	[heə]	*коси, коса*
brother	[brʌðə]	*брат*
sister	[sistə]	*сестра*
dinner	[dinə]	*вечеря*
breakfast	[brekfəst]	*закуска*
lunch	[lʌntʃ]	*обяд*
bath	[ba:θ]	*баня*
Mary	[meəri]	*Мери*
eye	[ai]	*око*
8 a. m.	[eit ei em]	*8 часа сутринта*
1 p. m.	[wʌn pi: em]	*13 часа (1 часа следобед)*
to have a bath		*къпя се*
to have a walk		*разхождам се*
him	[him]	*му, на него*

Б2 ПРИЛОЖЕНИЕ

1. **She has blue eyes.**
2. **He has black hair.**
3. **He has two sisters.**
4. **She has three brothers.**
5. **He has got a problem (He's got a problem).**
6. **She has breakfast at 8 (a. m.).**
7. **She has lunch with him at 1 (p. m.).**
8. **She has a bath before dinner.**
9. **Mary has a walk before breakfast.**
10. **They have a walk before dinner.**

Б3 ЗАБЕЛЕЖКИ

■ Произношение
- **ai** от **hair** е двугласна [eə];
- **o** от **brother** е същото като **o** в **money** [ʌ] (сравни Урок 9, А3).
- В **bath a** е удължено [a:] и **th** се доближава до българското *т*; произнася се, като върхът на езика се поставя между зъбите.
- Внимание:
  he has и **he is** имат една и съща кратка форма: **he's** [hi:z];
  she has и **she is** имат една и съща кратка форма: **she's** [ʃi:z].

■ Граматика
- **has** е 3-то лице, единствено число от сегашно време на глагола **to have**;
- освен че изпълнява ролята на спомагателен глагол и че съдържа и идеята за притежание, **to have** изразява също и идеята на глаголите *консумирам, взимам, ям, пия* и т.н.;
- Да си припомним: в множествено число няма определителен член:

I have a friend.	**I have friends.**
Имам приятел.	*Имам приятели.*

- **Hair:** *коса*, съществителното име в единствено число е последвано винаги от глагол в ед.ч. (Формата в мн.ч. **hairs** означава *косми.*)
- **Him,** *му,* лично местоимение, изпълняващо ролята на допълнение, съответства на личното местоимение, изпълняващо ролята на подлог, **he** (виж стр. 137).

Б4 ПРЕВОД

1. Тя има сини очи.
2. Той има черна коса.
3. Той има две сестри.
4. Тя има трима братя.
5. Той има проблем.
6. Тя закусва в 8 часа (сутринта).
7. Тя обядва с него в 13 часа.
8. Тя се къпе преди вечеря.
9. Мери се разхожда преди закуска.
10. Те се разхождат преди вечеря.

B1 УПРАЖНЕНИЯ

А. Преведете на английски език:

1. Ти имаш приятел.
2. Ти имаш двама приятели.
3. Вие имате много приятели.
4. Тя няма пари.
5. Те имат много проблеми.
6. Той има два компютъра.

Б. Преведете на български език:

1. They have breakfast at 8 a. m.
2. She has one brother and two sisters.
3. I have a bath before dinner.
4. He has a walk before lunch.

B2 ОТГОВОРИ

А.
1. You have a friend.
2. You have two friends.
3. You have a lot of friends.
4. She has no money.
5. They have a lot of problems.
6. He has two computers.

Б.
1. Те закусват в 8 часа сутринта.
2. Тя има един брат и две сестри.
3. Аз се къпя преди вечеря.
4. Той се разхожда преди обяд.

B3 ИЗРАЗИ С TO HAVE

to have fun	*забавлявам се, веселя се, прекарвам приятно*
to have a good time	*прекарвам добре*
to have a look	*хвърлям един поглед, поглеждам*
to have coffee, tea	*пия кафе, чай*
to have a drink	*пия нещо*
to have a cold	*настинал съм*

B4 ОБРАЗОВАНИЕТО ВЪВ ВЕЛИКОБРИТАНИЯ

■ Във Великобритания *образованието*, **education**, е задължително от 5 до 16 г. *Държавните училища*, **state schools**, които се посещават от 90% от учениците, се управляват от държавата и се финансират от *местната администрация*, **Local Education Authority (LEA).**

• След *детската градина* (**nursery school**), частно училище, *началното училище* (**primary school**) започва с **infant school**, в което децата от 5 до 7 г. се учат да четат и смятат (**the three R's: reading, writing and arithmetics**), и продължава с **junior school**, от 7 до 10 г. На 11 г. учениците постъпват в **comprehensive schools**, отговарящи на нашата прогимназия и гимназия, учебни заведения от **first form** (наш *6. клас*) до **sixth form** (наш *10. клас*) и до **upper sixth** (нашия *единадесети клас*).

В края на **fifth form** (нашия *9. клас*) учениците могат да получат **GCSE, General Certificate of Secondary Education**, което ще им позволи да влязат в **Technical College** или да продължат в **sixth form.**

Но едва в края на **Upper 6th** се получават **A levels (advanced levels)** дипломи, даващи достъп до висшето образование.

■ *Висшето образование*, **Higher Education**, е съсредоточено в старите и престижни университети **Oxford** и **Cambridge**; модерните университети, създадени през XX в. и най-вече след 1945 г. (днес те са около 45); някогашните центрове, наречени **polytechnics**, в които се преподават специализирани научни дисциплини (нови технологии, информатика, инженерни дисциплини...), на брой около 40, са станали пълноправни университети.

■ Особености на британската образователна система:

• в началното и средното училище се носи униформа;

• съществуват т.н. **Public schools**, частни средни училища, които са елитни. Тяхното име (съвсем заблуждаващо) идва от произхода им: те били създадени за надарени деца от бедни семейства, но качественото образование, което се получавало в тях, бързо ги превърнало в училища, запазени за богата клиентела и подготвящи за високи ръководни постове.

Open University: организация за образование от разстояние (посредством радио, телевизия, научни трудове в книжарница) с мрежа от консултанти-преподаватели и организиране на стажове, **training periods.**

11 Диалози и практични съвети

Г1 FRIENDS

Patricia: Do you know my friend John?
Peter: Yes, John is my friend too.
Patricia: John has a good job now.
Peter: He does not work a lot, but he has a lot of money.
Patricia: He is not very busy but he is very happy.
Peter: He has a lot of fun.
Patricia: He has no problems and he has a lot of friends.
Peter: I often have lunch with him, and I like him a lot.
Patricia: John's sister lives abroad, but she often comes to London.
Peter: She's nice too. I like to meet John's sister.

Г2 ПРАКТИЧНИ СЪВЕТИ

OXFORD

Разположен на северозапад от Лондон на брега на *Темза*, **the Thames** [temz], този главен град на **Oxfordshire** е с име, произлизащо от думите **ox**, *вол*, и **ford**, *брод*.

Градът подслонява известния университет **Oxford**, основан през 1133 г. от един теолог и студенти, прогонени от Парижкия университет.

Той има повече от 35 *факултета,* **colleges** (виж стр. 108). Там се влиза с конкурсен изпит (**competitive exam** [kæmpetitiv igzæm]).

Жителите на Оксфорд се наричат **Oxfordians**, а студентите се наричат **Oxonians.** Както и в Кеймбридж, неговия съперник, половината от студентите идват от частните училища.

Г 3 ПОКАНИ

Патриша: Познаваш ли моя приятел Джон?
Питър: Да, Джон е също и мой приятел.
Патриша: Сега Джон има хубава работа.
Питър: Той не работи много, но има много пари.
Патриша: Той не е много зает, но е много щастлив.
Питър: Той се забавлява много.
Патриша: Той няма проблеми и има много приятели.
Питър: Често обядвам с него и много го обичам.
Патриша: Сестрата на Джон живее в чужбина, но често идва в Лондон.
Питър: Тя също е очарователна. Много ми е приятно да срещам сестрата на Джон.

Г4 ПРАКТИЧНИ СЪВЕТИ

CAMBRIDGE

Разположен на реката **Cam** (откъдето произхожда и името му, прибавено към **bridge**, *мост*), градът **Cambridge**, на североизток от Лондон, е приютил другия известен английски университет. Основан през 1209 г. от преподаватели и студенти, отцепници от Оксфорд, университетът в Кеймбридж, в който има 25 колежа, **colleges**, е известен като водещ център за научни изследвания в областта на физиката, икономиката и математиката.

LONDON UNIVERSITY

Лондонският университет е най-големият и принадлежи към категорията, наречена **Red Brick Universities** (изградени с червени тухли), създадени през XIX в.

КАКЪВ Е ПРОИЗХОДЪТ НА ДУМАТА **BLUE JEANS**?

⇨ *ОТГОВОР НА СТР. 140*

12 Do you have...?

A1 ПРЕДСТАВЯНЕ

do you have?	*имаш ли? имате ли?*
do we have?	*имаме ли ние?*
do they have?	*имат ли те?*
have you got?	*имаш ли? имате ли?*
have we got?	*имаме ли ние?*
have they got?	*имат ли те?*

house	[haus]	*къща*
flat	[flæt]	*апартамент*
lounge	[laundʒ]	*хол, салон*
garden	[ga:dn]	*градина*
bathroom	[ba:θrum]	*баня*
bedroom	[bedrum]	*спалня*
dining-room	[dainiŋrum]	*трапезария*
radio (-set)	[reidiou]	*радио, радиоприемник*
television (-set)	[teliviʒən]	*телевизор, телевизионен приемник*
TV (-set)	[ti: vi:]	*телевизор, телевизионен приемник*
walkman	[wɔ:kmən]	*уокмен*
record	[rekə:d]	*плоча (грамофонна)*
tape-recorder	[teipriko:də]	*магнетофон*
C.D. (compact-disc)	[si: di:]	*компактдиск*

A2 ПРИЛОЖЕНИЕ

1. **Do you have a house?** (ам.)
2. **Have you got a flat?**
3. **Have you got a lounge?**
4. **Do they have a garden?** (ам.)
5. **Do they have a lot of bedrooms?** (ам.)
6. **Have they got a dining-room?**
7. **Do you have a radio (-set)?** (ам.)
8. **Have they got a television (-set)?**
9. **Do you have a walkman?**
10. **Have you got a new CD?**
11. **Do you have a tape-recorder?** (ам.)
12. **Do you still have your father's old records?** (ам.)

A3 ЗАБЕЛЕЖКИ

■ Произношение

- Внимание с двугласните (дифтонгите)
  [au] **house**[h**a**us] **lounge** [l**a**undʒ]
  [ei] [ou] **radio** [r**e**idiou] **tape** [teip]
- Обърнете внимание на мястото на ударението (което може да се мени в една и съща дума в зависимост от това дали е съществително име или глагол).
  a record [r**e**kɔ:d] *плоча*
  to record [rik**o**:d] *записвам* (на магнетофонна лента)
  a recorder [rik**o**:də] *магнетофон*

■ Граматика

- Въпросителната форма на **to have** може да се получи чрез инверсия:

have + подлог + допълнение

- Но под влияние на американския английски често се използва спомагателният глагол **do**, както за другите глаголи (сравни Урок 9), когато **to have** означава *имам, притежавам:*
  Do you have a house? *Имате ли къща?*
- Много често, и особено във въпросителна форма, **have** е подсилено в британския английски с миналото причастие **got**, което следва подлога (сравни Урок 11, A3):
  Have you got a house? *Имате ли къща?*
  Have they got a garden? *Те имат ли градина?*

A4 ПРЕВОД

1. Имате ли (имаш ли) къща?
2. Имате ли (имаш ли) апартамент?
3. Имате ли (имаш ли) хол?
4. Имат ли те градина?
5. Имат ли те много спални?
6. Имат ли те трапезария?
7. Имате ли радио (радиоприемник)?
8. Имат ли те телевизор (телевизионен приемник)?
9. Имате ли уокмен?
10. Имате ли нов компактдиск?
11. Имате ли магнетофон?
12. Имате ли все още стари плочи от вашия баща?

12 Does she have...?

Б1 ПРЕДСТАВЯНЕ

- **does she/he have?** *има ли тя/той?* (или *дали тя/той има?*)
  has she/he got? *има ли тя/той?* (или *дали тя/той има?*)

  he/she does not have *той/тя няма*
  he/she hasn't got *той/тя няма*

guest	[gest]	*гост*
stamp	[stæmp]	*марка*
son	[sʌn]	*син*
daughter	[do:tə]	*дъщеря*
umbrella	[əmbrelə]	*чадър*
tape	[teip]	*магнетофонна лента*
cassette	[kəset]	*касета*
phone-number	[foun nʌmbə]	*телефонен номер*
phone-book, directory	[direktəri]	*телефонен указател*
coffee	[kɔfi]	*кафе*
foreign	[forin]	*чужд, -а, -о*
often	[ofən]	*често*

- Да си припомним: **to have,** *имам;* означава също и *пия* (чай, кафе), *обядвам* и т.н., когато влиза в изрази.

Б2 ПРИЛОЖЕНИЕ

1. **Does she often have guests for dinner?** (ам.)
2. **Has he got foreign stamps?**
3. **Does he have a daughter?** (ам.)
4. **Has she got a son?**
5. **Does he have an umbrella?** (ам.)
6. **Has she got new tapes?**
7. **Has he got my cassettes?**
8. **She does not have a directory.** (ам.)
9. **He hasn't got Pat's phone-number.**
10. **Peter doesn't have tea.**
11. **Betty hasn't got a car.**
12. **He hasn't got time to see you.**

Б3 ЗАБЕЛЕЖКИ

■ Произношение

- [ʌ] да си припомним: **oe** от **does** се произнася също както **u** от **but** (между *а* и ъ).
- [ɔ:] групата **augh** от **daughter** се произнася [ɔ:]; това е *о*, удължено и произнесено с по-слабо закръгляне на устните.
- Обърнете внимание на мястото на ударението: **cassette** [kə**s**e**t**]; **umbrella** [əmbr**e**lə].

■ Граматика

- Да си припомним: за да образуваме въпросителна форма в 3-то лице, единствено число, сегашно време, ще използваме **does.**

  Does he have a phone-number?
  Има ли той телефонен номер?
- Както видяхме в А3, **have** често е подсилено от миналото причастие **got**, в частност във въпросителна форма.

  Has he got an umbrella? *Има ли той чадър?*
- Образуването на отрицателна форма става по схемата, разгледана в Урок 10, Б1:

  She does not have a car. *Той няма кола.*
  He hasn't got television. *Той няма телевизор.*
- Обърнете внимание на мястото на наречието **often**, *често:*

  Does she often have guests for dinner?

Б4 ПРЕВОД

1. Има ли тя често гости за вечеря?
2. Той има ли чужди пощенски марки?
3. Той има ли дъщеря?
4. Тя има ли син?
5. Той има ли чадър?
6. Тя има ли нови магнетофонни ленти?
7. Той има ли моите касети?
8. Тя няма телефонен указател.
9. Той няма телефонния номер на Пат.
10. Питър не пие чай.
11. Бети няма кола.
12. Той няма време да ви види.

B1 УПРАЖНЕНИЯ

А. Преведете, като използвате конструкция за притежание:
1. Имаш ли телефонния номер на Пат?
2. Имате ли плочите на Бъд?
3. Има ли тя чадъра на Бети?
4. Имат ли те часовника на Пам?

Б. Поставете в отрицателна форма:
1. Dan has got a new bicycle.
2. Susan has Jeff's umbrella.
3. They have a big car.
4. We have a foreign camera.

B2 ОТГОВОРИ

А. 1. Do you have Pat's telephone-number?
2. Do you have Bud's records?
3. Has she got Betty's umbrella?
4. Have they got Pam's watch?

Б. 1. Dan hasn't got a new bicycle.
2. Susan doesn't have Jeff's umbrella.
3. They don't have a big car.
4. We don't have a foreign camera.

B3 УПРАЖНЕНИЯ ЗА ПРОИЗНОШЕНИЕ

■ Произнесете:

[au] a big house [ə big h**a**us]
a new lounge]ə nju l**a**undʒ]

[ou] an old radio [ən ould r**e**idiou]
Tony's phone-number [t**o**u**u**niz foun′nʌmbə]

■ Внимавайте в поставянето на ударението:

my records [mai r**e**kɔ:dz] или в ам. [r**e**kə:dz]
Bob's recorder [bobz rik**ɔ**:də]
Pat's cassettes [pats kə**s**ets]

B4 ОБРАЗОВАНИЕТО В САЩ (EDUCATION)

■ *Държавните начално и средно образование* са задължителни от 6 до 16 г. и са организирани от местните общини, като качеството им е свързано с техните доходи – факт, който предопределя успеха на **private schools**, частните училища, в някои райони. **Local school boards**, *местните училищни настоятелства*, където заседават представителите на родителите, имат доста голяма самостоятелност при наемането на учители и при избора на учебни програми. Целта на началното и средното училище е да даде по-скоро практически, отколкото теоретически познания. Оценките са в съответствие със системата **ABCDEF**, където **A** = *отличен*, **F** = *слаб*.

• Детските градини, **nursery school** (за деца от 2 до 4 г.), са общо взето частни и се управляват от църквите.

• Началното училище, **elementary school** или **grammar school**, включва: **kindergarten** (= детска градина) за деца на 5 г.; класовете от **first grade** до **sixth grade** са за децата от 6 до 11 г.

• Средното училище включва **Junior High School (seventh and eighth grade**, за деца на 12 и 13 години); **High School (ninth to twelfth grade**, за юноши от 14 до 18 г.).

■ *Университетите*

• Тъй като **High School diplomas** са много неравностойни, университетите оценяват кандидатите чрез тестове (**QCM**), а именно **SAT (Scholastic Aptitude Test)**.

За да бъдат приети в най-престижните университети (**Harvard, MIT** и т.н.), кандидатите трябва да съставят истински досиета, да прибавят към тях резултатите от средното училище, препоръки и да се явят на събеседване.

Висшето образование (**University education**): първите четири години (**Freshman, Sophomore, Junior, Senior years**) съставят **undergraduate studies** и протичат в колеж, **college** (виж стр. 108). При завършването им се получава степента **B. A. (Bachelor's degree in Arts** = *бакалавър по хуманитарните науки*) или **B. Sc. (Bachelor's degree in Science** = *бакалавър по природоматематическите науки*). Две допълнителни години, т.нар. **graduate studies**, водят до получаване на **Master's degree: M. A., M. Sc., M. B. A. (Master's degree in Arts, Science, Business Adminis-tration)** = магистър.

По-нататъшното обучение води до **Ph. D. (Philosophiae Doctor)**, *докторат*.

Г1 TELEPHONE NUMBERS

Henry: Have you got Patrick's phone number?
Patricia: Is it not in the phone-book?
Henry: No, I want his new number in London.
Patricia: Oh yes, it's 01 71 28 121 76.
Henry: Thank you. I also want to call Peter. Do you have Peter and Jane's number too?
Patricia: Sorry. I don't, but Patrick has it.
Henry: Oh yes. Good idea.
✆
Henry: Patrick, it's Henry. Have you got Peter's phone number?
Patrick: Yes, Henry, Peter and Jane's number is 081 65 212 84. My new house in London is nice. Do you want to visit it?
Henry: Oh, yes, please.

Г2 ПРАКТИЧНИ СЪВЕТИ

☞ Внимавайте при употребата на думата **College** [kɔlidʒ]! На американски английски думата **college** означава първите две от четирите университетски години с оглед получаването на **Bachelor's degree**. (виж В4 на стр. 107)

На британски английски **college** може да означава:
а) институт от системата на висшето образование, който няма статут на университет;
б) факултет или образователна единица с преподавателското тяло, студентите и сградите, представляваща едно подразделение на университетите в **Oxford, Cambridge, London.**
в) частно училище, **Public School**, като **Eton (College).**

☞ Внимавайте също и с употребата на **Public School**, което във Великобритания означава престижно частно училище, докато в САЩ това е същинско държавно учебно заведение.

Г2 ТЕЛЕФОННИ НОМЕРА

Хенри: Имаш ли телефонния номер на Патрик?
Патриша: Той не е ли в указателя?
Хенри: Не, искам новия му номер в Лондон.
Патриша: А, да, ето го: 01 71 28 121 76.
Хенри: Благодаря, искам също да се обадя на Питър. Имаш ли и номера на Питър и Джейн?
Патриша: Съжалявам, нямам го, но Патрик го има.
Хенри: А, да, добра идея.
©
Хенри: Патрик, Хенри е. Имаш ли телефонния номер на Питър?
Патрик: Да, Хенри, номерът на Питър и Джейн е 081 65 212 84. Новата ми къща в Лондон е хубава. Искаш ли да я посетиш?
Хенри: О, да, моля те.

Г4 ПРАКТИЧНИ СЪВЕТИ

Ето няколко от най-известните сред хилядите американски университети:
Columbia в Ню Йорк, на север от Сентръл Парк.
Harvard в Кеймбридж, до Бостън (основан през 1636 г.; тук се намира най-голямата частна библиотека в света).
Yale в Ню Хейвън, в Кънектикът (смесица от неоготическа и съвременна архитектура).
Калифорнийски университет в Бъркли, Бъркли, близо до Сан Франциско в Калифорния.
Stanford в Пало Алто, на юг от Сан Франциско.

КАКВО ОЗНАЧАВА ИЗРАЗЪТ **DUTCH TREAT?**

⇨ *ОТГОВОР НА СТР. 164*

13 I am working

A1 ПРЕДСТАВЯНЕ

- инфинитив + **ing** дава сегашно причастие: **work → working**
- **to be** + сегашно причастие дава продължителна форма

I am working. *Аз работя.*

- **the** [ðə] неизменяема форма на определителния член

to leave*	[li:v]	*напускам, оставям*
to leave for		*заминавам за*
to drink*		*пия*
to spend*	[spend]	*прекарвам (времето си)*
to stay	[stei]	*оставам*
morning	[mo:niŋ]	*утро, сутрин*
whisky	[wiski]	*уиски*
wine	[wain]	*вино*
holidays	[hɔlidei]	*ваканция*
week	[wi:k]	*седмица*
hotel	[houtel]	*хотел*
Germany	[dʒə:məni]	*Германия*
Greece	[gri:s]	*Гърция*
Athens	[aθi:ns]	*Атина*
today	[tudei]	*днес*
tonight	[tunait]	*тази вечер, довечера*
tomorrow	[tumorou]	*утре*
every	[evri]	*всеки*
soon	[su:n]	*скоро*

* *Виж бележката на стр. 368–370.*

A2 ПРИЛОЖЕНИЕ

1. **I am working today.**
2. **He leaves every morning at 8 (eight).**
3. **She is leaving soon.**
4. **We are leaving tomorrow.**
5. **They are leaving for London tonight.**
6. **I am drinking a beer.**
7. **You are drinking a whisky.**
8. **We drink wine in France.**
9. **They drink beer in Germany.**
10. **I often spend my holidays in Greece.**
11. **They are spending a week in Athens.**
12. **She is staying at the Bristol Hotel.**

13 Аз работя

А3 ЗАБЕЛЕЖКИ

■ Продължителна форма: **leaving, drinking, spending, staying** и т.н. – това са сегашни причастия, образувани чрез прибавянето на **-ing** към инфинитивната форма на глаголите (**to leave, to drink, to spend, to stay** и т.н.).

■ Конструкцията, състояща се от сегашно време на глагола *съм*, **to be**,+ сегашното причастие (**-ing** форма) на главния глагол, се нарича сегашно продължително време. То се използва за изразяване на действия, които стават в момента на говорене и имат известно времетраене, и се противопоставя на сегашно просто време, което по принцип се използва за изразяване на общи факти, които са по-стабилни или окончателни, например:

I often spend my holidays in Britain.
Често прекарвам ваканцията си във Великобритания.

Това е **общ факт,** който се противопоставя на:

I am spending my holidays in London.
Прекарвам ваканцията си в Лондон (в този момент).

Формулата **to be + сегашно причастие** се употребява във всички времена, като се променя само времето на **to be**.

■ **The** [ðə]: определителен член, не се променя по род и число:
- използва се пред точно определени имена: **the Bristol Hotel**
- изпуска се пред:
  – съществителни имена, употребени в най-общ смисъл;
  Holidays are always nice. *Ваканцията винаги е приятна.*
  – съществителни – имена на страни – **Greece**, *Гърция;*
  – съществителни имена, обозначаващи някаква функция
  Doctor Brown – *д-р Браун.*
- произнася се [ði:] пред гласна: **the ideas of...**

А4 ПРЕВОД

1. Днес аз работя.
2. Той тръгва всяка сутрин в 8 часа.
3. Тя тръгва скоро.
4. Ние тръгваме утре.
5. Тази вечер те заминават за Лондон.
6. Аз пия бира.
7. Вие пиете уиски.
8. Във Франция ние пием вино. (се пие...; Урок 25)
9. В Германия пият бира.
10. Често прекарвам ваканцията си в Гърция.
11. Те прекарват една седмица в Атина.
12. Тя е отседнала в хотел Бристол.

13 Are you working?

Б1 ПРЕДСТАВЯНЕ

■ Във въпросителна и отрицателна форма сегашното причастие на главния глагол (**-ing**) стои след **to be**.

Are you working? *Вие работите ли?*
You are not working! *Вие не работите!*

to wait	[weit]	*чакам*
to wait for someone		*чакам някого*
to eat*	[i:t]	*ям*
to rain	[rein]	*вали дъжд*
to work	[wə:k]	*работя*
to feel*	[fi:l]	*чувствам, чувствам се, изпитвам*
to sing*	[siŋ]	*пея (***a song***,* песен*)*
Charles	[tʃa:lz]	*Чарлз*
station	[st**ei**ʃən]	*гара*
oyster	[**o**istə]	*стрида*
Britain	[britən]	*Великобритания*
firm	[fə:m]	*предприятие, фирма*
Tuesday	[tj**u**:zdi]	*четвъртък*
because	[bik**o**:z]	*защото*
well	[wel]	*добре*

* *Виж бележката на стр. 368–370.*

Б2 ПРИЛОЖЕНИЕ

1. **Are you working with Betty tonight?**
2. **Is he leaving for New York soon?**
3. **Are you waiting?**
4. **Are you waiting for Charles?**
5. **Are they eating now?**
6. **Do they eat oysters in Britain?**
7. **Is it raining today?**
8. **Does he work for a British firm?**
9. **Is he working today?**
10. **We are not working today.**
11. **They do not work on Tuesdays.**
12. **She is not singing tonight because she is not feeling well.**

Б3 ЗАБЕЛЕЖКИ

■ **Продължително време** (продължение)

- Във въпросителна и отрицателна форма **-ing** формата следва глагола **to be**.
  You are eating. **Are you eating?** **You are not eating.**
  Вие ядете. *Ядете ли?* *Вие не ядете.*
- Сегашно продължително време може да има смисъл, близък до бъдеще време: направете справка с примери 3, 4 и 5 от А2.
  I am leaving tomorrow. *Заминавам утре.*
- По принцип продължително време не се употребява: с глаголи, които показват нещо установено, а не действие, което се случва в момента, например:
  to like, to love, *обичам;* **to know,** *зная;* **to own,** *притежавам;* **to remember,** *спомням си;* **to seem,** *изглеждам;* **to understand,** *разбирам*.

■ **Are you waiting for Charles?** *Чарлз ли чакате?*
Допълнението, което следва глагола **to wait**, е въведено с предлога **for:**
Wait for me. *Чакай ме.*

■ **On Tuesdays,** *във вторник* – три забележки:

- дните на седмицата се пишат с главна буква;
- пред тях не се употребява определителен член, а предлогът **on**;
- множественото число показва действие, което се повтаря редовно: *всеки вторник*.

Б4 ПРЕВОД

1. Работите ли (работиш ли) с Бети тази вечер?
2. Той заминава ли скоро за Ню Йорк?
3. Чакате ли (чакаш ли) (в момента)?
4. Чакате ли Чарлз?
5. Сега те ядат ли (в момента те ядат ли)?
6. Във Великобритания ядат ли стриди (ядат ли се...)?
7. Вали ли днес?
8. Той работи ли за британска фирма?
9. Той работи ли днес?
10. Днес ние не работим.
11. Те не работят във вторник.
12. Тя не пее тази вечер, защото не се чувства добре.

13 Упражнения

В1 УПРАЖНЕНИЯ

А. Поставете в сегашно продължително време:
1. We drink wine.
2. I spend my holidays in London.
3. They play football.
4. You leave with Linda.
5. She works in Britain.

Б. Преведете на английски, като използвате сегашно продължително време: (когато употребата му е мотивирана)
1. Ние ядем много във Франция.
2. Чакам Бети на гарата.
3. Във Великобритания често вали дъжд.
4. Днес вали много дъжд.
5. Често прекарвам ваканцията си в Гърция.
6. Тя прекарва една седмица в Лондон.

В2 ОТГОВОРИ

А.
1. We are drinking wine.
2. I am spending my holidays in London.
3. They are playing football.
4. You are leaving with Linda.
5. She is working in Britain.

Б.
1. We eat a lot in France.
2. I am waiting for Betty at the station.
3. It often rains in Britain.
4. It is raining a lot today.
5. I often spend my holidays in Greece.
6. She is spending a week in London.

В3 УПРАЖНЕНИЯ ЗА ПРОИЗНОШЕНИЕ

■ Произнесете:

I'm leaving for Greece soon. [aim **li**:viŋ fə gri:s su:n]
He's living in Athens. [hi:z **li**:viŋ in **a**θi:ns]
We're leaving tonight. [wi:ə **li**:viŋ tun**ai**t]
You're working in a big firm. [ju:ə w**ə**:kiŋ inə big fə:m]

[ou] **hotel** [hout**e**l]
tomorrow [tum**o**rou]

• Да си припомним: **n** в групата **ing** се произнася както българското *н* пред *г* и *k*, като в *Ангел, Анка*. **G** не се произнася; носовата съгласна *н* в групата **ng** се обозначава с [ŋ].

В4 WHISKY или WHISKEY

• Не се мъчете да узнаете дали произходът на **whisky** (или **whiskey**, въпреки различния правопис, произношението е едно и също) е в Шотландия или в Ирландия. И в едната, и в другата страна навикът да се пие тази „вода на живота" датира от най-древни времена; **usquebaugh** – на старокелтски език, който се е говорил по онова време както в Шотландия, така и в Ирландия; след това **uisce beatha** на модерен гелик (езикът, който се говори в днешна Ирландия). Съвременната форма на думата е **whisky** в Шотландия и Англия, и **whiskey** – в Ирландия и САЩ.

• Шотландия доставя основната суровина за производството на **blended** или **scotch whisky**, смес от алкохоли, получени от различни зърнени култури. Но от доста години сме свидетели на завръщането на истинския продукт, по-пречистен и разбира се, по-скъп, отколкото **blended**; става дума за **pure, straight** или още **single malt**, малцовото уиски. То е резултат на дестилацията на една-единствена зърнена култура (**cereal**), *ечемик* (**barley**), от който една част е покълнала, за да се получи **malt**, в съд за бавна, понякога двойна дестилация (**pot stills**), като се използва много чиста изворна вода. Качеството се обяснява с една шотландска поговорка, описваща добре начина на производство: **Water, fire and time.** *Вода, огън и време.* Спиртоварните, на брой около стотина, се намират най-вече в Хайландс (**Highlands**) и в някои долини и острови на Шотландия.

Ирландското уиски (**whiskey**) се дестилира винаги от малц; така че то винаги е **pure** или **single malt.**

• В САЩ се различават:

– **straight whiskey**, произведено от едно-единствено житно растение, което може да бъде *ръж* (**rye**), *царевица* (**corn**) или малц;

– **rye whiskey** съдържа 100% ръж;

– **bourbon (whiskey)**, произведено с поне 51% царевица (**corn**) и оставено да отлежи в дъбови бъчви, които отвътре са обгорени; за да има право на това наименование, то трябва да произхожда единствено от графство **Bourbon** в **Kentucky;**

– **blended whiskey**, смесица от две или повече **straight whiskeys.**

13 Диалози и практични съвети

Г1 TRAVELS

Peter: Hi, Henry! How are you?
Henry: Fine, thank you.
Peter: Are you still working in Scotland for that whisky firm?
Henry: No, I'm working for a firm in Greece. I go to Athens every Tuesday morning. I'm leaving tomorrow.
Peter: Good. I often visit Greece but in a week, I'm going to stay in a hotel in Germany.
Henry: Are you going with a friend?
Peter: No, I'm going with my son and daughter.
Henry: Nice. It is good to go abroad.

Г2 ПРАКТИЧНИ СЪВЕТИ

■ Някои глаголни изрази, които означават поведение, положение, на английски език са в продължителна форма:

седнал съм	**to be sitting**	но:	**to sit (down)**	*сядам*
прав съм	**to be standing**		**to stand (up)**	*ставам*
полегнал съм	**to be lying**		**to lie (down)**	*лягам си*
увиснал съм	**to be hanging**		**to hang**	*закачам, вися*
коленичил съм	**to be kneeling**		**to kneel (down)**	*коленича*

■ Думи, които трябва да се знаят на летището (**airport**):

самозалепващ	**sticker**	[stikə]
самолетен билет	**flight ticket**	[flait tikit]
бордова карта	**boarding card**	[bo:diŋ ka:d]
качвам се на самолет	**emplane**	[implein]

Г3 ПЪТУВАНИЯ

Питър: Здравей, Хенри! Как си?
Хенри: Благодаря, добре.
Питър: Още ли работиш в Шотландия, в онова предприятие за уиски?
Хенри: Не, работя за едно предприятие в Гърция. Всеки вторник сутрин пътувам до Атина. Заминавам утре.
Питър: Добре. Аз често посещавам Гърция, но след седмица ще отседна в един хотел в Германия.
Хенри: С приятел, (ка) ли ще ходиш там?
Питър: Не, ще ходя със сина и дъщеря ми.
Хенри: Чудесно. Добре е да се ходи в чужбина.

Г4 ПРАКТИЧНИ СЪВЕТИ

регистриране	**check-in**	[tʃek in]
списък на чакащите пътници	**stand-by**	[stænd bai]
врата №	**gate No**	[geit nʌmbə]
свръхбагаж	**excess luggage**	[ikses lʌgidʒ]
намалени тарифи	**reduced fares**	[ridju:st feəz]
тоалетна дами	**Ladies**	[leidiz]
тоалетна мъже	**Gents**	[dʒents]
тоалетни М/Ж	**toilets**	[toilits]
тоалетни М/Ж	**restroom** (ам.)	[restrum]

КАКВО ОЗНАЧАВА ДУМАТА SOCCER?

⇨ *ОТГОВОР НА СТР. 319 и 327*

14 I booked...

A1 ПРЕДСТАВЯНЕ

- **ed:** прибавено към инфинитива на правилните глаголи дава формата на минало време.
  to book [buk]: **I (you, he, she, we, they) booked** [bukt]

- **his** *негов, неин, негови (притежателно мест., м.р., ед.ч.)*
  her *неин, нейна, нейни (притежателно мест., ж.р., ед.ч.)*

to decide	[disaid]	*решавам*	**I decided**	[disaidid]
to study	[stʌdi]	*уча*	**I studied**	[stʌdid]
to promise	[promis]	*обещавам*	**I promised**	[promist]
to arrive	[əraiv]	*пристигам*	**I arrived**	[əraiv]
to phone	[foun]	*телефонирам*	**I phoned**	[found]
year	[jə:]	*година*		
month	[mʌnθ]	*месец*		
April	[eipril]	*април*		
summer	[sʌmə]	*лято*		
home	[houm]	*къща, дом*		
afternoon	[a:ftənu:n]	*следобед*		
restaurant	[restəra:nt]	*ресторант*		
table	[teibəl]	*маса*		
office	[ofis]	*офис, служба*		
phone call	[foun ko:l]	*телефонен разговор*		
last	[la:st]	*последен, -а, -о; минал, -а, -о*		
for	[fo:]	*в продължение на, за*		
during	[djuəriŋ]	*по време на, през*		
from... to		*от... до*		

A2 ПРИЛОЖЕНИЕ

1. **I decided to study English last year.**
2. **I stayed (for) two weeks in London last month.**
3. **I worked in England from 1992 (nineteen ninety two) to 1996 (nineteen ninety six).**
4. **I studied Italian for a month during the summer.**
5. **He stayed in England too.**
6. **They decided to help Bob in March.**
7. **Last April you promised to visit Jeff and Ann.**
8. **We reached London in the evening.**
9. **She arrived home early in the afternoon.**
10. **He called the restaurant and booked a table for two.**
11. **She phoned Jeff from her office.**
12. **He answered Ann's phone call from his office.**

14 Аз запазих...

А3 ЗАБЕЛЕЖКИ

■ **Просто минало време** е едно от трите минали времена в английския език (виж Уроци 26, 31, 40). Използва се, за да изрази действия, извършени в определен момент или период от миналото, които нямат връзка с настоящето. Често се съчетава с думи и изрази като **ago** *(преди)*, **yesterday** *(вчера)*, **last night** *(снощи)* и т.н., с дати и пр. То се образува много лесно – като прибавим **-ed** към голяма част от глаголите, наречени правилни, или като прибавим **-d**, ако глаголът завършва на **-e**; например: **to decide** [dis**ai**d] **I decided** [dis**ai**did] *Аз реших.*

• Тази конструкция, завършваща на **-ed**, е еднаква за всички лица. Тя не се прилага към голям брой неправилни глаголи (виж следващите стр. Б1, Б2, Б3). Това много често употребявано време изразява завършено действие и обикновено е фиксирано във времето (виж В4).

I visited London in 1996. *Аз посетих Лондон през 1996 г.*

■ **Last**: няма определителен член, когато **last** предшества **week, month, year** или пък дните на седмицата; освен ако се казва: **the last week of my holidays**: *последната седмица от ваканцията ми.*

■ **His, her**: притежателно местоимение в ед.ч.; съгласува се с притежателя.

• **Betty**:	*нейната кола*	*нейното куче*	*нейните приятели*
	her car	**her dog**	**her friends**
• **John**:	*неговата кола*	*неговото куче*	*неговите приятели*
	his car	**his dog**	**his friends**

А4 ПРЕВОД

1. Миналата година аз реших да уча английски.
2. Миналия месец останах две седмици в Лондон.
3. От 1992 г. до 1996 г. аз работих в Англия.
4. През лятото един месец учих италиански.
5. Той също пребивава в Лондон (тогава).
6. През март те решиха да помогнат на Боб.
7. Миналия април вие обещахте да посетите Джеф и Ан.
8. Вечерта стигнахме до Лондон.
9. Рано следобед тя пристигна вкъщи.
10. Той се обади в ресторанта и запази маса за двама.
11. Тя телефонира на Джеф от своя офис.
12. Той отговори на телефонното обаждане на Ан от своя офис.

14 She told me...

Б1 ПРЕДСТАВЯНЕ

■ Формите за **минало време** на <u>неправилните</u> глаголи са различни; има специална форма за всеки глагол (еднаква за всички лица). Виж стр. 368–370. Например:

- **To tell** [tel] *казвам, разказвам;* **I told** [tould] *аз казах, казвах.*
- **To sell** [sel] *продавам;* **I sold** [sould] *продадох, продавах.*
- **To know** [nou] *знам, познавам;* **I knew** [nju:] *аз знаех, познавах.*

Минало време на **to be**: 2 форми **I (he, she, it) was** [woz] **We (you, they) were** [wə:]
Минало време на **to have:** 1 форма **I (he, she, it, we, you, they) had**

an answer	[a:nsə]	*отговор*
a story		*история, разказ*
as		*като*
parents	[peərənts]	*родители*
somebody / **someone**	→	*някой*
very well		*много добре*
Spain		*Испания*

Б2 ПРИЛОЖЕНИЕ

1. **He told Peter to come.**
2. **They sold me a radio-set.**
3. **I knew the answer very well.**
4. **She drove me to the station last night.**
5. **We met John's parents yesterday.**
6. **I was very glad to meet you.**
7. **They were in Spain last year.**
8. **We drank several whiskies.**
9. **He told us an interesting story.**
10. **I saw Charles last month.**
11. **He phoned as we were leaving.**
12. **I was reading when he came and invited me to dinner.**

Б3 ЗАБЕЛЕЖКИ

■ **She told me.** Формата **told** [tould] е минало време на глагола **to tell.** Този глагол, като всички онези, изброени в Б1, е неправилен. При неправилните глаголи формата за минало време не се получава, като се прибави **-ed**, и тя трябва да бъде заучена за всеки глагол поотделно (сравни стр. 368). Същата форма се използва във всички лица:

to tell [tel], *казвам* – **I (he, she, we, you, they) told** [tould] *аз казах, аз казвах*

■ Както видяхме в А3, **просто минало време** е много употребявано. В зависимост от контекста то може да се преведе с минало несвършено, минало свършено време и преизказно наклонение.

Вчера аз срещнах Пол. **I met Paul yesterday.**

■ Минало време на **to be:** **I (he, she, it) was** [woz]
We (you, they) were [wə:]

■ Минало продължително време: **was/were** + сегашно причастие на спрегаемия глагол (**-ing**); съответства често на българското минало несвършено време.

I was sleeping. *Аз спях.*
I was reading. *Аз четях.*

Б4 ПРЕВОД

1. Той каза на Питър да дойде.
2. Те ми продадоха един радиоприемник.
3. Знаех отговора много добре.
4. Миналата нощ тя ме закара на гарата.
5. Вчера ние срещнахме родителите на Джон.
6. Бях много щастлив, че ви срещнах.
7. Миналата година те бяха в Испания.
8. Ние изпихме няколко уискита.
9. Той ни разказа интересна история.
10. Миналия месец видях Чарлз.
11. Като тръгвахме, той се обади по телефона.
12. Аз четях, когато той дойде и ме покани на вечеря.

B1 УПРАЖНЕНИЯ

А. Поставете в просто минало време:

1. She tells me to study.
2. They promise to help me.
3. You sell me a car.
4. We eat at nine p.m.
5. I find an interesting restaurant.

Б. Поставете в минало продължително време:

1. He is working in Spain.
2. She is reading a new book.
3. She is studying.
4. You are waiting for Jane.
5. They are drinking wine.

В. Притежателни прилагателни:

1. Вчера той продаде колата си.
2. Миналия месец тя продаде колата си.
3. Миналата седмица тя ме покани в своя ресторант.
4. Той ми даде пощенските си марки.

B2 ОТГОВОРИ

А. 1. She told me to study.
2. They promised to help me.
3. You sold me a car.
4. We ate at nine p. m.
5. I found an interesting restaurant.

Б. 1. He was working in Spain.
2. She was reading a new book.
3. She was studying.
4. You were waiting for Jane.
5. They were drinking wine.

В. 1. He sold his car yesterday.
2. She sold her car last month.
3. She invited me to her restaurant last week.
4. He gave me his stamps.

B3 ПРЕВОД НА **ПРЕДИ**

■ **Превод на** *преди* (сравни стр. 353/16)
Когато говорим за действие, станало *преди* определен период от време, превеждаме с **ago** [əg**o**u], което се поставя след единицата за време. Глаголът е винаги в просто минало време:

Преди час бях с Джим.	**I was with Jim an hour *ago.***
Тя напусна Лондон преди 3 дни.	**She left London three days *ago.***
Той си продаде колата преди две седмици.	**He sold his car two weeks *ago.***
Преди година те работеха в Англия.	**A year *ago* they worked in Britain.**

В4 НЮ ЙОРК

■ Наричат го **New York City** [nju: jɔ:k siti], а неговите жители са го кръстили фамилиарно *Голямата ябълка* (**the Big Apple**), за да се избегне всякакво объркване с щата Ню Йорк (**New York State**). Ню Йорк е един от най-големите градове в света; заема осмо място, пред Лондон, с близо 8 милиона жители. Той е първият град на САЩ, без да бъде негова столица (столицата на САЩ е Вашингтон, **Washington D. C. (District of Columbia)**, да не се смесва с щата *Вашингтон* (**the State of Washington**). Много често в САЩ столицата на един щат не е непременно неговият най-голям град.

■ Неговата големина и броят на жителите му, най-вече ако се вземат под внимание и предградията, неговите небостъргачи (**skyscraper**), заради които се казва, че той е „град, изправен на крака", присъствието на многобройни международни институции, като ООН (**U. N. O.**), чието седалище се намира тук, както и на известни в цял свят музеи, театри и опери, обяснява до голяма степен важната международна роля на Ню Йорк както в областта на изкуствата, така и от икономическа и финансова гледна точка (в него се намира най-голямата борса в света). Тук са представени повече от петдесет националности и могат да се срещнат повече ирландци, отколкото в Дъблин. Ню Йорк е бил крайната спирка за най-големия брой имигранти, виждани някога да преминават през едно и също място. *Остров Елис* (**Ellis Island**) дълго време е служил като център за прегрупиране. Ако не може да се каже, че Ню Йорк е най-представителният град на страната, то без никакво съмнение той е един от най-привлекателните и във всеки случай, един от най-обаятелните.

■ Той е също и един от най-старите градове на Америка. Областта е била открита от италианеца Веразано, на когото е кръстен един от мостовете в града; реката *Хъдсън,* **Hudson**, разделя Ню Йорк на острови като *Манхатън,* **Manhattan**, и минава покрай квартали като *Бруклин,* **Brooklyn**, и *Харлем,* **Harlem**. Както свидетелстват тези имена, първоначално градът бил холандски и се наричал **New Amsterdam**. Впоследствие имал бурна история заради съперничеството между холандци и англичани, като през 1764 г. англичаните победили окончателно.

Г1 HE WANTS TO FIND A HOUSE

Patricia: Do you know Mike Collins? He called me yesterday.
Margaret: Yes, I met him two years ago. When we met, he was working for a big firm in Spain.
Patricia: He is now working for a British firm. He came home last month. He's now staying at a hotel, but he wants to find a house for Margaret and the kids. He is a very good friend and we want to help him.
Margaret: Do you have his phone number? I want to help him too.
Patricia: Yes, here it is. He is at his office from two to five every afternoon. Do you want to see him tonight? He is coming home for dinner. Are you free? You're invited too, of course.

Г2 ПРАКТИЧНИ СЪВЕТИ

CABS (ТАКСИТА)

Голямата ябълка, най-вече в Манхатън, е град, в който таксиmama са най-многобройни, и то с разумни *тарифи* (**fare**). По принцип всички те са, поне регламентираните, яркожълти, откъдето идва и името им (**yellow cabs**). Някои имат от двете страни *шахматно разположени черни квадрати* (**checker**), което показва, че те могат да вземат повече *пътници* (**passengers**). *Шофьорите на такситата* (**cab-drivers**, фамилиарно **cabbies**) ще спрат, ако им помахате с ръка (**arm waving**). Често в тях задната седалка е отделена с *преграда* (**partition**). Вътре *самозалепващи се табелки* (**stickers**) ви съобщават, че трябва да разполагате с *дребни пари* (**the correct change**) и че трябва да заплатите *пътната такса* (**toll**) за преминаването през някои *мостове* (**bridges**) или *тунели* (**tunnels**).

Г3 ТОЙ ИСКА ДА НАМЕРИ КЪЩА (ЖИЛИЩЕ)

Патриша: Познавате ли Майк Колинс? Вчера той ми се обади по телефона.
Маргарет: Да, запознах се с него преди две години. Когато се запознах с него, той работеше за голяма фирма в Испания.
Патриша: Сега той работи за една британска фирма. Миналия месец се прибра. Сега живее в хотел, но иска да намери жилище за Маргарет и децата. Той е много добър приятел и ние искаме да му помогнем.
Маргарет: Имате ли телефонния му номер? Аз също искам да му помогна.
Патриша: Да, ето го. Той е в офиса си от два до пет часа всеки следобед. Искате ли да го видите тази вечер? Той ще дойде вкъщи на вечеря. Свободна ли сте? Вие също сте поканена, разбира се.

Г4 ПРАКТИЧНИ СЪВЕТИ

КАК ДА ПЪТУВАМЕ В НЮ ЙОРК.
HOW TO GO PLACES IN NEW YORK

Немислимо е да предвидите пътуване в Ню Йорк с частния си автомобил: спирането там е забранено или крайно ограничено; *паркингите* (**car parks, parking lots**) са малобройни и винаги *пълни* (**full**), поне в оживените градски райони.
Нюйоркчани, които в действителност живеят в *предградията* (**in the suburbs**), обикновено *ходят на работа с метрото* (**to commute** [kəmj**u**:t] – *пътувам с карта*; **a commuter** – *лице, което ежедневно пътува, за да ходи на работа).*

КАКВО ОЗНАЧАВАТ ИНИЦИАЛИТЕ **I. T. V.**?

⇨ *ОТГОВОР НА СТР. 223*

15 Did they win...?

A1 ПРЕДСТАВЯНЕ

- **did** + подлог + инфинитив: въпросителна форма на просто минало време във всички лица
- **was** + подлог в единствено число + сегашно причастие / **were** + подлог в мн.ч. + сегашно причастие — въпросителна форма на минало продължително време
- **What** *това, което; какъв, какво, що*

to win*	**won**	[wʌn]	*печеля*
to catch*	**caught**	[kɔ:t]	*хващам*
to understand*	**understood**	[ʌndə′stud]	*разбирам*
to get*	**got**		*получавам*
to bring*	**brought**	[bro:t]	*донасям*
to say*	**said**	[sed]	*казвам, заявявам*
to accept*	**accepted**	[ək′septid]	*приемам*

match	[mætʃ]	*мач*
train	[trein]	*влак*
photo(graph)	[foutəgra:f]	*снимка*
address	[ədres]	*адрес*
offer	[ɔfə]	*предложение*
husband	[hʌzbənd]	*мъж (съпруг)*
wife (мн. ч. **wives**)	[waif] [waivz]	*жена (съпруга)*
Daisy	[deizi]	*женско име*
Ken	[ken]	*мъжко име*

* Неправилни глаголи: виж списъка на стр. 368–370.

A2 ПРИЛОЖЕНИЕ

1. **Did they win the match?**
2. **Did you catch the train?**
3. **Did you understand what he said?**
4. **Did you like my photographs?**
5. **Did she bring her daughter?**
6. **Did he give you George's address?**
7. **Did they accept Mike's offer?**
8. **Did you get what you wanted?**
9. **Did you know Daisy's husband?**
10. **Did you meet Ken's wife?**
11. **Was she working when you arrived?**

15 Спечелиха ли те...?

АЗ ЗАБЕЛЕЖКИ

■ **Did you understand...?** *Разбрахте ли...?*
В просто минало време въпросителната форма за всички лица и за правилните, и за неправилните глаголи се получава със спомагателния глагол **did** (той самият е минало време на **do**: сравни с Урок 12, АЗ).

did + подлог + инфинитив?

Did England win the match last year?
Миналата година Англия спечели ли мача?
Did you accept Bob's offer?
Приехте ли предложението на Боб?

Да си припомним: просто минало време описва минало действие, което е завършило в точно определен минал момент.

■ **Was she working?** *Работеше ли тя?*
Въпросителната форма на минало продължително време (Урок 14, БЗ) се получава, като се вмъкне подлогът между миналата форма на глагола *съм* (**to be**), **was/were** и сегашното причастие на **-ing**.

Were you staying in London last year?
Пребивавахте ли в Лондон миналата година?

■ **What:** *това, което, какво*. Това местоимение може да бъде:
- допълнение: **Tell me what you want.**
  Кажете ми какво искате?
- подлог: **What was said is interesting.**
  Това, което бе казано, е интересно.

А4 ПРЕВОД

1. Те спечелиха ли мача?
2. Хванахте (хвана) ли влака?
3. Разбрахте (разбра) ли какво каза той?
4. Харесаха ли ви (ти) моите снимки?
5. Тя доведе ли дъщеря си?
6. Той даде ли ви (ти) адреса на Джордж?
7. Те приеха ли предложението на Майк?
8. Получихте (получи) ли това, което искахте (искаше)?
9. Познавахте (познаваше) ли мъжа на Дейзи?
10. Срещнахте (срещна) ли жената на Кен?
11. Когато пристигнахте (пристигна), тя работеше ли?

15 They did not win...

Б1 ПРЕДСТАВЯНЕ

- подлог + **did not** + инфинитив — отрицателна форма на просто минало време във всички лица.
- подлог + **was not** + сегашно причастие / подлог + **were not** + сегашно причастие — отрицателна форма на минало продължително време

- **did not** се съкращава на **didn't** [didənt]
- **was not** се съкращава на **wasn't** [wozənt]
- **were not** се съкращава на **weren't** [wə:nt]

to lose* [lu:z] просто минало свършено време: **lost** *губя*
to think* [θiŋk] **thought** [θo:t] *мисля*

to expect	[ikspekt]	*очаквам да, разчитам на*
to happen	[hæpn]	*става, случва се*
to explain	[iksplein]	*обяснявам*
to carry	[kæri]	*нося, пренасям*
bet	[bet]	*облог*
to have a bet		*обзалагам се*
game	[geim]	*партия, игра*
victory	[viktəri]	*победа*
usual	[juʒuəl]	*обичаен*
unusual	[ʌnjuʒuəl]	*необичаен*
so	[sou]	*толкова, така*
race	[reis]	*надбягване, съревнование*
first	[fə:st]	*първи*
hard	[ha:d]	*твърд; трудно*

Б2 ПРИЛОЖЕНИЕ

1. **They did not win the game.**
2. **I did not expect Blackpool's victory.**
3. **I did not lose, because I did not have a bet.**
4. **He did not win the first race.**
5. **He did not accept Barbara's offer.**
6. **She did not think you were sick.**
7. **We did not think it was so hard.**
8. **You did not understand what happened.**
9. **They explained it to me but I didn't understand.**
10. **She was not carrying her usual bag.**
11. **We were not expecting Robert so soon.**

Б3 ЗАБЕЛЕЖКИ

■ **I did not understand**: *Аз не разбрах.*
В просто минало време (с което се занимахме в предишната глава) отрицателната форма се образува, като във всички лица се използват:

did not + инфинитив

независимо дали глаголът е правилен или неправилен.

Например:	**She did not understand.**	*Тя не разбра.*
	I did not accept.	*Аз не приех.*
	We did not lose.	*Ние не загубихме.*

■ **She was not carrying.** *Тя не носеше.*
Отрицателната форма в минало продължително време (Урок 14, Б3) се получава, като поставим **not** между **was/were** и сегашното действително причастие.
Да си припомним, че минало продължително време изразява действие, което е било в процес на извършване и съответства на българското минало несвършено време.
■ При просто минало време на глаголите, завършващи на **-y**, има два случая:
-y, предшествано от гласна – крайна сричка на **-ed**; например: **to play**, **played** [pleid]
-y, предшествано от съгласна – крайна сричка на **-ied**; например: **to carry**, **carried** [kærid]
■ Да си припомним: **what happened**, *това, което се случи*: **what** = подлог

Б4 ПРЕВОД

1. Те не спечелиха мача (играта).
2. Не очаквах Блакпул да спечели.
3. Не загубих, защото не се обзаложих.
4. Той не спечели първото надбягване.
5. Той не прие предложението на Барбара.
6. Тя не мислеше, че вие сте болен.
7. Ние не мислехме, че е толкова трудно.
8. Вие не разбрахте какво се случи.
9. Те ми го обясниха, но аз не разбрах.
10. Тя не носеше обичайната си чанта.
11. Ние не очаквахме Робърт толкова скоро.

15 Упражнения

B1 УПРАЖНЕНИЯ

А. Поставете във въпросителна форма:

1. You brought a bicycle with you.
2. She caught her train.
3. He lost his match.
4. They thought the match was interesting.

Б. Поставете в отрицателна форма:

1. He knew Susan's surname.
2. England won the first game.
3. She carried her bag.
4. You met Ken's wife at the station.

В. Преведете на английски:

1. Те не разбраха това, което аз обясних.
2. Това, което стана вчера, е необичайно.
3. Не мислех, че това беше толкова трудно.
4. Приехте ли това, което той ви предлагаше?

B2 ОТГОВОРИ

А.
1. Did you bring a bicycle with you?
2. Did she catch her train?
3. Did he lose his watch?
4. Did they think the match was interesting?

Б.
1. He didn't know Susan's surname.
2. England did not win the first game.
3. She did not carry her bag.
4. You did not meet Ken's wife at the station.

В.
1. They did not understand what I explained.
2. What happened yesterday is unusual.
3. I did not think it was so hard.
4. Did you accept what he was offering you?

B3 УПРАЖНЕНИЯ ЗА ПРОИЗНОШЕНИЕ

■ Произнесете:

[ɔ:]	**I brought it with me.**	[ai brɔ:t it wið mi:]
	I caught it.	[ai kɔ:t it]
[ɔ:]	**I accepted the offer.**	[ai əkseptid ði ɔfə]]
	She explained what she wanted.	[ʃi: ikspleind wɔt ʃi: wɔntid]

В4 ЗАЛАГАНИЯТА • GAMBLING

Залаганията (**gambling**) и *облозите* (**betting**) са развлечения, особено ценени от британците и американците.

■ Във Великобритания обзалаганията са почти ежедневие. Облозите могат да бъдат не само за конните надбягвания, но и за която и да е друго събитие: избирането на английски или чуждестранен политик, резултата от спортно състезание, какво ще бъде времето и т.н.

Във Великобритания съществуват повече от 8000 *бюра за залагания* (**betting shop).** Това са частни агенции, но хората, които събират облозите (**turf accountant** [əkauntənt] или **bookmakers** [bukmeikəz]), трябва да са титуляри с официално разрешително, *дадено им* (**granted** [gra:ntid]) от държавата. Повече от 90% от залаганията се правят за *конните надбягвания* (**races** [reisiz]), като се плаща *такса* (**betting tax**) върху *наддаването* (**stake** [steik]) или върху *печалбите* (**winnings**). Всяка събота хората правят и *прогнози за футболните мачове* (**football pools**), като *целта им* (**aim** [eim]) е да предвидят най-голям брой равни резултати. Има и такива, които играят на *монетни автомати* (**slot machine** [məʃi:n]) в баровете или в *игралните зали* (**amusement arcades** [əmjuzmənt a:keidz]). (Виж също **Bingo** Г4 на стр. 133.)

■ В САЩ, въпреки съществуването на известно пуританство, повечето от американците могат да се отдадат на страстта си към хазарта.

Първоначално единствено щатът *Невада* (**Nevada**) получил през 1931 г. разрешението да предлага всякакви хазартни игри дванадесет месеца през годината по *двадесет и четири часа в денонощието* (**round-the-clock).**

Така *Лас Вегас* (**Las Vegas**) станал световна столица на хазартните игри. Тук хотелите и ресторантите предлагат относително ниски цени, за да привличат клиентите в казината и игралните зали (разположени понякога в огромни хотели с десетки хиляди стаи). В тях се разиграват и загубват в лотарии (**lotteries** или **keno**), на рулетка и игрални автомати, наречени *еднорьки бандити* (**one-armed bandits**), милиарди долари.

Г1 DID YOU WIN?

Steve: Did you see the match on TV yesterday?
Tom: Yes, I didn't expect Manchester to win the game.
Steve: I was surprised, too. I think it was an interesting game, but I don't understand what happened. It's hard to explain Manchester's victory. I don't think they played very well.
Steve: Did you go to the races last Saturday?
Tom: No. I was sick. I had a cold and stayed at home.
Steve: But didn't you have a bet*?
Tom: Yes, I did, but I lost.
Steve: So you weren't as lucky as last week.
Tom: Last week was very unusual. You see, I don't win very often. And you know, I didn't get a lot of money.

* **a bet**: *залог*; **to have a bet, to bet**, *обзалагам се;* **to bet on,** *залагам на*
Обърнете внимание на разговорния израз: **You bet!** *Разбира се, можеш да бъдеш сигурен.*

Г2 ПРАКТИЧНИ СЪВЕТИ: CARDS

♣ club	[klʌb]	*спатия*
♦ diamond	[daiəmənd]	*каро*
♥ heart	[ha:t]	*купа*
♠ spade	[speid]	*пика*
the ace	[eis]	*асо*
the king		*поп*
the queen	[kwi:n]	*дама*
the jack	[dʒæk]	*вале*
a trump	[trʌmp]	*коз*

to cheat	[tʃi:t]	*мамя*
to cut*	[kʌt]	*сека*
to deal*	[di:l]	*давам, раздавам*
to lose*	[lu:z]	*губя*
to win*	[win]	*печеля*

Г3 СПЕЧЕЛИ ЛИ?

Стийв: Снощи гледа ли мача по телевизията?
Том: Да. Не очаквах Манчестър да спечели.
Стийв: Аз също бях изненадан. Мисля, че това беше интересна среща, но не разбирам какво се случи. Трудно е да се обясни победата на Манчестър. Не мисля, че те играха много добре.
Стийв: Миналата събота ходи ли на надбягванията?
Том: Не, бях болен. Бях хремав и останах вкъщи.
Стийв: Ама не беше ли заложил?
Том: Бях, но загубих.
Стийв: Значи не си имал късмет като миналата седмица.
Том: Миналата седмица беше изключение. Виждаш ли, аз не печеля много често. А и знаеш, че не спечелих много пари.

Г4 ПРАКТИЧНИ СЪВЕТИ

БИНГО

Бингото (**bingo**) е много популярна игра във Великобритания, и то най-вече сред жените. Всеки играч получава карта, на която са написани серия от числа. След това аниматорът тегли числа наслука и ги чете на висок глас. Когато излязат всички числа, фигуриращи в картата на даден играч, той печели. В тази игра печалбите могат да бъдат значителни при много слаби мизи.

КАКВО ОЗНАЧАВАТ ИНИЦИАЛИТЕ **BYOB**?

⇨ *ОТГОВОР НА СТР. 165*

16 Will you be there?

A1 ПРЕДСТАВЯНЕ

- Бъдеще време, положителна форма: подлог + **will/shall** или **'ll** + инфинитив.

  I'll [ail] come. *Ще дойда.*
- Бъдеще време, въпросителна форма: **will/shall** + подлог + инфинитив?

  Will you come? *Ще дойдеш ли?*
- Кратки форми в бъдеще време:

I shall, I will	**I'll**	[ail]	we shall, we will	**we'll**	[wi:l]
he will	**he'll**	[hi:l]	you will	**you'll**	[ju:l]
she will	**she'll**	[ʃi:l]	they will	**they'll**	[θei:l]
it will	**it'll**	[itl]			

- **mine:** моят, моята, моето, моите – притежателно местоимение, 1 лице, единствено число, без да е следвано от съществително име.

to be better		*по-добре съм*
to send*	[send]	*изпращам*
to lend*	[lend]	*давам назаем*
to borrow	[b**o**rou]	*заемам*
to do*	[du:]	*правя*
to listen (to)	[lisən]	*слушам*
to open	[**o**upen]	*отварям*
to close	[klouz]	*затварям*
shopping	[ʃɔpiŋ]	*покупки*
exhibition	[eksibi**i**ʃən]	*изложба*
window	[windou]	*прозорец*
door	[do:]	*врата*
there	[ðeə]	*там*

A2 ПРИЛОЖЕНИЕ

1. **You'll be better tomorrow.**
2. **He'll send it to Janet.**
3. **I'll lend you mine.**
4. **She'll get a good job.**
5. **I'll borrow John's car.**
6. **He'll visit the exhibition.**
7. **We'll listen to Jim's CDs.**
8. **Will you do it for me?**
9. **Will you open the window, please?**
10. **Will you close the door, please?**
11. **Will you be there?**
12. **Shall I do it now?**

16 Ще бъдете ли там?

А3 ЗАБЕЛЕЖКИ

■ Бъдеще време се образува с помощта на спомагателните глаголи **shall** или **will** + инфинитив без **to**.

По принцип се използва:

shall за първо лице (единствено и множествено число)

I shall come, *аз ще дойда* **we shall come,** *ние ще дойдем*

will за второ и трето лице (единствено и множествено число)

you will come, *ти ще дойдеш* **she will come,** *тя ще дойде*
they will come, *те ще дойдат*

• Но в действителност има тенденция **will** да се използва дори в 1 лице, единствено и множествено число: **I will come**, *ще дойда*; а и в разговорния език съкращението **'ll** е еднакво за **shall** и **will**.
I'll [ail] **come, she'll come, we'll come** и т.н.

■ **Shall I do it now?** (A 1, 12) *Сега ли трябва да го направя?*
Във въпросителна форма **shall** изразява идеята за задължение.

■ **Will you open the window?** *Ще отворите ли прозореца?*
Във въпросителна форма **will** може да послужи за изразяване на учтива молба.

■ **mine:** *моят, моята, моето, моите* (виж таблицата на стр. 345)
Притежателните местоимения не се изменят по род (с изключение на 3 лице, единствено число) и по число. Те никога не са предшествани от определителен член.
Употребяват се като сказуемно определение на глагола съм, **mine** = мой
this book is mine, *тази книга е моя*

А4 ПРЕВОД

1. Утре ще се чувствате по-добре.
2. Той ще го изпрати на Джанет.
3. Ще ви дам назаем моето.
4. Тя ще получи хубава работа.
5. Ще взема назаем колата на Джон.
6. Той ще посети изложбата.
7. Ние ще слушаме компактдисковете на Джим.
8. Ще го направите ли вместо мен (или: за мен)?
9. Ще отворите ли прозореца, моля?
10. Ще затворите ли вратата, моля?
11. Ще бъдете ли там?
12. Сега ли да го направя?

16 You won't wait too long

Б1 ПРЕДСТАВЯНЕ

- Бъдеще време, отрицателна форма:

подлог + **will not**/ или **won't** [wountl]
shall not/ или **shan't** [ʃa:nt]

he won't come, *той не ще дойде*
we shan't come, *ние не ще дойдем*

- Бъдеще време, въпросително-отрицателна форма:

won't или **shan't** + подлог + сказуемо?

won't you come? *няма ли да дойдете?*

- **us**: *ние*; лично местоимение, пряко и косвено допълнение в 1 лице, единствено число
- **him**: *го, му*; лично местоимение, пряко и косвено допълнение за 3 лице, единствено число, мъжки род

to start	[sta:t]	*тръгвам, потеглям*
to join	[dʒoin]	*присъединявам се*
to agree	[əgri:]	*съгласен съм*
to hope	[houp]	*надявам се*
to believe	[bili:v]	*вярвам*
to cooperate	[kouəpəreit]	*сътруднича*
to attend	[ətend]	*присъствам на*
Christmas, Xmas	[krisməs]	*Коледа*
meeting	[mi:tiŋ]	*събрание*
in time		*навреме*
for a while	[for əwail]	*за малко*
never	[nevə]	*никога*
again	[əgein]	*отново, пак*
too	[tu:]	*твърде, също*

Б2 ПРИЛОЖЕНИЕ

1. **You won't catch your train if you don't start in time.**
2. **Won't you join us?**
3. **I know you won't agree.**
4. **I shan't see him for a while.**
5. **They won't be with us for Christmas.**
6. **I hope it will never happen again.**
7. **They will not believe you.**
8. **Won't they cooperate?**
9. **She shan't attend the meeting.**
10. **She won't attend the meeting.**
11. **You won't wait too long.**
12. **They won't agree with us.**

16 Не ще чакате много дълго време

Б3 ЗАБЕЛЕЖКИ

■ Отрицателната форма в бъдеще време се получава, като прибавим **not** към спомагателните глаголи **shall** или **will** + инфинитив/ без **to**.

shall not става **shan't** [ʃa:nt]
will not става **won't** [wount]

■ **Won't** може да се използва във всички лица.

I won't come tonight. *Аз няма да дойда тази вечер.*
You won't wait too long. *Вие не ще чакате много дълго.*

■ **Shan't**, използвано във второ и трето лице, може да изрази решение, взето по отношение на лицето, за което се говори.

• И така, когато се казва за някого:
She shan't attend the meeting. *Тя няма да присъства на събранието.* Това означава, че се противопоставят на нейното присъствие на това събрание.

• От друга страна, в изречението:
She won't attend the meeting. *Тя не ще присъства на събранието.* Това може да означава, че лицето няма намерение да присъства.

■ В случай на въпросително-отрицателна форма най-често се среща формата **won't**:

Won't you come? *Няма ли да дойдете?*

■ Лични местоимения като допълнения (пряко и косвено допълнение):

me	*ме, ми*	**us**	*ни*
him	*го, му*	**you**	*ви*
her	*й, я*	**them**	*ги, им*
it	*го, му, й, я* (за предмети)		

Б4 ПРЕВОД

1. Ако не тръгнете навреме, не ще хванете вашия влак.
2. Няма ли да се присъедините към нас?
3. Знам, че вие няма да бъдете съгласни.
4. За известно време не ще го виждам.
5. За Коледа те не ще бъдат с нас.
6. Надявам се, че това вече никога не ще се случи.
7. Те не ще ви повярват.
8. Те не ще ли поискат да сътрудничат?
9. Тя не ще присъства на събранието (аз не го искам).
10. Тя не ще присъства на събранието (тя не го желае).
11. Вие не ще чакате много дълго време.
12. Те няма да бъдат съгласни с нас.

В1 УПРАЖНЕНИЯ

А. Поставете в бъдеще време:

1. I visit the exhibition.
2. She is there.
3. We are in Britain.
4. They believe you.

Б. Поставете в кратката форма:

1. I shall arrive at 10 p. m.
2. I will join you.
3. He will stay with us.
4. She shall study her lesson.
5. We shall lend you a car.
6. You will get a new job.

В. Поставете в кратка форма:

1. I shall not arrive in time.
2. He will not bring his car.
3. We shall not win this match.
4. I will not answer that question.
5. You will not stay in England.
6. They will not accept this offer.

В2 ОТГОВОРИ

А. 1. I shall (*или* I will) visit the exhibition. 2. She will be there. 3. We shall (*или* we will) be in Britain. 4. They will believe you.

Б. 1. I'll arrive at 10. p. m.
2. I'll join you.
3. He'll stay with us.
4. She'll study her lesson.
5. We'll lend you a car.
6. You'll get a new job.

В. 1. I shan't arrive in time.
2. He won't bring his car.
3. We shan't win this match.
4. I won't answer that question.
5. You won't stay in England.
6. They won't accept this offer.

В3 БЛИЗКО БЪДЕЩЕ ВРЕМЕ

■ За да изразим предстоящо действие, на английски можем да употребим:

to be about to (предстоящо действие)

The train is about to leave. *Влакът ей сега ще замине.*

to be going to (предстоящо действие, лично намерение)

It's going to rain. *Ей сега ще завали.*

She is going to buy a flat. *Тя смята да си купи апартамент.*

В4 АНГЛИЙСКА ПАРИЧНА ЕДИНИЦА И МЕРКИ

■ Британска парична единица

Английската парична единица е *лирата стерлинг*, **pound sterling**. **Sterling**, което означава *доверен, изящен, солиден* (**sterling silver**, *фино сребро*), обозначавало сребърната монета, която била валидна през XIII в. Лирата е символизирана със знака **£** (от **libra**, *либра* на латински), който винаги предшества цифрата, съответстваща на посочената сума:

£ 10 (ten pounds) *10 лири.*

Откакто Великобритания възприе десетичната система за своята парична единица, лирата стерлинг се разделя на **100** *пенса*, **pence**.

Съществуват монети от **1 penny** (наричано често **one p** [wʌn pi:]), **2 pence (two p.** [tu: pi:]), **5 pence (five p.** [faiv pi:]), **10 pence (ten p.** [ten pi:]), **20 pence** и **50 pence**.

На разговорен английски *една лира* може да се каже също **a quid** [kwid].

■ Мерки (Measures)

Дължина

1 inch (1 in, 1") = *2,54 сантиметра (един палец)*
1 foot (1 ft, 1') = 12 inches = *30,48 сантиметра (едно стъпало)*
1 yard (1 yd) = 3 ft = *0,914 метра*
1 mile = 1760 yards = 5280 feet = *1609 метра (една миля)*

Повърхнина

square inch (sq. in) = *6,45 кв. см*
square foot (sq. ft.) = *929 кв. см*
square yard (sq. yd.) = *0,83 кв. м*
acre [ˈeikə] **(ac.)** = *40,47 акра = приблизително 4 дка*

Вместимост	*Внимание:*
1 pint = *0,568 л*	(САЩ) = *0,473 л*
1 quart = 2 pints = *1,14 л*	(САЩ) = *0,946 л*
1 gallon = 4 quarts = *4,54 л*	(САЩ) = *3,785 л*

Тегло

1 dram (dr) = *1,77 г*
1 ounce(oz) = 16 drams = *28,35 г*
1 pound (lb) = 16 ounces = *0,454 кг*
1 stone (st) = 14 pounds = *6,35 кг*

Г1 CHRISTMAS SHOPPING

Susan: Are you going to attend the meeting tomorrow?
Charles: Yes, I think I will[1]. Will you be there?
Susan: Yes, I promised to[2]. I only hope it's not going to be too long. I have to catch a train at 6.
Charles: I'll leave early, too. I want to drive to France for the weekend.
Susan: Are you going to Paris?
Charles: No, we won't have time to[2]. We'll stay in Calais at a small hotel I know. My wife wants to do her Christmas shopping, so we want to be there on Saturday.
Susan: I hope you'll have a good time.

1. Обърнете внимание на присъствието на спомагателния глагол в бъдеще време в краткия отговор (сравни стр. 334).
2. Обърнете внимание на присъствието на **to**, което напомня глаголите **to be** и **to go.**

Г2 ПРАКТИЧНИ СЪВЕТИ

ПРОИЗХОДЪТ НА **BLUE-JEANS**

Името **blue-jeans** [blu: dʒi:nz] идва от плата, от който се изработва този вид дреха: *груба тъкан* (**canvas** [kænvəs]) от памучни нишки, т.нар. памучен плат от Генуа. В резултат на поанглийчването на думата Генуа се получило **jeans**. Наричат ги също **denim** заради един вид френски плат, т.нар. *саржа от Ним*, който се използвал за изработването им. По време на златната треска в Калифорния (1848 г.) на един млад емигрант от Източна Европа, Оскар Леви Щраус, му дошло на ума да докара от Стария континент здравата тъкан, за да произвежда обикновени и издръжливи дрехи за тези, които се впускали да завладеят Запада. Обшити с двоен шев от жълт конец, подсилени с медни капси, **jeans** – *всекидневни* (**casual** [k**a**jiuəl]), *прани* (**stone-washed** [stoun wɔʃt]), *предварително обработени против свиване* (**pre-shrunk** [pri ʃrʌŋk]), *бутикови* (**designer jeans** [diz**a**inə dʒi:nz]), завладяха света от 60-те години насам.

Г 3 КОЛЕДНИ ПОКУПКИ

Сюзан: Ще присъстваш ли на утрешното събрание?
Чарлз: Да, мисля, че да. Ти ще бъдеш ли там?
Сюзан: Да, обещала съм да бъда. Надявам се само, че то няма да бъде много продължително. Трябва да взема влака в 18 ч.
Чарлз: Аз също ще тръгна рано. През уикенда искам да отида с кола до Франция.
Сюзан: В Париж ли ще ходиш?
Чарлз: Не, няма да имаме време. Ще отседнем в Кале, в един малък хотел, който познавам. Жена ми иска да направи покупките за Коледа, искаме също да бъдем там и в събота.
Сюзан: Надявам се, че добре ще се забавлявате.

Г4 ПРАКТИЧНИ СЪВЕТИ

ЕЗИЦИТЕ НА БРИТАНСКИТЕ ОСТРОВИ (Languages in GB)

Освен английския, който е официален език на британските острови, тук се говорят още осем езика:

- **уелски** — келтски език от Уелс
- **шотландски** — келтски език
- **ирландски** — келтски език
- **манкски** — език, говорен на остров Ман
- **корнуолски** — език, говорен в Корнуол (мъртъв келтски език)
- **скот** — език, говорен в някои части на Шотландия (германски език)
- **френски и джърнски** — език, говорен на остров Джърси (романски език)

КАКВО Е ТОВА **DOUBLE-DECKER**?

⇨ *ОТГОВОР НА СТР. 155*

17 I can... I could...

A1 ПРЕДСТАВЯНЕ

I can		*аз мога; имам възможност да*
I cannot		
I can't	[ka:nt]	*аз не мога*
can I?		*мога ли?*
I could	[kud]	*аз можех, аз можах*
I could not		*аз не можех, аз не можах*
I couldn't	[k**u**dənt]	
could I?	[kud **ai**]	*можех ли?*

your	[jɔ:]	*ваш, ваши;* прит. местоимение за 2-ро лице
to spell*	[spel]	*казвам/пиша буква по буква*
to hear*	[hi:ə]	*чувам*
to miss		*изпускам, чувствам липсата на*
to repeat	[rip**i**:t]	*повтарям*
to walk	[wɔ:k]	*ходя*
to pass		*минавам; (*но също и *изпреварвам)*
way	[wei]	*път, начин*
name	[neim]	*фамилно име*
water	[w**ɔ**:tə]	*вода*
hour	[auə]	*час (***h** от **hour** е нямо)
far	[fa:]	*далече*
for	[fɔ:]	*пред* (също *за)*

* Виж стр. 368-370 (неправилни глаголи).

A2 ПРИЛОЖЕНИЕ

1. **He can come tomorrow.**
2. **Can you show me the way to Park Avenue?**
3. **Can you spell your name, please?**
4. **You can't miss it.**
5. **She cannot remember David's address.**
6. **Can you repeat, please?**
7. **Can you pass me the water, please?**
8. **Could he hear you? – No, he couldn't.**
9. **We could not help him, it was too far.**
10. **He could walk for hours when he was young.**

17 Аз мога... Аз можех...

А3 ЗАБЕЛЕЖКИ

■ **I can spell my name.** *Аз мога (аз знам) да си напиша името.*
Can изразява възможност, способност, зависещи от този, който говори.

■ **Can** няма инфинитив, няма сегашно причастие, няма минало причастие и следователно няма сложни времена (бъдеще, минало свършено, минало предварително). Наричат го още „непълен глагол", защото му липсват много форми.

■ **Can** не получава **s** в 3-то лице, единствено число и глаголите след него са в инфинитив <u>без</u> **to**.

He can come. *Той може да дойде.*

■ във въпросителна форма имаме обикновена инверсия на **can** + подлог:

Can you come? *Можете ли да дойдете?*

■ в отрицателна форма имаме **cannot** в една дума, или съкратената форма **can't** [ka:nt]:

She can't come. *Тя не може да дойде.*
We cannot come. *Ние не можем да дойдем.*

■ **I could** [kud]: *можех, можах, бях способен*
Could е единствената форма за минало време на **can:**
• във въпросителна форма имаме обикновена инверсия: **could** + подлог;
• в отрицателна форма: **I could not** или **I couldn't** [kudənt].

■ **Притежателни прилагателни**

my [mai]	*мой, моя, мое, мои*	**our** [auə]	*наш, наши*
his	*негов, негова, негово, негови*	**your** [jo:]	*ваш, ваша, ваши; твой, твоя, твое, твои*
her	*неин, нейна, нейно, нейни*	**their** [ðeə]	*техен, техни*
its	*негово* (среден род)		

А4 ПРЕВОД

1. Той може да дойде утре.
2. Можете ли да ми покажете пътя за Парк Авеню?
3. Можете ли да изговорите буква по буква фамилното си име?
4. Не можете да го изпуснете.
5. Тя не може да си спомни адреса на Дейвид.
6. Ако обичате, може ли да повторите?
7. Ако обичате, може ли да ми подадете водата?
8. Можеше ли той да ви чуе? – Не, той не можеше.
9. Ние не можахме да му помогнем, беше твърде далече.
10. Когато беше млад, той можеше да върви с часове.

17 I am able... I was able...

Б1 ПРЕДСТАВЯНЕ

- **To be able** [eibəl], *способен съм, мога,* синоним на **can**, спряга се като **to be**.

Например:

Сегашно време	**I am able** **he is able** **we are able**	**am I able?** **is she able?** **are you able?**	**I am not able.** **he is not able** **they are not able.**
Просто минало време	**I was able** **we were able**	**was she able?** **were you able?**	**he was not able.** **they were not able.**
Бъдеще време	**I/we'll be able** **you will be able**	**shall I/we be able?** **will you be able?**	

- **that** [ðæt] 1) показателно местоимение: *това там, онова*
  2) показателно прилагателно: *този, тази ... там, онзи*
- **this** [ðis] 1) показателно местоимение: *това тук*
  2) показателно прилагателно: *този, тази ... тук*
- **them** [ðem] *те, ги, им:* лично местоимение, пряко и косвено допълнение за 3-то лице, множествено число (мъжки, женски и среден род)

to speak*	[spi:k]	*говоря*
to manage	[mænidʒ]	*справям се*
to change	[tʃeindʒ]	*сменям*
really		*наистина*
already	[ɔ:lredi]	*вече*
exam(ination)	[igzæm]	*изпит*
sure	[ʃuə]	*сигурен, -а*
habit	[hæbit]	*навик, обичай*
difference	[difrəns]	*разлика*

Б2 ПРИЛОЖЕНИЕ

1. **I am able to help you.**
2. **Is she able to do that?**
3. **He isn't really able to drive this car.**
4. **She was able to meet them in time.**
5. **She was already able to speak English.**
6. **He won't be able to pass this exam.**
7. **Were you able to answer that question?**
8. **I'm sure he'll be able to manage very well.**
9. **We shan't be able to change their habits.**
10. **You won't be able to tell the difference.**

17 Аз съм способен... Аз бях способен...

Б3 ЗАБЕЛЕЖКИ

■ **to be able to**, *мога, способен съм, в състояние съм да...*
Този израз, който следва спрежението на **to be** – има смисъл, еквивалентен на смисъла на **can**, и може да го замества, а е неизбежен във времената, за които той няма форми (сравнете А3), а именно в бъдеще време:

He'll be able to help you.	*Той ще може да ви помогне.*
I won't be able to come.	*Не ще мога да дойда.*

■ Да си припомним: **личните местоимения като допълнения:**

me	*ме, ми*	**us**	*ни*
him	*го, му*	**you**	*ви*
her	*я, ѝ*	**them**	*ги, им*
it	*го, му, я, ѝ*		

■ **this** (множествено число **these** [ði:z]) въвежда понятието за близост или за това, което ще бъде казано или сторено.

• Показателно прилагателно: *този, тази*

This wine is good.	*Това вино е добро.*
This beer is strong.	*Тази бира е силна.*

• Показателно местоимение: *това*

This is a difficult question.	*Това е труден въпрос.*

■ **that** (множествено число **those** [ðouz]) въвежда понятието за отдалечаване или за това, което е било казано или сторено:

• Показателно прилагателно: *този, тази*

That film was interesting.	*Този филм беше интересен.*

• Показателно местоимение: *това*

That was very nice of you.	*Това беше много мило от ваша страна.*

Б4 ПРЕВОД

1. Мога да ви помогна.
2. Може ли тя (тя в състояние ли е) да направи това?
3. Той наистина не е способен да кара тази кола.
4. Тя успя да ги срещне навреме.
5. Тя вече беше способна да говори английски.
6. Той не ще бъде в състояние да вземе този изпит.
7. Можахте ли да отговорите на този въпрос?
8. Аз съм сигурен, че той ще бъде в състояние да се справи много добре.
9. Ние няма да можем да променим навиците си.
10. Вие не ще можете да направите разликата.

17 Упражнения

B1 УПРАЖНЕНИЯ

А. Преведете:

1. Тя може да пее.
2. Той може да шофира.
3. Ако обичате, можете ли да ми кажете колко е часът?
4. Можете ли да отговорите на този въпрос?
5. Може ли той да ви заеме своя магнетофон?

Б. Поставете в бъдеще време (употреба на **to be able**):

1. Can you show me the way?
2. Can they help him?
3. We can change our habits.
4. Can you tell the difference?
5. Can we join you?

В. Поставете в минало време (два превода):

1. I cannot help them.
2. They cannot come.
3. He can't hear you.
4. He can understand what you say.

B2 ОТГОВОРИ

А. 1. She can sing.
2. He can drive.
3. Can you tell me the time, please?
4. Can you answer this question?
5. Can he lend you his tape-recorder?

Б. 1. Will you be able to show me the way?
2. Will they be able to help him?
3. We shall be able to change our habits.
4. Will you be able to tell the difference?
5. Shall we be able to join you?

В. 1. I could not help them. – I was not able to help them.
2. They could not come. – They were not able to come.
3. He couldn't hear you. – He was not able to hear you.
4. He could understand what you said. – He was able to understand what you said (или were saying).

B3 ИЗРАЗИ С CAN

How can you tell?	*Откъде знаете?*
It can't be done.	*Не се прави така.*
That cannot be.	*Не може да бъде.*
How could you ...?	*Как сте могъл ...?*

Can често се употребява и се превежда с глаголите за възприятие:

I can see nothing.	*Не виждам нищо.*
I could hear them singing.	*Чувах ги да пеят.*

В4 ДОЛАРЪТ

■ *Законната валута* (**legal tender**) на САЩ е доларът. На лицевата страна на всеки долар има следната забележка: „**This note is legal tender for all debts, public or private**", „*Тази банкнота има законен курс за уреждане на всяко задължение, обществено или частно*", а на обратната страна: „**In God we trust**" („*Вярваме в Бог*"). Често той е представен с познат символ: **$** или **US $.** Официалното международно съкращение е **USD**. Внимание! Думата долар е също и название на официалната парична единица на известен брой страни (*за сравнение швейцарски франк, белгийски франк...*) като Канада, Австралия, Хонконг и т.н.

■ Доларът се разделя на 100 *цента* или съкратено **c**. Съществуват *медни монети* (**copper coins**) от 1 цент, наричани понякога **penny** (в мн.ч. **pennies**), монети от посребрен метал от 5, от 10, от 25 и от 50 цента, като всяка от тях си има собствено наименование, съответно: **nickel** (по отношение на метала), **dime** (понятието *десета*), **quarter** (*четвърт*) и **half-dollar** *(половин долар)*. Освен това има и *сребърна монета* от един долар (**silver coin**).

Всички банкноти са еднакво зелени, откъдето и фамилиарното им наименование **greenback** (виж по-долу). Съществуват *банкноти* (**bills**) или *купюри* (**denominations**) от 1, 2, 5, 10, 20, 50, 100, 500 и дори 1000 долара; всяка банкнота съдържа от едната страна лика на бивш президент на САЩ.

Фамилиарно доларът е наречен **greenback**, заради зеления си цвят, познат в цял свят. Тази дума, за разлика от думата **buck**, която е много фамилиарна, даже жаргонна, е използвана както от средствата за масово осведомяване, така и от широката публика. За да се назове банкнотата (или сумата) от хиляда долара, се използва също и терминът **grand** (винаги в ед.ч.).

■ Тъй като стойността на долара от 1971 г. не зависи от неговата конвертируемост в *злато* (**gold**), *неговият курс* (**rate of exchange**) може да се *колебае* (**to fluctuate**) в значителна степен. *Федералният резерв* (**Federal Reserve Board** или **the Fed**) играе ролята на регулиращ механизъм и взема решения за монетарната политика на страната.

Г1 CAN YOU SPELL YOUR NAME?

Ms Terry: **Sit down, please. Can you spell your name in English?**
Roger: **Well, I hope I can manage. My name is MARTIN – M-A-R-T-I-N.**
Ms Terry: **Is that your surname or your first name?**
Roger: **It's my surname. My first name is Roger.**
Ms Terry: **Thank you. How can we reach you?**
Roger: **Sorry, could you repeat please? I do not understand English very well.**
Ms Terry: **Have you got a phone number?**
Roger: **Oh! Yes. My phone number is 01 62 65 437 98.**
Ms Terry: **01 62 65 437 98?**
Roger: **That's right.**

Г2 ПРАКТИЧНИ СЪВЕТИ

ТЕЛЕФОННА АЗБУКА (виж също и стр. 297)

A	[ei]	за Alfred	N	[en]	за Nellie
B	[bi:]	за Benjamin	O	[ou]	за Oliver
C	[si:]	за Charlie	P	[pi:]	за Peter
D	[di:]	за David	Q	[kju:]	за Queen
E	[i:]	за Edward	R	[a:]	за Robert
F	[ef]	за Frederick	S	[es]	за Samuel
G	[dʒi:]	за George	T	[ti:]	за Tommy
H	[eitʃ]	за Harry	U	[ju:]	за Uncle
I	[ai]	за Isaac	V	[vi:]	за Victor
J	[dʒei]	за Jack	W	[dʌbəl ju]	за William
K	[kei]	за King	X	[eks]	за X
L	[el]	за London	Y	[wai]	за Yellow
M	[em]	за Mary	Z	[zed]	за Zebra

Г3 МОЖЕТЕ ЛИ ДА КАЖЕТЕ ИМЕТО СИ БУКВА ПО БУКВА?

Мисиз Тери: Седнете, моля. Можете ли да ми кажете вашето име на английски буква по буква?
Роджър: Добре, надявам се, че мога да се справя. Името ми е Мартин, М-а-р-т-и-н.
Мисиз Тери: Това фамилното ви име ли е или малкото?
Роджър: Това е фамилното ми име. Малкото ми име е Роджър.
Мисиз Тери: Благодаря. Как можем да се свържем с вас?
Роджър: Извинете, можете ли да повторите? Не разбирам много добре английски.
Мисиз Тери: Имате ли телефонен номер?
Роджър: О, да. Телефонният ми номер е 01 62 65 437 98.
Мисиз Тери: 01 62 65 437 98?
Роджър: Точно така.

Г4 ПРАКТИЧНИ СЪВЕТИ

$ DOLLAR

Думата **dollar** произлиза от немската дума **thaler,** немска монета, влязла в обръщение при царуването на *Карл V* (1500–1558 г.) и наречена така, понеже била сечена в Бохемия, в *равнинна област,* **thal** (*долина* на немски език).
Австрийците, които по това време контролирали Испания и Южна Америка, се разпоредили там да се секат сребърни *талери* (**thalers**): думата се преобразувала в **tolar** после в **pillars-dollars** заради двата *стълба,* които били изобразени на монетата. Двете черти, които фигурират върху символа на долара, идват от наименованието **Spanish pillar dollar** (буквално *испански долар с колони*).

КАКВО ОЗНАЧАВАТ ИНИЦИАЛИТЕ **G. I.**?

⇨ *ОТГОВОР НА СТР. 191*

18 I must go now

A1 ПРЕДСТАВЯНЕ

I must [mʌst] *аз трябва*

- **Must** изразява абсолютно задължение, неизбежна необходимост, препоръка или силна вероятност.
- **Must** е модален глагол (виж **can**, стр. 143).

to take care		*грижа се; пазя се*
to hurry up		*бързам*
to slow (down)		*забавям*
to wear*	[weə]	*нося*
to knock	[nɔk]	*удрям, чукам*
to feed*		*храня*
to be out		*отсъствам, излязъл съм*
town		*град*
glasses	[glɑ:siz]	*стъкла, очила*
postman	[poustmən]	*пощенски раздавач (служител)*
animals	[ænimәlz]	*животни*
zoo	[zu:]	*зоологическа градина*
matches	[mætʃiz]	*кибрит*
by now		*досега*
while		*докато*
all the time		*през цялото време*
outside		*вън, извън, навън*

A2 ПРИЛОЖЕНИЕ

1. **I must go now.**
2. **You must take care.**
3. **They must hurry up.**
4. **Cars must slow down in town.**
5. **She must come and see us next week-end.**
6. **Must you wear glasses all the time?**
7. **She must be 35 by now.**
8. **He must be at home, his car is parked outside.**
9. **It must be the postman knocking at the door.**
10. **At the zoo: „Visitors must not feed the animals.“**
11. **Children must not play with matches.**
12. **He must have come while I was out.**

18 Аз трябва да тръгна сега

A3 ЗАБЕЛЕЖКИ

■ **Must** е модален глагол: в 3-о лице той няма **s**, няма инфинитив, няма причастия и следователно няма сложни времена. Той е следван от глагол в инфинитив без **to: I miust go.**

• Въпросителната форма се получава, като се направи инверсия на подлога и **must**:

Must you wear glasses? *Трябва ли да носите очила?*

• В отрицателна форма той е следван непосредствено от **not**:

Visitors must not feed the animals.

Посетителите не трябва да дават храна на животните.

■ **To hurry up, to slow down:** обърнете внимание на втория термин, който следва същинския глагол; нарича се постпозиция и самият той не се превежда. (Виж Урок 27)

■ **In town,** *в града;* **at home**, *вкъщи:* обърнете внимание на отсъствието на определителен член в тези изрази, както и в **next weekend**, *следващия уикенд,* но **all the time**, *през цялото време.*

■ **The postman knocking at the door** (A 2, 9): **knocking** [nokiŋ] е сегашно действително причастие (*чукащ*), но често се превежда с *който чука.*

■ **He must have come...** *Трябва да е дошъл (сигурно е дошъл):* обърнете внимание, инфинитивът, който следва **must**, тук не е сегашен инфинитив, а перфектен. Тази сложна форма се използва за изразяване на предположение.

A4 ПРЕВОД

1. Сега трябва да тръгвам.
2. Вие трябва да се пазите.
3. Те трябва да побързат.
4. В града колите трябва да намалят скоростта.
5. Тя трябва да дойде да ни види следващия уикенд.
6. Трябва ли да носите очила през цялото време?
7. Сега тя трябва да е вече на 35 г.
8. Той трябва да си е вкъщи, колата му е паркирана отвън.
9. Този, който чука на вратата, трябва да е пощальонът.
10. В зоологическата градина: „Посетителите не трябва да дават храна на животните.“
11. Децата не трябва да играят с кибрит.
12. Той трябва да е идвал, докато бях излязъл (докато ме нямаше).

18 I had to leave early

Б1 ПРЕДСТАВЯНЕ

• **To have to** замества **must** във формите, които му липсват:

I had to, I'll have to, и т.н. *аз трябваше да; ще трябва да,* и т.н.	
I have to, I have got to имат приблизително същия смисъл като **I must**	
I don't have to, I need't *няма нужда аз да; не е необходимо аз да...*	
I should, I ought to *би трябвало да...*	

to clean	[kli:n]	*чистя*
to cut*	[kʌt]	*режа*
to hesitate	[heziteit]	*колебая се*
to return	[ritə:n]	*връщам се; обръщам се*
to give a hand		*помагам*
to forget*	[fəget]	*забравям*
kitchen	[kitʃən]	*кухня*
luggage	[lʌgidʒ]	*багаж*
sooner or later		*рано или късно*
alone	[əloun]	*сам, -а*
midnight	[midnait]	*полунощ*
same	[seim]	*същ, -а; идентичен, -а*
immediately	[imi:djətly]	*незабавно*

Б2 ПРИЛОЖЕНИЕ

1. **You have (got) to clean the kitchen.**
2. **We'll have to tell them sooner or later.**
3. **She had to travel alone.**
4. **Have I got to cut it now?**
5. **Did you really have to be back before midnight?**
6. **You dan't have to hesitate.**
7. **You need't return to the same shop.**
8. **You won't have to carry your luggage: I'll give you a hand with it.**
9. **You ought to send it back immediately.**
10. **He should forget about it.**

Б3 ЗАБЕЛЕЖКИ

■ **Have to:** тъй като **must** е модален глагол, той може да бъде заместен във формите, които няма, с **to be obliged to,** *задължен съм да,* и най-вече с **to have to,** *трябва да...*

• В положителна форма **I have to** или **I have got to** имат приблизително еднакъв смисъл като **I must.**

• В отрицателна форма **I don't/didn't have to** има по-скоро смисъла на *не е (не беше необходимо) да..., нямам (нямах) нужда да...*

■ **I needn't:** тази форма, която в случая е непълна, произлиза от **to need,** се използва за отрицание или за въпрос.

You needn't do it. *Няма нужда да го правите.*

■ **Should** и **ought to** изразяват едно по-смекчено задължение от **must** и до известна степен изпълняват ролята на условно наклонение.

■ **Luggage:** на английски език думата е събирателно име и е в единствено число.

My luggage is heavy. *Моят багаж е тежък.*

Б4 ПРЕВОД

1. Ти тябва да почистиш кухнята.
2. Ще трябва да им го кажеш рано или късно.
3. Тя е тръгнала да пътува сама.
4. Трябва ли да го прекъсна сега?
5. Трябваше ли наистина да се приберете преди полунощ?
6. Не трябва да се колебаете.
7. Не е необходимо да се връщаш в същия магазин.
8. Няма да се налага да носиш твоя багаж; аз ще ти помогна.
9. Вие трябва незабавно да го върнете.
10. Той би трябвало да е забравил това.

18 Упражнения

B1 УПРАЖНЕНИЯ

А. Преведете на английски език:

1. Трябва да намалите скоростта.
2. Сега те трябва да са се върнали.
3. Той не трябва да се спира.
4. Вие не трябва да пушите тук.
5. Тя трябва да е доста изненадана.

Б. Поставете във времето, което е посочено в скоби:

1. I must leave early. *(бъдеще време)*
2. She must take care of the children. *(минало време)*
3. You must wait for her. *(бъдеще* и *минало време)*
4. They must return this to the shop. *(условно наклонение* и *бъдеще време)*

В. Преведете на български език:

1. She should be here by now.
2. You haven't got to tell him.
3. It had to be done.
4. It should not happen.
5. They won't have to come.

B2 ОТГОВОРИ

А. 1. You must slow down.
2. They must be back by now.
3. He (it) must not stop.
4. You must not smoke here.
5. She must be quite surprised.

Б. 1. I'll have to leave early.
2. She had to take care of the children.
3. You'll have to wait for her. – You had to wait for her.
4. They should return this to the shop. – They'll have to return this to the shop.

В. 1. Тя би трябвало да е вече тук.
2. Няма нужда да му казвате.
3. Това трябваше да е сторено.
4. Това не трябваше да става.
5. Няма да се налага те да идват.

B4 ЛОНДОНСКОТО МЕТРО (London Underground)

■ В Лондон е много лесно човек да се придвижи, стига само да не е с личния си автомобил. В действителност паркирането е крайно ограничено и контролът, който се осигурява от *полицаите* (**wardens**) е много строг. Ето защо за препоръчване е да се използва *общественият транспорт* (**public transport**), който в града се осъществява с прочутите *двуетажни автобуси* (**double-deckers**) и с метрото, което е най-старото в света, понеже е построено през 1863 г.
■ Автобусите кръстосват града, движейки се по *специално определени маршрути* (**bus lanes**); пътуването на втория етаж позволява да се видят главните забележителности (**sightseeing**), без да се правят големи разходи, само с един *автобусен билет* (**bus ticket**) или с нещо по-добро – *туристическа абонаментна карта* за един или няколко дни (**tourist pass**).
■ Този абонамент е *валиден* (**valid**) за *цялата мрежа* (**network**) на метрото, позволяващо да се придвижим бързо от единия до другия край на столицата, която е разпростряна на голяма площ заради големия брой жители и почти пълната липса на големи жилищни блокове. В действителност сградният фонд се състои почти изцяло от индивидуални къщи или *къщи близнаци* (**semi-detached houses**).
■ Лондонското метро се отличава с това, че е много дълбоко, поради което през Втората световна война е било най-ценено от лондончани противовъздушно скривалище (**shelter**). Неговите тунели са тесни, понякога само с един коловоз, и заоблени, заради което свойски го наричат *„тръбата"* (**the Tube**). То се състои от единадесет взаимносвързани линии. Всяка от тях си има име – като **Piccadilly Line, Victoria Line, Bakerloo Line, Circle Line** – и затова именно представлява интерес да се опише една *обиколка* (**circle**) около центъра на столицата. Една и съща линия може да има различни дестинации: ето защо е добре да се провери направлението на *перона* (**on the platform**) и на предната част на локомотива (виж Г 2, стр. 198). Можете да си купите билети или от гише, или от автомат, но във втория случай трябва да имате *дребни пари* (**small change**). Има само една класа и цената на билета е определена в зависимост от разстоянието.

Г1 TRAINS

Henry: **Patricia! We're going to miss the train! The taxi is waiting for us outside. Can you give us a hand with the luggage? Can't you see it's too heavy for the children? They can't carry it.**
Patricia: **They'll have to manage.**
Henry: **I'm telling you, we must leave immediately. It's already late. The train leaves at five.**
Patricia: **You needn't be so excited[1]. If we miss this train, we'll catch[2] the next one[3].**
Henry: **You don't understand. If we miss this train, we'll miss the boat too!**
Patricia: **I don't want to hurry all the time. I'd rather stay at home, and... I remember now: I forgot to tell Susan to feed the dog during the weekend.**
Henry: **This time we're really getting late... I'll go alone. You can stay here with the kids and take care of the dog...**

1. **excited** = *нетърпелив, изнервен, превъзбуден*
2. **to catch** = *хващам*
3. **the next one,** *следващият;* **one,** местоимение, замества **train.**

Г2 ПРАКТИЧНИ СЪВЕТИ

НЯКОЛКО ДУМИ, КОИТО ТРЯБВА ДА ЗНАЕТЕ, КОГАТО ХВАЩАТЕ ВЛАК

single ticket (бр. англ.) [singəl tikit] *еднопосочен билет*
one-way ticket (ам. англ.)

return ticket (бр. англ.) [ritə:n tikit] *билет отиване и връщане*
round trip ticket (ам. англ.) [raund trip tikit]

platform No [plætfo:m] *перон No*

Г3 ВЛАКОВЕ

Хенри: Патриша! Ще изпуснем влака! Таксито ни чака отвън. Можеш ли да ни помогнеш за багажа? Не виждаш ли, че е много тежък за децата? Те не могат да го носят.
Патриша: Ще трябва да се справят.
Хенри: Казвам ти, че трябва да тръгнем незабавно. Става късно. Влакът заминава в 5 часа.
Патриша: Няма нужда да се нервираш толкова. Ако изпуснем този влак, ще хванем следващия.
Хенри: Ти не разбираш. Ако изпуснем този влак, изпускаме също и кораба!
Патриша: Не искам да бързам през цялото време. По-скоро бих останала вкъщи и... сега си спомням: забравих да кажа на Сюзън да нахрани кучето през уикенда.
Хенри: Този път наистина сме закъснели... Ще отида сам. Ти можеш да останеш тук с децата и да се грижиш за кучето...

Г4 ВНИМАНИЕ

To miss: глаголът **to miss,** *изпускам,* има също смисъла на *чувствам липса.* И така изразът *„вие ми липсвате“* на английски език се предава с израз, започващ с *аз:*

I miss you. *Аз чувствам липсата ви. = Липсвате ми.*
You miss me. *Вие чувствате липсата ми. = Аз ви липсвам.*

КАКВО ОЗНАЧАВАТ ИНИЦИАЛИТЕ **ABC, CBS, NBC, CNN?**

⇨ *ОТГОВОР НА СТР. 229*

19 Wait for me!

A1 ПРЕДСТАВЯНЕ

■ Положителна заповедна форма:

• 2-ро лице **инфинитив без to**

Wait *Чакай! (Чакайте!)*

let + допълнение + инфинитив без to

let him wait!	*да чака!*
let her wait!	*да чака!*
let us wait / **let's wait**	*да чакаме!*
let them wait	*да чакат!*

another	[ənʌðə]	*друг, -а*
newspaper	[nju:zpeipə]	*вестник*
cheese	[tʃi:z]	*сирене*
tired	[taiəd]	*уморен, -а*
warning	[wɔ:nin]	*предупреждение*
to remind	[rimaind]	*припомням*
to taste	[teist]	*вкусвам, опитвам*
to rest		*почивам си*
to look		*гледам, изглеждам*

A2 ПРИЛОЖЕНИЕ

1. **Have another beer!**
2. **Give me your address!**
3. **Wait for me!**
4. **Be nice with them!**
5. **Remind me to call them!**
6. **Come and have a drink!**
7. **Go and buy me a newspaper!**
8. **Do have some more coffee!**
9. **You go with Pat if you like!**
10. **Let's go now!**
11. **Let him taste this cheese!**
12. **Let them decide what they want!**
13. **Let her rest! She looks very tired.**
14. **Let that be a warning for (to) them!**

19 Чакайте ме!

А3 ЗАБЕЛЕЖКИ (ВЪРХУ А1 И ИЗРЕЧЕНИЯ ОТ А2)

■ **Повелително наклонение** е наклонението на заповедите, напътствията и на подканянията да се направи нещо.
На английски език то има само една проста форма, 2-ро лице (това е формата на инфинитива без **to**).

Wait! *Чакай!* или *Чакайте!*

Ето защо, за да образуваме 1-во и 3-то лице, си служим с глагола **to let**

Let us go! *Да тръгваме!*
Let her rest! *Нека тя да си почине!*

■ **to let** означава *оставям да, позволявам да;* и така изречението: **Let her rest,** може да означава също: *Остави я да си почине*. Можем да изберем в зависимост от контекста.
■ 6. 7. Два глагола в повелителна форма могат да бъдат свързани с **and**: на български език вторият се превежда с инфинитив (с идеята за цел).
■ 8. Можем да добавим **do**, за да изразим настойчивост:

Do come with us! *Ама елате с нас!*

■ 9. В разговорния фамилиарен език във 2-ро лице можем да използваме местоимението, за да привлечем вниманието.
■ 14. Допълнението, което следва **let**, може да бъде показателно местоимение.

А4 ПРЕВОД

1. Вземете си (вземи) друга бира!
2. Дайте ми (дай ми) вашия (твоя) адрес!
3. Чакайте (чакай) ме!
4. Бъдете (бъди) мил с тях!
5. Напомнете (напомни) ми да им се обадя по телефона!
6. Елате (ела) да пийнем по чашка!
7. Иди (идете) да ми купиш (купите) вестник!
8. Вземете (вземи) си още кафе!
9. Иди (идете) с Пат, ако искаш (искате)!
10. Да тръгваме сега!
11. Нека той да опита това сирене!
12. Нека те да решат какво искат!
13. Нека тя да си почине! Има много уморен вид!
14. Нека това да бъде предупреждение за тях!

19 Don't wait for them!

Б1 ПРЕДСТАВЯНЕ

■ Отрицателна форма на повелително наклонение:

- 2-ро лице: **do not (don't)** + инфинитив без **to**

Do not (don't) wait! — *Не чакайте!*

- 1-во и 3-то лице:

do not (don't) + let + допълнение + инфинитив без **to**

Do not (don't) let me wait!	*Нека аз да не чакам!*
Do not (don't) let him wait!	*Нека той да не чака!*
Do not (don't) let her wait!	*Нека тя да не чака!*
Do not (don't) let us wait!	*Да не чакаме!*
Do not (don't) let them wait!	*Нека те да не чакат!*

- **all that:** *всичко това*
- Да си припомним: **what** – *това, което; какъв, кой, какво, що*

to worry	[wʌri]	*безпокоя се, притеснявам се*
to bother	[bɔðə]	*досаждам, смущавам, безпокоя*
deal	[di:l]	*сделка, работа*
cold	[kould]	*студ, простуда*
fast	[fa:st]	*бърз, -а; бързо*
too much		*твърде много*

Б2 ПРИЛОЖЕНИЕ

1. **Don't wait for them!**
2. **Don't speak so fast, please!**
3. **Don't listen to this!**
4. **Don't miss that!**
5. **Don't believe all that he says!**
6. **Don't expect too much from that deal!**
7. **Don't catch a cold!**
8. **Don't you worry about that!**
9. **Don't let her think that we don't want her to come!**
10. **Let's not hesitate!**
11. **Don't let them leave too late!**
12. **Don't let this bother you!**

Б3 ЗАБЕЛЕЖКИ (ВЪРХУ Б1 И ИЗРЕЧЕНИЯ ОТ Б2)

■ **Don't** се произнася [dount].

■ За да наблегнете, във 2-ро лице можете да употребите след отрицанието **you**.

■ 9. **We don't want her to come!**
• Изречения като:
Искам той да замине,
Тя иска аз да остана, и т.н.
се предават на английски език чрез т.нар. „инфинитивно изречение", където имаме:

to want + допълнение + глагол в инфинитив

I want him to leave. *Искам той да замине.*
She wants me to stay. *Тя иска аз да остана.*
(глаголи като **to order, to expect** се употребяват в същата конструкция)

■ 10. Конструкцията без **do (Let me not wait!, Let him not wait!, Let us not wait!** и т.н.) е присъща на литературния език. При все това я срещаме често и в 1-во лице, множествено число.
Let's not hesitate! *Да не се колебаем!*

Б4 ПРЕВОД

1. Не ги чакайте (чакай)!
2. Не говорете (говори) толкова бързо!
3. Не слушайте това!
4. Не изпускайте това!
5. Не вярвайте на всичко, което той казва!
6. Не очаквайте много от тази работа!
7. Не настивайте!
8. Не се тревожете за това!
9. Нека тя да не си мисли, че ние не искаме тя да дойде!
10. Да не се колебаем!
11. Нека те не заминават много късно!
12. Нека това не ви безпокои.

19 Упражнения

B1 УПРАЖНЕНИЯ

А. Преведете на английски език:

1. Паркирайте колата си тук!
2. Моля, не пушете по време на събранието!
3. Помогнете ни!
4. Кажете ми името си, ако обичате!
5. Не се притеснявайте толкова много!
6. Кажете им да побързат!
7. Вземете (сипете) си още чай!
8. Заминете с тях, ако искате!
9. Нека това вече не се случва!
10. Моля те, иди да ми купиш една кутия цигари!

Б. Дайте същите разпореждания както в А, но вместо да използвате повелително наклонение, използвайте конструкцията: *Аз искам да...*

Например: *Паркирайте колата си тук. – Аз искам да паркирате колата си тук.*

B2 ОТГОВОРИ

А.
1. Park your car there!
2. Do not smoke during the meeting, please!
3. Help us!
4. Tell me your name, please!
5. Don't (you) worry too much!
6. Tell them to hurry (up)!
7. Do have some more tea!
8. (You) leave with them if you like!
9. Don't let that happen again!
10. Go and buy me a packet of cigarettes, please!

Б.
1. I want you to park your car there.
2. I don't want you to smoke during the meeting, please.
3. We want you to help us.
4. I want you to tell me your name, please.
5. I don't want you to worry too much.
6. I want you to tell them to hurry.
7. I want you to take some more tea.
8. I want you to leave with them.
9. I don't want that to happen again.
10. I want you to go and buy me a packet of cigarettes, please.

B4 БИРАТА. BEER

■ След чая, това е най-популярната напитка на британските острови. Ще отбележим, че спрямо уискито бирата е това, което виното е спрямо коняка или арманяка: питие с най-разпространена консумация, съдържащо същите основни елементи при дестилация.
Основните марки бира са създали рекламни фрази, които са се превърнали в поговорки:
Guinness: „Guinness is good for you!" *(Бирата „Гинес" е добра за вас = ви действа добре, ви се отразява добре).*
Watney's: „What we want is Watney's" *(Това, което искаме, е бира „Уотни").*
Courage: „Take Courage"*(Вземете си „Къридж"!).*

■ Различните видове бира:
Lager [la:gər]: светла и лека бира, която се сервира охладена. Това е името, което се дава в Англия на бирите от континента.
Bitter [bitə:]: традиционна бира с червеникав цвят, с типичния за хмела вкус.
Mild [maild]: по-лека бира, с червеникаво-кафяв цвят, по-мека и с по-малко алкохолно съдържание от предишната.
Stout [staut] или **brown ale**: тъмна, силна бира, с почти черен цвят, най-известната марка е ирландската **Guinness**; много консумирана също в северната част на Англия.
Ale [eil]: местна бира. В началото тази дума е означавала всяка напитка, съдържаща малц. Бирата **pale ale** се отличава от **brown ale**, спомената по-горе, с лекотата си. Бирата се *вари* (**brewed**) в пивоварни по разнообразни традиционни технологии, с променливи съотношения от **хмел** (**hops**), евентуално *ечемик, преработен в малц* (**malted barley**), обикновено без добавянето на въглероден двуокис за местна консумация, но ако се *бутилира* (**bottled**), тогава се добавя въглероден двуокис.
На бара (**at the bar**) по принцип се поръчва **наливна бира** (**draught** или **on tap**). Тогава тя се сервира в *халба* (**a pint**), т.е. в чаша с вместимост 0,56 л, или в *половинка*: **half (a) pint** (а в Ирландия, **a glass of beer**). По традиция тя се сервира със *стайна температура* (**at room temperature**), най-вече ако е **stout** или **bitter**, но под влиянието на туризма има тенденция да бъде сервирана *охладена* (**cool**).

19 Диалози и практични съвети

Г1 LET'S HAVE A DRINK!

Peter: Come and have a drink with us.
Helen: No, we must go. Don't listen to him. We must be home by five.
Peter: Wait! Join us and have a drink! You look tired. You do need a drink. Let's have some fun!
John: I'm sorry but we promised to be home by five.
Peter: Slow down! Let Helen go home and stay with us! Let me buy you a drink.
John: Thank's but that'll be for another time. We really have to go.
Peter: You don't know what you are missing. We're going to have a great time[1]!
Helen: Listen! This is too much! Now let him go before I call for help. He told you he didn't want to have a drink with you. Now go back to your friends and stop bothering us!

1. **to have a great time,** *прекарвам чудесно, забавлявам се.*

Г2 ПРАКТИЧНИ СЪВЕТИ (виж също стр. 246)

DUTCH TREAT [dʌtʃ tri:t]

Когато в ресторант, кафене или бар решите да си разделите поравно сметката с тези, които ви придружават, се използва изразът (виж Г1, бележка 1 на стр. 280)
Dutch treat – *поравно*
Може също да се каже:
to go Dutch – *разделяме си разноските наполовина*

Г3 ДА ПИЙНЕМ ПО ЧАШКА!

Питър: Елате да пийнете по чашка с нас!
Хелън: Не, трябва да тръгваме! Не го слушай! Трябва да сме си вкъщи преди 5 часа!
Питър: Почакайте! Елате да пийнете по чашка с нас! Имате уморен вид. Имате нужда от едно питие. Нека се позабавляваме малко!
Джон: Съжалявам, но ние обещахме да бъдем вкъщи за чая в 17 часа.
Питър: По-спокойно! Нека Хелън да се прибере, а ти остани с нас! Нека да те почерпя една чашка!
Джон: Благодаря, но да оставим за друг път. Наистина трябва да тръгваме.
Питър: Не знаеш какво ще изпуснеш. Ще се забавляваме страхотно.
Хелън: Слушай! Прекаляваш! Сега ще го оставиш да тръгне, преди да извикам за помощ. Той ти каза, че не иска да пие по чашка с теб. Хайде, връщай се при приятелите си и стига си ни досаждал!

Г4 ПРАКТИЧНИ СЪВЕТИ

BYOB [bi: wai ou bi:]

Тези инициали са съкращението на фамилиарния израз:
Bring your own booze. *Донесете си ваш собствен алкохол*, които могат да се срещнат върху покани с по-неофициален характер.
to booze съответства на разговорния израз *напорквам се.*

КАКВА Е ЕМБЛЕМАТА НА АМЕРИКАНСКАТА ДЕМОКРАТИЧЕСКА ПАРТИЯ?

⇨ *ОТГОВОР НА СТР. 213*

20 When do you intend to come?

A1 ПРЕДСТАВЯНЕ

- **When?** [wen] *kога?*
- **Where?** [weə] *kъде?*
- **How?** [hau] *kak?*
- **Why?** [wai] *защо?*

■ Словоред на въпросително изречение:

Въпросително местоимение + спомагателен глагол + подлог + сказуемо + допълнение

to intend	[intend]	*имам намерение*
to rent	[rent]	*наемам*
to start	[sta:t]	*започвам*
to put*	[put]	*задавам, поставям*
to make an appointment	[əpoitmənt]	*определям среща*
show	[ʃou]	*представление*
coat	[kout]	*палто*
phone-box	[foun-boks]	*телефонна кабина*
upset	[ʌpset]	*разстроен, -а*
cross		*сърдит, -а*

A2 ПРИЛОЖЕНИЕ

1. **When do you intend to come?**
2. **Where can I rent a car?**
3. **When will you start your work here?**
4. **Where did you buy your coat?**
5. **When do you want us to call?**
6. **Where do you want me to put it?**
7. **When can I make an appointment?**
8. **Where can we find a phone-box?**
9. **How was the show?**
10. **How are you?**
11. **Why don't you try?**
12. **Why is he so upset?**
13. **Why does he look so cross?**

20 Кога смятате да дойдете?

A3 ЗАБЕЛЕЖКИ

■ Въпросителни местоимения: поставят се в началото и са последвани от спомагателен глагол: **will, is, are, was, do/does/did** и т.н. (или от модален глагол: **can, may, must**).

■ **When?** *Кога?*

When играе ролята на относително местоимение след **day**, *ден;* **time**, *момент.*

Do you remember the day when we met her?
Спомняте ли си деня, когато я срещнахме?

■ **Where?** *Къде?*

Предлогът, когато има такъв, остава след глагола, за разлика от българския език.

Where do you come from? *Откъде идвате вие?*

■ **How?** *Как?* (въпросително местоимение за начин)
(виж **How**, въпросително местоимение за степен, Урок 21).

■ **Why?** Защо?

С **why** въпросителната форма може да се образува с инфинитив без **to** (за да се внуши нещо).

Why wait so long? *Защо да се чака толкова дълго време?*
Why not have another drink? *Защо да не вземем по още една чашка?*

A4 ПРЕВОД

1. Кога имате намерение да дойдете?
2. Къде мога да наема кола?
3. Кога ще започнете вашата работа тук?
4. Къде си купихте палтото?
5. Кога искате да се обадим?
6. Къде искате да го сложа?
7. Кога мога да си определя среща?
8. Къде можем да намерим телефонна кабина?
9. Как беше представлението?
10. Как сте?
11. Защо не опитате?
12. Защо е така разстроен?
13. Защо той изглежда толкова ядосан?

20 What are you thinking about?

Б1 ПРЕДСТАВЯНЕ

■ Въпросителни местоимения:

- **Who?** [hu:] *кой? коя? кое? кои?* подлог (и допълнение)
- **Whom?** [hu:m] *кого?* допълнение
- **Which?** [witʃ] *кой? коя? кое? кои?* подлог, допълнение при избор от еднакви неща
- **What?** [wɔt] *какво? за какво?* (подлог и допълнение)
- **Whose?** [hu:z] *чий? чия? чие? чии?* подлог и допълнение

whose + това, което е притежавано + глагол във въпросителна форма

to marry	[mæri]	*женя се, омъжвам се*
to think* about		*мисля (за)*
people	[pi:pəl]	*хора*
problem	[probləm]	*проблем*
turn	[tə:n]	*обиколка, ред*

Б2 ПРИЛОЖЕНИЕ

1. **Who is this man?**
2. **Who are these people?**
3. **Who wants to come with us?**
4. **Who(m) are you going to invite?**
5. **Who(m) did you speak to?**
6. **Which of them won the match?**
7. **Which day will you come, Saturday or Sunday?**
8. **Which of the two brothers did she marry?**
9. **What will you do next year?**
10. **What are you thinking about?**
11. **What sort of problem do you have?**
12. **Whose car is this?**
13. **Whose turn is it?**

Б3 ЗАБЕЛЕЖКИ

■ Произношение:
h в **who** [hu:], **whose** [hu:z] се изговаря с придихание.
■ Граматика: въпросителни местоимения.
- **Who?** *Кой?* въпросително местоимение за лица в единствено и множествено число.
  - с **who** се задава въпрос за самоличността
    Who are you? *Кой сте вие?*
  - **who** е подлог и допълнение (и в този случай замества **whom**)
- **Which?** *Кой?*, *Коя?* и т.н. – въпросително местоимение, което обозначава избор между група лица или предмети.
- **What?**
  – въпросително местоимение, подлог или допълнение: *какво, за какво, какъв, каква, какви.*

С **what** можете да запитате вашия събеседник за професията му (сравни Б2, 11).
- **Whose?** *Чий? Чия? Чии?* (виж Б2, 12, 13)
- Внимание: при въпрос с **who, which, what** използваните предлози се поставят след глагола:

На кого говорите?	**Who are you speaking to?**
За какво мислите?	**What are you thinking of?**

Б4 ПРЕВОД

1. Кой е този мъж?
2. Кои са тези хора?
3. Кой иска да дойде с нас?
4. Кого ще поканите?
5. На кого говореше ти (говорехте вие)?
6. Кой от тях спечели мача?
7. Кой ден ще дойдете, събота или неделя?
8. За кого от двамата братя се ожени тя?
9. Какво ще правиш (ще правите) следващата година?
10. За какво мислите?
11. Какви неприятности имате?
12. На кого (чия) е тази кола?
13. Чий ред е?

B1 УПРАЖНЕНИЯ

А. Задайте въпрос с when или where:

1. I met Pat in 1985.
2. He had dinner in Brighton.
3. She caught her train in the evening.
4. You left your office at 5 p. m.

Б. Преведете (how, why):

1. Защо не дойдохте миналата седмица?
2. Защо Сюзан е тъй сърдита (ядосана)?
3. Как беше това събрание?
4. Как играете на тази игра?

В. Преведете (who? подлог или допълнение; whose):

1. Кой се обади по телефона снощи?
2. С кого говорихте по време на тази вечеря?
3. Кого чака той миналата сряда?
4. Чий е този часовник?

Г. Преведете (what, which):

1. Кой ден са избрали те?
2. Какво прави (с какво се занимава) братът на Боб?
3. Какво стана вчера сутринта?
4. Кой от тях ще спечели мача?

B2 ОТГОВОРИ

А.
1. When did you meet Pat?
2. Where did he have dinner?
3. When did she catch her train?
4. When did you leave your office?

Б.
1. Why didn't you come last week?
2. Why is Susan so cross?
3. How was that meeting?
4. How do you play this game?

В.
1. Who called yesterday evening?
2. Who did you speak to during that lunch?
3. Who did he wait for last Wednesday?
4. Whose watch is this?

Г.
1. Which day did they choose?
2. What is Bob's brother doing?
3. What happened yesterday morning?
4. Which of them will win this match?

В4 ПРАЗНИЦИТЕ ВЪВ ВЕЛИКОБРИТАНИЯ

TRADITIONAL CELEBRATION AND BANK HOLIDAYS IN GREAT BRITAIN
ТРАДИЦИОННИ И НАЦИОНАЛНИ ПРАЗНИЦИ ВЪВ ВЕЛИКОБРИТАНИЯ

■ Установено е, че в *Обединеното кралство, Великобритания и Северна Ирландия* (**the United Kingdom of Great Britain and Northern Ireland**), не съществува никакъв ден като национален празник, за разлика от Ирландия, където на 17 март се чества Денят на свети Патрик, който през V в. християнизирал острова, и от *САЩ* (**the United States of America**): 4 юли, *Ден на националната независимост* (**Independence Day**).

■ *Неприсъствените дни* се наричат **bank holidays** заради официалното затваряне не само на банките, но и на всички обществени учреждения и предприятия. Сред тях се открояват:

New Year's Day, *Нова година:* 1 януари, а в Шотландия и 2 (**Scotland**);
St David's Day, 1 март, единствено в *Уелс* (**Wales);**
Good Friday , *Свети Петък*
Easter Monday, *понеделник по Великден*
May Day, първият понеделник на месец май;
Spring Bank Holiday, последният понеделник на май;
Summer Bank Holiday, последният понеделник на август;
Christmas Day, Коледа;
Boxing Day (денят на *„кутиите" = подаръци*), 26 декември.

■ НЯКОЛКО ВЪЗПОМЕНАТЕЛНИ ДНИ ИЛИ ПРАЗНИЦИ — ПРИСЪСТВЕНИ ДНИ

Guy Fawkes' Night (*5 ноември*): в памет на *Заговора срещу парламента* (**Gunpowder Plot**) – децата изгарят чучелото (**dummy**) на заговорника Гай Фокс, пускат *фишеци и фойерверки* (**crackers**) и палят *бенгалски огньове* (**fireworks**);
April Fool's Day: *1 април;*
Hallowe'en (или **Halloween**): *31 октомври* (виж стр. 181).

Г1 WHEN DID SHE GET MARRIED?

James: Tell me, Susan, how do you intend to go to the exhibition?
Susan: I'll drive there. Are you coming with me? I'm leaving right now.
James: Where's your car?
Susan: It's parked outside. Look! It's there.
James: But that isn't your car! Whose car is it?
Susan: No, it's not mine. I borrowed it from my sister.
James: Which sister? Sally or Betty?
Susan: Sally. Betty is now living in France. She got married there.
James: When did she get married?
Susan: Two months ago, in April.
James: Why didn't she invite me?
Susan: You know very well why.
James: Yes I know. She forgot me a long time ago. What does her husband do?
Susan: He's a pilot.
James: He mustn't be home very often...
Susan: Don't you worry[1] about that. It's not your problem.

1. **To worry,** *притеснявам се, безпокоя се;* обърнете внимание на подсилването на повелително наклонение с местоимението **you**.

Г2 ПРАКТИЧНИ СЪВЕТИ

bride	[braid]	*годеница*
honeymoon	[hʌni mu:n]	*меден месец*
husband	[hʌzbənd]	*съпруг*
marriage	[mæridʒ]	*сватба*
wife (мн.ч. **wives**)	[waif, waivz]	*съпруга, -и*

Г3 ТЯ КОГА СЕ ОМЪЖИ?

Джеймс: Кажи ми, Сюзан, как смяташ да отидеш на изложбата?
Сюзан: Ще отида с кола. Ще дойдеш ли с мен? Тръгвам веднага.
Джеймс: Къде е колата ти?
Сюзан: Паркирана е отвън. Виж (букв. погледни)! Тя е там.
Джеймс: Но това не е твоята кола! Чия е (букв. на кого е колата)?
Сюзан: Не, не е моята. Взех я назаем от сестра ми.
Джеймс: От коя? От Сали или от Бети?
Сюзан: От Сали. Сега Бети живее във Франция. Тя се омъжи там.
Джеймс: Кога се омъжи тя?
Сюзан: Преди два месеца, през април.
Джеймс: Защо не ме е поканила?
Сюзан: Ти знаеш много добре защо.
Дмеймс: Знам. Тя ме забрави отдавна. С какво се занимава нейният съпруг?
Сюзан: Той е пилот.
Джеймс: Той сигурно не е често вкъщи...
Сюзан: Не се притеснявай за това. Това не е твой проблем.

Г4 ПОГОВОРКА. A PROVERB

Marry in haste, repent at leisure.
Който се жени набързо, се разкайва бавно.

КАКВА Е ЕМБЛЕМАТА НА АМЕРИКАНСКАТА РЕПУБЛИКАНСКА ПАРТИЯ?

⇨ *ОТГОВОР НА СТР. 213*

20a ТЕСТ – УРОЦИ ОТ 11 ДО 20

*Попълнете с **а**, **б**, **в** или **г**:*
(на всеки въпрос има само един верен отговор)

11. You have ______ ideas.
а) a lot
б) lot of
в) a lot of
г) lot

12. Do ______ tape-recorder?
а) have a
б) have you
в) you have a
г) you have

13. She is ______ Bristol hotel.
а) stay
б) staying with the
в) stays at the
г) staying at the

14. He ______ interesting story.
а) tell us
б) told us
в) told us an
г) told us a

15. Did ______ wife?
а) meet John
б) you meet John's
в) you met John's
г) you meet John

(Виж отговорите на стр. 373.)

ТЕСТ – УРОЦИ ОТ 11 ДО 20

16. I hope ______ will happen again!
а) to
б) it
в) me
г) never it

17. I'm sure ______ manage very well.
а) she will be able to
б) he be able to
в) will be able
г) able

18. He must ______ while I was out.
а) to come
б) be come
в) have come
г) have not come

19. Let ______ decide what he wants.
а) he
б) him to
в) him
г) he to

20. When ______ call?
а) you want us
б) do you want us
в) do you want us to
г) you want us to

(Виж отговорите на стр. 373.)

21 How old is your daughter?

A1 ПРЕДСТАВЯНЕ

- **how** + прилагателно + **is** + съществително

съответства на българския израз:
Колко (висок, -а; широк, -а и т.н.) *е той/тя?*
или *Какъв е ръстът* (височината, възрастта и т.н.) *на...?*

wall	[wo:l]	*стена*
tower	[tauə]	*кула*
swimming-pool	[swimiŋpu:l]	*плувен басейн*
trip		*пътуване*
jacket	[dʒækit]	*сако*
daughter	[dɔ:tə]	*дъщеря*
long	[loŋ]	*дълъг, -а*
high	[hai]	*висок, -а*
tall	[to:l]	*висок* (за ръст)
wide	[waid]	*широк, -а*
deep	[di:p]	*дълбок, -а*
large	[la:dʒ]	*обширен, -а; просторен, -а*
expensive	[ikspensiv]	*скъп, -а*
experienced	[ikspi:əriənst]	*опитен, -а*

A2 ПРИЛОЖЕНИЕ

1. **How long is the wall?**
2. **How high is the tower?**
3. **How tall is your brother?**
4. **How wide is the table?**
5. **How deep is the swimming-pool?**
6. **How large is London?**
7. **How long will the trip be?**
8. **How far is the station?**
9. **How fast is your car?**
10. **How expensive is this jacket?**
11. **How experienced is he?**
12. **How old is your daughter?**

21 На колко години е дъщеря ви?

А3 ЗАБЕЛЕЖКИ

■ **How long** може да се отнася както за дължина, така и за времетраене:

How long is the table? *Колко е дълга масата?*
How long is the film? *Колко време трае филмът?*

За човешки ръст не се употребява **high,** а **tall:**

Брат ми е много висок. **My brother is very tall.**

■ **swimming-pool,** *басейн* – думата е образувана от глагола **to swim,** *плувам,* и съществителното **pool,** *басейн.*

■ **large** не означава *широк, -а,* а съгласно контекста, *обширен, -а; обемист, -а; дебел, -а; голям, -а; важен, -а* и т.н.

■ Обърнете внимание на словореда в:

How long will the trip be?

въпросителна(и) дума(и) + спомагателен глагол + подлог + сказуемо?

■ Изразите **How** + прилагателно/наречие често са трудни за точно превеждане на български език.

How fast is your car? букв. *Колко бърза е вашата кола?* В действителност означава *С каква скорост може да се движи вашата кола?*

How expensive is this jacket?, букв. *Колко скъпо е това сако?,* е със значението на *Колко струва това сако?*

А4 ПРЕВОД

1. Колко е дълга стената?
2. Колко е висока кулата?
3. Колко е висок брат ви?
4. Колко е широка масата (каква е ширината на масата)?
5. Каква е дълбочината на плувния басейн?
6. Колко е голям Лондон?
7. Колко ще трае пътуването?
8. На какво разстояние е гарата?
9. С каква скорост може да се движи колата ви?
10. Колко струва това сако?
11. Какъв опит има той?
12. На колко години е дъщеря ви?

21 How much do you charge?

Б1 ПРЕДСТАВЯНЕ

■ **How much?** и **How many?** означават *Колко?*
• **Much** се използва, когато се касае за неброими съществителни имена в единствено число:

How much money do you want? How much do you want?
Колко (пари) искате?

■ **Many** се използва, когато се касае за броими съществителни имена в множествено число:

How many steaks do you want? How many do you want?
Колко пържоли искате? Колко искате от тях?

■ **How** + наречие се използва при същите условия като **how** + прилагателно.

How often does she come?
Колко често идва тя?

money	[mʌni]	*пари* (винаги в ед.ч.)
time	[taim]	*време*
steak	[steik]	*пържола*
to charge	[tʃa:dʒ]	*таксувам* (някого)
to spend*	[spend]	*харча*
to take*	[teik]	*вземам*

* Неправилни глаголи, стр. 368–370.

Б2 ПРИЛОЖЕНИЕ

1. **How much money do you want?**
2. **How much is it? How much do you charge?**
3. **How much did you spend?**
4. **How much did it cost?**
5. **How many steaks will you have?**
6. **How many times did you see him?**
7. **How often does she come?**
8. **How early did they start?**
9. **How far is it to the station?**
10. **How long have you been here?**
11. **How long ago did it happen?**

21 Колко ви дължа?

Б3 ЗАБЕЛЕЖКИ

■ Забележете, че **time** може да означава *време (времетраене)* или *път* (**five times,** *пет пъти*) – *един път* се казва **once,** *два пъти* – **twice,** а след това се казва **three times, four times** и т.н.

■ **to have a steak** *ям пържола*
to have tea *пия чай*
to have breakfast *закусвам*

■ **far** може да бъде прилагателно (сравнете с българското *отдалечен, -а*):

How far is the station? *На какво разстояние е гарата?*
или наречие *(далече):* **How far is it to the station?** (Б 4, 9)

■ **long** също може да бъде прилагателно със смисъл *дълъг, -а:*

How long is the table? How long is the trip?
или наречие със смисъл *дълго (време)*

How long have you been here? (Б 4, 10)
How long ago did it happen? (Б 4, 11)

■ Да си припомним формите на неправилните глаголи (сравни стр. 368–370)

to spend	**spent**	**spent**
to take	**took**	**taken**
to see	**saw**	**seen**
to come	**came**	**come**

Б4 ПРЕВОД

1. Колко пари искате?
2. Колко струва това? Колко ви дължа?
3. Колко похарчихте?
4. Колко струваше това?
5. Колко пържоли ще вземете (изядете)?
6. Колко пъти сте го виждали?
7. Колко често идва тя?
8. В колко часа тръгнаха те?
9. Колко е оттук до гарата?
10. Отколко време сте тук?
11. Преди колко време се случи това?

21 Упражнения

В1 УПРАЖНЕНИЯ

А. Преведете на български език:

1. How far is London?
2. How old is your brother?
3. How much do they charge?
4. How expensive is your car?
5. How far will you go?
6. How long will you stay?

Б. Преведете на английски език:

1. На колко години е той?
2. Колко е дълга масата?
3. Колко пари искате?
4. Колко пъти се случи?
5. На какво разстояние е гарата?
6. От колко време сте тук?

В. Попълнете с much или **many:**

1. How ... money do you want?
2. How ... cars do they have?
3. How ... is it?
4. How ... are they?
5. How ... daughters do they have?
6. How ... bottles do you want?

В2 ОТГОВОРИ

А. 1. На какво разстояние сме от Лондон?
2. На колко години е брат ви?
3. Колко струват те?
4. Колко струва вашата кола?
5. Докъде ще идете?
6. Колко време ще останете?

Б. 1. How old is he?
2. How long is the table?
3. How much money do you want?
4. How many times did it happen?
5. How far is it to the station?
6. How long have you been here?

В. 1. much 2. many 3. much 4. many 5. many 6. many

B3 АМЕРИКАНСКИТЕ ПРАЗНИЦИ

TRADITIONAL CELEBRATIONS AND LEGAL HOLIDAYS IN THE USA
ТРАДИЦИОННИ ПРАЗНИЦИ И НЕПРИСЪСТВЕНИ ДНИ В САЩ

■ Теоретично в САЩ няма национални почивни дни, с изключение на **District of Columbia (D.C.)**, федерална територия, където е разположена столицата Вашингтон. На практика повечето щати съблюдават т.нар. „федерални" празници. Както и във Великобритания, често се използват понеделниците за тези празнични дни, в които не се работи. В национален мащаб се честват:

• **New Year's Day:** 1 януари;

• **Martin Luther King's Day:** провъзгласен през 1986 г., третият понеделник на месец януари;

• **Washington's Day:** 3-ят понеделник на месец февруари;

• **Memorial Day:** последният понеделник от месец май, краят на Втората световна война;

• **Independence Day:** 4 юли (**Fourth of July**);

• **Labor Day:** 1-ят понеделник от месец септември, почти съответстващ на нашия 1 май;

• **Columbus** (или **Discovers'**, или **Pioneers'**) **Day**: 2-ят понеделник на месец октомври;

• **Veterans' Day:** 11 ноември;

• **Thanksgiving Day:** 4-ят четвъртък през ноември, Денят на благодарността;

• **Christmas Day:** 25 декември, Коледа;

■ Впрочем, без да бъдат неприсъствени, някои дни дават повод за чествания и народни веселия като:

• **Halloween (All Saints' Day** или **All Hallows' Day)**: вечерта на 31 октомври, младежите и децата чукат на вратите на къщите, за да получат сладкиши, произнасяйки думите **Trick or Treat** *(Шега или награда)*.

Г1 HOW OLD ARE THEY?

Kate: When will you arrive?
Agatha: We'll arrive on Saturday the first of March.
Kate: And how long do you intend to stay?
Agatha: We'll stay for a week. We'll leave on Friday of the following week.
Kate: That's six nights. How many rooms will you want?
Agatha: We need two. One for us and one for the kids.
Kate: How many children do you have?
Agatha: We have two sons.
Kate: And how old are they?
Agatha: Six and ten years old. I have another question. Have you got a swimming pool?
Kate: Yes, we have one in the park.
Agatha: That's fine. And how much will you charge for the two rooms?

Г2 ПРАКТИЧНИ СЪВЕТИ. СЕМЕЙСТВО (Family)

father	[fa:ðə]	*баща*
mother	[mʌðə]	*майка*
grandmother	[grændmʌðə]	*баба*
grandfather	[grændfa:ðə]	*дядо*
daughter	[dɔ:tə]	*дъщеря*
son	[sʌn]	*син*
brother	[brʌðə]	*брат*
sister	[sistə]	*сестра*
aunt	[a:nt]	*леля*
uncle	[ʌŋkəl]	*чичо*
niece	[ni:s]	*племенница*
nephew	[nevju]	*племенник*

Г 3 НА КОЛКО ГОДИНИ СА ТЕ?

Кейт: Кога ще пристигнете?
Агата: Ще пристигнем в събота, на 1 март.
Кейт: И колко време смятате да останете?
Агата: Ще прекараме една седмица. Ще тръгнем следващия петък.
Кейт: Това прави 6 нощувки. Колко стаи искате (букв. ще искате)?
Агата: Ще ни трябват (букв. имаме нужда от) две. Една за нас и една за децата.
Кейт: Колко деца имате?
Агата: Ние имаме двама сина.
Кейт: На колко години са те?
Агата: На шест и десет години. Имам още един въпрос (букв. един друг). Имате ли плувен басейн?
Кейт: Да, имаме такъв в парка.
Агата: Добре. И колко струват двете стаи?

Г4 ХУМОР

You can tell a child is growing old when he stops asking where he came from and starts refusing to tell where he is going.

Може да се каже, че едно дете е пораснало, когато то престане да пита откъде е дошло и започне да отказва да каже къде отива.

КЪДЕ СЕ НАМИРА СЕЛОТО С НАЙ-ДЪЛГОТО ИМЕ НА СВЕТА?

⇨ *ОТГОВОР НА СТР. 206*

22 She is prettier than her sister

A1 ПРЕДСТАВЯНЕ

• **more ...**	**than**	*по (повече) ... отколкото*
• **- er ...**	**than**	*по (повече) ... отколкото*
• **less ...**	**than**	*по (по-малко) ... отколкото*
• **as ...**	**as**	*също толкова ... колкото*
• **not so (as) ...**	**as**	*не толкова ... колкото*

■ Сравнителната степен се образува, като добавим **-er** към едно- или двусричните прилагателни, или като поставим **more** пред многосрични прилагателни.

young	[jʌŋ]	*млад, -а*
cheap	[tʃi:p]	*евтин, -а*
useful	[ju:zful]	*полезен, -а*
sunny	[sʌni]	*слънчев, -а*
warm	[wɔ:m]	*топъл, -а*
country	[kʌntri]	*страна*
dictionary	[dikʃənəri]	*речник*
to get warmer		*правя (ставам) по-топъл*

A2 ПРИЛОЖЕНИЕ

1. **She is prettier than her sister.**
2. **She is younger than her brother.**
3. **He is taller than Jim.**
4. **They are older than us.**
5. **Wine is cheaper in Spain than in Britain.**
6. **Beer is as expensive as wine here.**
7. **Is it less expensive in your country?**
8. **It's not so expensive as here.**
9. **Your dictionary is more useful than mine.**
10. **It's bigger and more expensive, too.**
11. **It's much sunnier today.**
12. **It's getting warmer and warmer.**

22 Тя е по-красива от сестра си

A3 ЗАБЕЛЕЖКИ

■ Сравнителна степен на едносричните и някои двусрични прилагателни: добавя се **-er** в края:

younger, taller, older, cheaper.

Обърнете внимание, че **-er** може да промени правописа на думата: **pretty – prettier; sunny – sunnier: y**, предшествано от съгласна, се превръща в **i**.

■ В думи, като **big,** съгласната се удвоява: **bigger**.

■ **more** се използва пред многосрични прилагателни:

more comfortable *по-удобен*

■ **less ... than,** *по-малко ... отколкото;* тази сравнителна степен в низходящ план често се замества с **not so** (или **not as**) **... as:**
Yours is less expensive than mine. (Yours is not so expensive as mine.)

■ **much** + сравнителна степен = *много повече:*

She is much prettier than her sister.
Тя е много по-красива от сестра си.

■ **It's getting warmer and warmer.** *Става все по-топло.* Повторението на сравнителната степен е еквивалентно на: *все повече и повече.*

Друг пример:

Everything is getting more and more expensive.
Всичко става все по-скъпо и по-скъпо.

A4 ПРЕВОД

1. Тя е по-хубава от сестра си.
2. Тя е по-млада от брат си.
3. Той е по-висок от Джим.
4. Те са по-възрастни от нас.
5. Виното е по-евтино в Испания, отколкото във Великобритания.
6. Тук бирата е на една цена с виното.
7. По-евтино ли е във вашата страна?
8. Не е толкова скъпо, както тук.
9. Вашият речник е по-полезен от моя.
10. Той е по-голям, а също така и по-скъп.
11. Днес времето е много по-слънчево.
12. Става все по-топло.

22 He is the nicest of them all

Б1 ПРЕДСТАВЯНЕ

the most ... **the (-est) ...** → **in, of...**	*най-... сред, от* (възходящ план)
the least ... of, in...	*най-... сред, от* (низходящ план)
good, better, the best **bad, worse, the worst**	*добър, по-добър, най-добър* *лош, по-лош, най-лош*
the longer of the two	*по-дългият от двата*

■ Превъзходната степен се образува, като се добави **-est** към едно- или двусричните прилагателни, или като се постави **most** пред многосричните прилагателни.

ever	[evə]	*някога, един ден*
silly	[sili]	*глупав*
mistake	[misteik]	*грешка*
heavy	[hevi]	*тежък, -а*
knife (мн.ч. **knives**)	[naif/vz]	*нож, ножове*
comfortable	[kʌmfətəbəl]	*комфортен, -а; удобен, -а*
suburbs	[sʌbə:bz]	*предградие*
game	[geim]	*игра, партия*
film, movie (ам.)	[mu:vi]	*филм, кино*
to make a mistake		*лъжа се, заблуждавам се, допускам грешка*
to make coffee, tea		*правя кафе, чай*

Б2 ПРИЛОЖЕНИЕ

1. **He is the nicest of them all.**
2. **This is the silliest mistake you've ever made.**
3. **His was the heaviest of the three bags.**
4. **Mine is the longer of the two knives.**
5. **He has the most comfortable house in these suburbs.**
6. **This movie is the saddest we've seen in weeks.**
7. **They've played their best game in months.**
8. **Yours is a much better idea!**
9. **She makes the worst coffee among her friends.**
10. **It couldn't be worse.**
11. **That's the most stupid thing to say.**
12. **It's his least interesting song.**

22 Той е най-любезният от всички

Б3 ЗАБЕЛЕЖКИ

■ Превъзходна степен: както и при сравнителната степен, в зависимост от това дали прилагателното е едносрично или многосрично, след него се добавя **-est** или пред него се поставя **most:** във всички случаи се използва членът **the** и допълнението е въведено с **of, in** или **among**, според случая. Правописът се променя по същия начин:

silly – silliest; sad – saddest

■ **Good, bad:** тези прилагателни имат неправилна сравнителна и превъзходна степен. Такъв е и случаят с **far,** *далече,* който дори има две форми:

farther или **further, the farthest** или **the furthest**

■ **The longer of the two:** при сравнение на два елемента на английски език се използва сравнителна степен.

■ Притежателни местоимения:

mine, yours, his, hers, its, ours, theirs: *моят, твоят* и т.н.

Обърнете внимание на характерната употреба на притежателното местоимение в изречения 3, 4, 8: местоимението е в началото на изречението, а името, заради което то е поставено, се намира по-нататък. Формата на притежателното местоимение е различна поради факта, че съществителното име, за което се отнася, не следва непосредствено:

Yours is a much better idea!

Вашата идея е много по-добра!

буквално: *Вашата е една много по-добра идея!*

■ **Most** има също смисъла на **very**: *Това е много полезно,* ще бъде изразено по следния начин: **This is very useful,** или **This is most useful.** Става дума за „абсолютна" превъзходна степен.

Б4 ПРЕВОД

1. Той е най-любезният от всички.
2. Това е най-глупавата грешка, която някога сте допускали.
3. От трите чанти неговата беше най-тежката.
4. От двата ножа моят е по-дългият.
5. Той има най-комфортната къща в това предградие.
6. Този филм е най-тъжният, който сме гледали от седмици.
7. Те направиха (изиграха) най-добрия мач от месеци насам.
8. Вашата идея е много по-добра!
9. От всичките си приятелки тя прави най-лошото кафе.
10. Едва ли има нещо по-лошо от това.
11. Това е най-глупавото нещо, което може да се каже.
12. Това е неговата най-безинтересна песен.

B1 УПРАЖНЕНИЯ

A. Преведете на английски език:

1. Тази страна не е тъй богата като нашата.
2. По-лесно е да се намери стая в Париж, отколкото в Лондон.
3. Баскетболната топка е по-голяма от футболната.
4. По-тежко е, отколкото си мислех.
5. Неговият компютър е по-бърз от моя.
6. Той е най-големият от всички нас.
7. Моята кола не е най-бързата, но тя не е и много скъпа.
8. Моят брат е по-големият от двамата.

B2 ОТГОВОРИ

A. 1. This country is not so rich as ours.
2. It's easier to find a room in Paris than in London.
3. A basketball is bigger than a football.
4. It's heavier than I thought.
5. His computer is faster than mine.
6. He is the oldest of us all.
7. My car isn't the fastest, but it isn't very expensive.
8. My brother is the bigger of the two.

B3 ПОЛЕЗНИ ИЗРАЗИ

• Сравнителна и превъзходна степен се появява по-явно или не в идиоматични и готови изрази. Запомнете поне тези:

the lower deck, *долната палуба* (на кораб)
the upper deck, *горната палуба* (на кораб)
the former, *първият* (предшестващ единия от двамата)
the latter, *вторият* (последен); *другият*
the more, the merrier, *колкото повече хора, толкова по-весело*
the more I try, the less succeed, *колкото повече се старая, толкова по-малко успявам*
my elder brother (специална форма от **old**), *по-големият ми брат* (имам и друг, но той е по-млад)
our eldest daughter (от **old**), *нашата най-голяма дъщеря*
at last (наречие), *най-сетне*
at least (наречие), *поне*
at the most (наречие), *най-много, в краен случай*
not in the least, *никак*
I did my best, *направих всичко възможно*
He did his very utmost to..., *Той направи невъзможното, за да...*

B4 ВРЕМЕТО. WEATHER

■ В *Англия* се говори много за времето. Изрази от типа **Fine weather, isn't it?** (*Хубаво време, нали?*) е начин за общуване между сдържаните хора, които желаят да се избегнат по-лични теми, или пък е средство за установяване на контакт с непознати. Колкото до самото време, вярно е, че то е променливо и по-скоро влажно (никъде морето не е далече), но не е и така лошо, както често претендират. В Корнуол дори растат палми! Прословутата **fog**, лондонската *мъгла* – превърнала се в **smog** (**smoke + fog**) с промишленото и градско замърсяване, е изчезнала.
■ В *САЩ*, като се вземе предвид необятната територия, от *Монтана* до *Флорида*, без да споменаваме за *Аляска*, не може да се говори за един американски климат.
• И така *Сиатъл* на североизток е приблизително на същата географска ширина като *Нант* (Франция), а *Ню Орлиънс* е на еднаква географска ширина с *Кайро*. Ето защо няма нищо учудващо, че климатът на *Лос Анджелес* е различен от този в *Детройт*. Това различие нараства поради разнообразието на релефа: крайбрежни зони, централни равнини, планински области.
• Северната част на *Източното крайбрежие* е с влажен климат. *Нова Англия* и областта около *Ню Йорк* се характеризират със сурови зими (до -20°C и леден вятър, придружен със сняг) и много топли и влажни лета.
• *Югоизточната част (Флорида, Мексиканският залив, Долината на Мисисипи)* се характеризира със субтропичен климат, където температурите падат рядко под нулата.
• Централните равнини с континентален климат предлагат резки сезонни контрасти: знойни лета, много студени зими (придружени със силни снеговалежи). През лятото температурните разлики денем и нощем са значителни.
• *Тихоокеанското крайбрежие* в *северната* си част, *Орегон*, се характеризира с най-слабите амплитудни промени, с доста меки зими и с относително хладни лета.
• На *югозапад* е прочутият калифорнийски климат с топли и сухи лета и липса на зима.
Според областите най-големите климатични заплахи са внезапните наводнения след големи бури (*Мисисипи*), ледените ветрове, придружени със снеговалеж (*североизток*), и ураганите (т.нар. торнадо) във *Флорида*.

22 Диалози и практични съвети

Г1 WHAT'S THE WEATHER LIKE?

Georges: **Bad weather, eh?**
Linda: **Yes, it's much colder than last week. And it's getting colder and colder.**
Geoges: **This is the worst summer we've had in years. It couldn't be worse.**
Linda: **Let's hope it will be better next week. I'm going on holiday.**
Georges: **Where are you going?**
Linda: **I'm going to Brighton. The weather can't be as bad as it is here!**
Georges: **We're going to Italy.**
Linda: **That'll be nice. It'll be warmer and sunnier there.**
Georges: **Well, we don't like it when it's too hot[1].**
Linda: **How expensive is it in Italy?**
Georges: **Less expensive than in France, but not as cheap as in Spain.**
Linda: **I never go on holiday abroad. I feel much more comfortable[2] at home[3].**

1. **hot** = *горещ, -а.* **Hot** е по-топъл (и по-малко приятен) от **warm.**
2. **to feel comfortable,** буквално *чувствам се удобно, добре.*
3. **at home,** *вкъщи.*

Г2 ПРАКТИЧНИ СЪВЕТИ

В САЩ температурата се съобщава в градуси по *Фаренхайт,* **Fahrenheit** [farənait].

Градуси по C	Градуси по F	Преобразуване
0	32	градуси C x $\frac{9}{5}$ + 32 = градуси F
10	50	
20	68	градуси F - 32 x $\frac{5}{9}$ = градуси C

Г3 КАКВО Е ВРЕМЕТО?

Джордж: Лошо време, нали?
Линда: Да, много по-студено е от миналата седмица. И става все по-студено и по-студено.
Джордж: Това е най-лошото лято, което сме имали от години. По-лошо от това не би могло да бъде.
Линда: Да се надяваме, че следващата седмица ще се оправи. Заминавам на почивка.
Джордж: Къде отивате?
Линда: Отивам в Брайтън. Времето не може да бъде толкова лошо като тук!
Джордж: Ние отиваме в Италия.
Линда: Ще бъде приятно. Там ще бъде по-топло и по-слънчево.
Джордж: Да, ама ние не обичаме да е много топло.
Линда: В Италия скъпо ли е?
Джордж: По-евтино, отколкото във Франция, но не толкова, колкото в Испания.
Линда: Никога не ходя в чужбина през отпуската. Чувствам се по-удобно у дома.

Г4 ПРАКТИЧНИ СЪВЕТИ

ПРОИЗХОД НА ТЕРМИНА **G. I.** [dʒi: ai]

В началото това били инициалите на **Government Issue** (или **General Issue**) – екипировка, доставена от американското правителство. Впоследствие те са послужили за обозначаване на войника, облечен и екипиран от федералните власти.

КОЛКО ПИЕСИ Е НАПИСАЛ ШЕКСПИР?

⇨ *ОТГОВОР НА СТР. 237-238*

23 May I... ?

A1 ПРЕДСТАВЯНЕ

I may [mei] *аз мога, възможно е аз да, имам разрешението да ...*

- **may** означава възможност (вероятност) или позволение и се използва за действия, които зависят било от случайността, от късмета и т.н., било от позволението на някого.

- **may** е модален глагол (виж **can**, стр. 143)

to rain	[rein]	*вали дъжд*
pen	[pen]	*писалка*
seat	[si:t]	*седалка*
now	[nau]	*сега*
to smile at	[smail]	*усмихвам се (на)*
to use	[ju:z]	*използвам, служа си с*
to choose*	[tʃu:z]	*избирам*
present	[prezənt]	*подарък*

- Да си припомним: **too** означава *твърде*, *прекалено*... и *също*.

*Неправилни глаголи на стр. 368–370.

A2 ПРИЛОЖЕНИЕ

1. **It may rain.**
2. **He may be late.**
3. **She may come.**
4. **It may be too late already.**
5. **He may not like it.**
6. **May I smoke?**
7. **May I borrow your pen?**
8. **May I take a seat?**
9. **May I choose a present for him?**
10. **You may leave now.**
11. **You may use her camera, I'm sure.**
12. **You may smile at it.**

А3 ЗАБЕЛЕЖКИ

■ **may** е модален глагол (виж **can**): няма инфинитив, няма **s** в сег. време, няма бъдеще време, нито минало причастие или сложни времена.

■ **It may rain:** обърнете внимание:
1. на отсъствието на **s** в 3-о лице;
2. на отсъствието на **to** за въвеждане на следващия глагол.

■ **May I smoke?**
Обърнете внимание, че както за **to be,** въпросителната форма се образува чрез обикновена инверсия, без употребата на **to do**.

■ **He may not like it.**
Обърнете внимание на образуването на отрицателната форма чрез прибавяне на **not**, както за **to be** или за спомагателните глаголи **shall, will** и т.н.

■ Внимание: **to be late,** *закъснявам.*

А4 ПРЕВОД

1. Възможно е да вали.
2. Възможно е той да закъснее.
3. Възможно е тя да дойде.
4. Може би е вече много късно.
5. Възможно е той да не харесва това.
6. Може ли да пуша?
7. Може ли да взема писалката ви?
8. Може ли да седна?
9. Може ли да избера подарък за него?
10. Можете да тръгнете сега.
11. Сигурен съм, че можете да използвате нейния фотоапарат.
12. Това може да ви разсмее.

23 I am allowed to...

Б1 ПРЕДСТАВЯНЕ

to allow [əlau]	*позволявам, разрешавам*
to be allowed	*позволено ми е*
I'm allowed to...	*аз мога, разрешено ми е, имам правото да*

• **May**, модален глагол, за образуването на сложните форми ще се използва **to be allowed** в случаите, когато **may** означава разрешение.

I knew	[nju:]	*знаех* (пр. мин. вр. от **to know***)
never	[nevə]	*никога*
how many ... ?	[hau mæni]	*колко?* (мн.ч.)
to bring*	[briŋ]	*донасям*
more	[mo:]	*повече*
visitors	[vizitəz]	*посетители, туристи*
passengers	[pæsindʒəz]	*пътници*
beyond	[bijɔnd]	*отвъд*
to try	[trai]	*опитвам*
point	[point]	*точка, място*
try (tries)	[trai(z)]	*опит, -и*
perhaps	[pəhæps]	*може би*

* Неправилни глаголи, стр. 368–370.

Б2 ПРИЛОЖЕНИЕ

1. **Allow me to...**
2. **Is it allowed?**
3. **I knew it wasn't allowed.**
4. **It will never be allowed.**
5. **She's been allowed to do it.**
6. **How many tries do you allow?**
7. **They didn't allow us to bring more.**
8. **No dogs allowed.**
9. **Visitors (passengers) are not allowed beyond this point.**
10. **You may be allowed to do it.**
11. **He may not pass his exam, but perhaps he'll be allowed to try again.**

Б3 ЗАБЕЛЕЖКИ (ВЪРХУ ИЗРЕЧЕНИЯ Б2)

■ Обърнете внимание, че в по-голямата част от изреченията в приложение Б2 не е възможно да се употреби глаголът **may.** Следователно **may** е заместен във всичките форми, които му липсват, и по-точно в сложните времена, с **to be allowed**. Все пак можем да използваме **to be allowed** само когато **may** има смисъл на разрешение или позволение. Когато има смисъл на „евентуално", понякога се използва наречието **perhaps** [pəhæps] *може би.*

■ Обърнете внимание на мястото на **never** (Б2, 4).

■ **She's been allowed**: сегашно перфектно време, страдателен залог.

■ **How many... ?** е винаги последвано от множествено число: *Колко...?*

■ Б2, 6: **tries:** множествено число на **try.**

■ Да си припомним: множественото число на съществителните, завършващи на **y**:
- когато **y** е предшествано от съгласна, то се превръща в **ies**
  a try, *опит* **tries**, *опити*
- когато **y** е предшествано от гласна, към него се прибавя **s**
  a day, *ден* **days**, *дни*

Б4 ПРЕВОД

1. Позволете ми да... (Позволете да...)
2. Разрешено ли е?
3. Знаех, че е забранено (че не е разрешено).
4. Това никога не ще бъде разрешено.
5. Разрешено ѝ е да го направи.
6. Колко опита разрешавате?
7. Те не ни позволиха да донесем повече от това.
8. Забранено за кучета.
9. Посетителите (пътниците) не се допускат отвъд това място (забранено за пътници, посетители).
10. Възможно е да ви разрешат да го направите.
11. Възможно е той да не успее на изпита, но може би ще може отново да опита.

23 Упражнения. **can, may**

B1 УПРАЖНЕНИЯ

А. Преведете на английски език:

1. Възможно е (може) да дойдат с кола.
2. Възможно е да се приберем рано.
3. Възможно е да се заблуждаваш.
4. Възможно е той да наеме кола.
5. Възможно е те да опитат отново.

Б. Попълнете с <u>can</u> или <u>may</u>:

1. It ... rain tonight.
2. My train ... be late.
3. I ... drive you to the station if you're late.
4. They ... speak good English.
5. She ... not like it, you know?
6. ... I leave early tonight?
7. You ... use my pen.

B2 ОТГОВОРИ

А.
1. They may drive here.
2. We may be back early.
3. You may be wrong.
4. He may borrow a car.
5. They may try again.

Б. 1. may 2. may 3. can 4. can 5. may 6. may/can 7. may/can

B3 CAN И MAY

• **Can** означава най-общо възможност или способност, присъщи на човек.

Can you play the piano?
Можете ли да свирите на пиано?

• **May** подчертава по-скоро възможност, която не зависи от индивида (вероятност или позволение):

You may tell him. *Можете да му го кажете.*

• <u>Сравнете</u>:

He can drive your car.
Той може (знае) да кара вашата кола.

и **Driving on icy roads may be dangerous.**
Шофирането по заледен път може да бъде опасно.

She can help you with it. *Тя може да ви помогне да го направите.*

и **You may need her help.** *Възможно е да имате нужда от нейната помощ.*

Все пак можем да установим известно присвояване на права от страна на **can** по отношение на **may**, което е малко по-официално, така например: **Can I come, too?** вместо **May I come, too?; You can smoke if you want,** вместо **You may smoke if you want.**

В4 БРИТАНСКИТЕ ИНСТИТУЦИИ (1)

■ Още от самото начало трябва да се направи ясно разграничение между:

• **England,** *Англия,* към която е присъединен *Уелс,* **Wales**, през 1536 г.

• **Great Britain,** *Великобритания*, образувала се в резултат на обединяването с *Шотландия,* **Scotland**, през 1707 г.

• **The United Kingdom**, *Обединеното кралство*, образувано от *Великобритания* и *Северна Ирландия* (1801 г. обединяване с *Ирландия*; 1922 г. независимост на *Южна Ирландия*, която през 1949 г. се превръща в **The Republic of Ireland**).

Обединеното кралство е парламентарна монархия, в която изпълнителната власт, в лицето на министър-председателя и неговото правителство, е отговорна пред парламента.

■ *Короната,* **The Crown**: от възкачването на престола на *Уилям Завоевателя,* **William the Conqueror**, през 1066 г. е имало 40 последователни владетели. Обаче техните пълномощия са били значително намалени.

В наши дни *кралицата,* **the Queen** (или *кралят,* **the King**), *царува, но не управлява:* **„The Queen reigns, but she doesn't rule!"** Но тя е ангажирана в държавните дела, защото:

• Тя назначава официално *министър-председателя,* **the Prime Minister**; тя винаги избира на този пост лидера на управляващата партия.

Тя произнася *кралската си реч*, **the speech from the throne**, с която тържествено се открива парламентарната сесия и очертава главните насоки в политическата ориентация на правителството, което е на власт.

Тя стои начело на всички държавни институции: *армията,* **the army**, *администрацията,* **the Civil Service,** и *църквата,* **the church**. Следователно тя е главата на англиканската църква и трябва да възпитава децата си в тази религия.

• Тя стои начело и на *Британската общност* (**Commonwealt**).

Единственото ѝ задължение е да бъде напълно безпристрастна. Казахме, че нейната власт се заключава не в това, което тя изпълнява, а в това тя да попречи на другите да обсебят властта.

Въпреки личните скандали, с които бе заобиколено кралското семейство, и въпреки известно оспорване на нейните принципи, монархията си остава все пак символ на единство и стабилност за британците.

Г1 APPOINTMENT

Mr Martin: **Do sit down[1], please... Would you like a cup of tea?**
Ms Johnson: **Yes please. Very nice of you.**
Ms Johnson: **May I ask a question?**
Mr Martin: **Please do.**
Ms Johnson: **How come visitors are not allowed to park inside?**
Mr Martin: **Because there is[2] only room for four cars and there are eight of us working here.**
Ms Johnson: **I see.**
Mr Martin: **Now, when do you want to make an appointment[3]?**
Ms Johnson: **What about Thursday at nine? Is it too early?**
Mr Martin: **No, that'll be fine.**

1. **Do sit down.** *Седнете, моля.* – учтива, настойчива форма.
2. **There is, there are** = *има* (**is** пред единствено число, **are** пред множествено число).
3. **Appointment** [əpointmənt]: тук *среща,* но също и *назначаване;* **to appoint,** *назначавам.*

Г2 ПРАКТИЧНИ СЪВЕТИ

В ЛОНДОНСКОТО МЕТРО (виж стр. 155)

Единадесетте линии, всяка от които си има име, са ориентирани по следния начин:

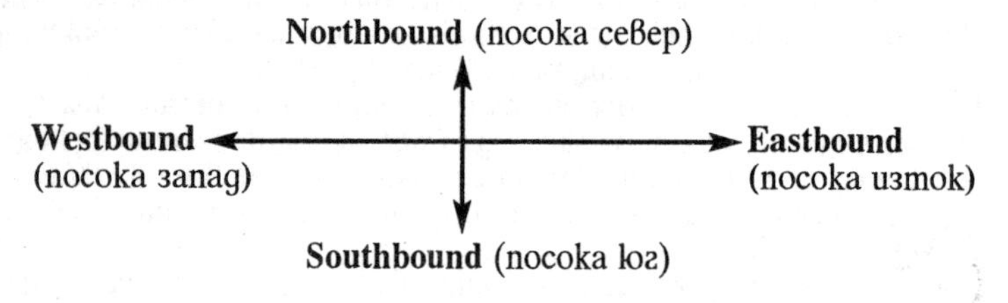

Внимавайте да не объркате посоката!

Г3 СРЕЩА

Мистър Мартин: Седнете, моля... Бихте ли желали чаша чай?
Мис Джонсън: Да, благодаря. Много мило от ваша страна.
Мис Джонсън: Мога ли да ви задам един въпрос?
Мистър Мартин: Да, моля.
Мис Джонсън: Как става така, че посетителите нямат право да паркират вътре?
Мистър Мартин: Защото има място само за четири коли, а ние, които работим тук, сме осем.
Мис Джонсън: Разбирам.
Мистър Мартин: Добре, за кога искате да ви определим среща?
Мис Джонсън: Какво ще кажете за четвъртък в 9 часа? Рано ли е ?
Мистър Мартин: Не, ще бъде чудесно.

Г4 ПРАКТИЧНИ СЪВЕТИ

ДНИТЕ НА СЕДМИЦАТА

Sunday	[sʌndi]	*неделя*	**Wednesday**	[wenzdi]	*сряда*
Monday	[mʌndi]	*понеделник*	**Thursday**	[θəːzdi]	*четвъртък*
Tuesday	[tjuːzdi]	*вторник*	**Friday**	[fraidi]	*петък*
			Saturday	[sætəːdi]	*събота*

Обърнете внимание, че в английския език дните на седмицата се пишат с главна буква.

КАК СЕ ПРЕВЕЖДА „ПОВИКВАНЕ ПО **P. C. V.**“?

⇨ *ОТГОВОР НА СТР. 296*

24 I'll meet you at the station

A1 ПРЕДСТАВЯНЕ

■ Предлозите са малки думички за свързване, чрез които глаголът се свързва с допълнението си (съществително име или местоимение). Те могат да означават положение, движение, приписване на качество и т.н.

• На български език *за, без, с, към, от* и т.н. са предлози.
• На английски трябва много внимателно да се борави с тях, ако искаме да бъдем правилно разбрани.
• Някои глаголи, които на български език имат пряко допълнение – *чакай ме, погледни го, чуй я,* – на английски език са последвани от предлози: **wait for me, look at him, listen to her.**

lost	[lɔst]	*загубен*
without	[wiðaut]	*без*
by chance	[bai tʃa:ns]	*случайно*
the pictures	[piktʃə:z]	*кино*
I was born	[bo:n]	*роден(а) съм*
to lean*	[li:n]	*навеждам се*
town	[taun]	*град*

* Неправилни глаголи, стр. 368–370.

A2 ПРИЛОЖЕНИЕ

1. **I will be pleased to do it for you.**
2. **She'll travel with Charlie.**
3. **He will be lost without her.**
4. **I met him by chance.**
5. **He comes from Scotland.**
6. **I want to go to the pictures.** (ам.: **movies**)
7. **I'll meet you at the station.**
8. **I was born in Paris.**
9. **Can we drive into town?**
10. **Don't lean out of the window!**
11. **Wait for me!**
12. **Listen to her! Look at him!**

24 Ще ви посрещна на гарата

А3 ЗАБЕЛЕЖКИ

■ На английски език предлозите се употребяват винаги с голяма прецизност.
На английски език естеството на действието или движението е точно обозначено:
at the station, to the pictures, out of (*вън, извън*) **the window.**
За да се намери подходящият предлог, е добре да се „онагледи“ действието.

- **in,** означава *в, на* – за място, положение, за обсег;

- **to,** означава *до, към, за* – за движение, посока, място;

- **into,** означава *в, към* – указва направление на движение или действие.

I live in London. – He wants to go to London. – He went into the room.

■ Обърнете внимание, че ако нямат допълнение, глаголите **to wait, to listen, to look** не са последвани от предлог.
Например: **I shall wait. – Can't you listen? – I didn't look.**

■ Към употребата на предлог се прибягва само за да се въведе допълнението: **I shall wait for you. – Can't you listen to your brother? – I didn't look at it.**

А4 ПРЕВОД

1. Ще бъда щастлив да го направя за вас.
2. Тя ще пътува с Чарли.
3. Той ще се загуби без нея.
4. Срещнах го случайно.
5. Той е от Шотландия.
6. Искам да отида на кино.
7. Ще ви посрещна на гарата.
8. Роден съм в Париж.
9. Може ли да се влезе с кола в града?
10. Не се навеждайте през прозореца!
11. Чакай ме!
12. Чуйте я! Погледни го!

24 He got off the bus

Б1 ПРЕДСТАВЯНЕ

• Глаголът **to get** може да променя смисъла си в зависимост от предлога, който го следва.

He got off the bus. *Той слезе от автобуса.*
He got on the bus. *Той се качи в автобуса.*
He got out of the room. *Той излезе от стаята* и т.н.

• **there is** (+ единствено число), **there are** (+ множествено число) *има*

after	*след*
before	*пред*
in front of	*пред, отпред*
behind	*зад, отзад*
on	*върху, на*
above	*над*
over	*над*
under	*под*
below	*под*
against	*срещу*
about	*по повод на, за*
nothing	*нищо*
noise	*шум*
shelf	*етажерка*
flat (бр. англ.), **apartment** (ам.)	*апартамент*
store (ам.), **shop** (бр. англ.)	*магазин*
fog	*мъгла*
river	*река*

Б2 ПРИЛОЖЕНИЕ

1. **I met him after the match.**
2. **He tried to arrive before us.**
3. **My car is parked in front of the hotel.**
4. **I heard a noise behind the wall.**
5. **There are three books on the shelf.**
6. **They live in a flat above the store.**
7. **There is fog over the river.**
8. **The cat is under the bed.**
9. **The temperature was well below zero.**
10. **I have nothing against it.**
11. **I know nothing about him.**
12. **He got off the bus.**

Б3 ЗАБЕЛЕЖКИ

■ Множествено число на **match** е **matches.**
Множествено число на **shelf** е **shelves.**

■ **Above** и **over** означават (и двете) *над;* но **over** значи също и:
• *отгоре:*
He jumped over the wall. *Той прескочи стената.*
• *през:*
over the years, *с течение на (през) годините*

■ **Under** и **below** означават *под*:
• но **under** служи да обозначи преди всичко това, което се намира непосредствено под нещо друго.
• докато **below** често съдържа система за измерване, за справка:
My coat is under yours. *Моето палто е под вашето.*
His results are below the average. *Неговите резултати са под средните.*

■ **Before** означава едновременно *преди* и *отпред*
They arrived before us. *Те пристигнаха преди нас.*
They stood before me. *Те стояха пред мен.*

■ **There is, there are:** обърнете внимание, че глаголът се променя в зависимост от това дали думата, която следва, е в единствено или в множествено число.
По същия начин ще имаме **there was, there were**, *имаше.*

Б4 ПРЕВОД

1. Срещнах го след мача.
2. Той се опита да пристигне преди нас.
3. Моята кола е паркирана пред хотела.
4. Чух шум зад стената.
5. На етажерката има три книги.
6. Те живеят в един апартамент над магазина.
7. Над реката има мъгла.
8. Котката е под леглото.
9. Температурата беше доста под нулата.
10. Нямам нищо против.
11. Не знам нищо за него.
12. Той слезе от автобуса.

B1 УПРАЖНЕНИЯ. *Глаголи + предлози*

А. Преведете на английски език:

1. Не се навеждайте през прозореца!
2. Не ме чакайте!
3. Слушайте!
4. Той дойде преди мен.
5. Колата ми е паркирана пред магазина.
6. Роден съм в Париж.
7. Книгата е под леглото.
8. Това е от Шотландия.

Б. Преведете на български език:

1. Get out of there!
2. The flat is behind the store.
3. I haven't heard about him.
4. I'll meet you at the station.
5. The shelf is against the wall.
6. The bed is under the window.

B2 ОТГОВОРИ

А. 1. Don't lean out of the window!
2. Don't wait for me!
3. Listen!
4. He arrived before me.
5. My car is parked in front of the store.
6. I was born in Paris.
7. The book is under the bed.
8. It comes from Scotland.

Б. 1. Излезте оттам!
2. Апартаментът е зад магазина.
3. Не съм чул да се говори за него.
4. Ще ви посрещна на гарата.
5. Етажерката е до стената.
6. Леглото е под прозореца.

B3 НЯКОЛКО ГЛАГОЛА:

- които са последвани от предлог на английски език:

to wait for somebody	*чакам някого*
to listen to somebody	*слушам някого*
to look at something	*гледам нещо*
to look for something	*търся нещо*
to hope for something	*надявам се на нещо*

- които не са последвани от предлог на английски език:

to need something	*имам нужда от нещо*
to enter a room	*влизам в стая*
to obey somebody	*подчинявам се на някого*
to approach a town	*приближавам се към града*
to resist something	*устоявам на нещо*

- обърнете внимание също на:

to ask somebody for something *искам нещо от някого*

B4 БРИТАНСКИТЕ ИНСТИТУЦИИ (2)

■ *Парламентът,* **The Parliament**, се състои от две камари: *Камарата на общините,* **the House of Commons**, пред която отговаря *правителството,* **the Government**:

• осъществява на дело законодателната власт, като разисква и гласува законите; поради отсъствие на написана конституция, тя законодателства, като взема под внимание традициите и прецедентите;

• нейните членове, т.нар. **M.P.s** [empi:z], **Members of Parliament**, се избират за 5 години на *общи избори,* **general elections**.

Днес Камарата на общините наброява 651 членове, всеки от които представлява един *избирателен район* (**constituency**).

Камарата на лордовете, **the House of Lords**:

• място за размисъл, което запазва моралния си авторитет, но не може да се противопостави на гласуването на закон от Камарата на общините;

• върховна *апелативна* юрисдикция, **appeal**;

• тук заседават *наследствените перове* (благородници), **Hereditary Peers**, принцове с кралска кръв и аристократи, сановници на англиканската църква и на правосъдието и *пожизнени перове,* **Life Peers**, избрани за такива като признание за заслугите им към нацията или поради известността им. Благородниците са повече от 1100, от които само стотина вземат участие в заседанията.

■ *Правителството,* **the Government**, представлява изпълнителната власт.

Министър-председателят, **the Prime Minister** или **Premier**, е по традиция водач на партията, която е спечелила изборите. Най-важните министри участват в кабинет, който се събира веднъж или два пъти седмично на **Downing Street 10**, резиденция на министър-председателя.

■ *Партиите*

Двете големи партии са: *Консерватори,* **the Conservatives** или **Tories**, и *Лейбъристи,* **the Labour Party**.

От 80-те години насам една трета партия, *Либерал-демократите,* **Liberal-Democrats**, се появи след сливането на бившата либерална партия и дисидентите от дясното крило на лейбъристите.

Забележка: Трябва да се отбележи официалното съществуване на един водач на опозицията, който получава възнаграждение за поста си, и на един **Shadow Cabinet**, *Кабинет в сянка,* който е аналогичен на този на управляващите. Тази практика позволява на опозицията да опознае добре дейността им и да се подготви за управление, ако спечели изборите.

Г1 LOOKING FOR A HOTEL

Diana: **Why are you slowing down?**
Richard: **I'm lost. I think I'll park here and ask somebody where the hotel is.**
Diana: **I'm sure it's behind us. We drove past it. I think we missed it five minutes ago.**
Richard: **I don't know. You're lucky if you can see anything in this fog!**
Diana: **Listen! We've got to drive back, I'm telling you! It's on the other side of the river. Let's drive back into town!**
Richard: **We'll never find it. We've got to ask someone. It's getting late and I'm tired of driving. I really think we'd better ask somebody.**
Diana: **Look! Isn't that our hotel?**
Richard: **It's not a hotel. Can't you see it's the station?**
Diana: **I'm sure the hotel isn't very far.**

Г2 УЕЛС

• Полуостров с 250 км дължина и 40 до 70 км ширина, *Уелс* (**Wales** [weilz]) се простира на запад от Англия. Това е *планински* район (**mountainous** [m**au**ntinəs]), където се намира **Snowdon** (1085 м) – най-високият връх в Уелс и Англия.

• Присъединен при царуването на Хенри VIII (1491–1547 г.) към Англия, Уелс е запазил културата, традициите и езика си.

• В действителност в западната и северната част на областта близо 50% от жителите говорят *уелски* език (**Welsh** [welʃ]) и всички официални документи и надписи трябва да бъдат написани на английски и уелски.

• Уелският не е език, лесен за произнасяне; без съмнение рекордът за най-дългото име принадлежи на едно малко селце в Уелс с неговите 56 букви:
Llanfairpwllgwyngllgogerychwymdrobwllllleantysiliogogogoch.
Църква-Сейнт-Мери-в-хралупата-на-бялото-лешниково-дърво-близо-до-бързия-водовъртеж-на-Llandjsilio-червената-пещера.

Г3 В ТЪРСЕНЕ НА ХОТЕЛ

Дайана: Защо намаляваш скоростта?
Ричард: Загубих се. Мисля да паркирам тук и да питам някого къде е хотелът?
Дайана: Сигурна съм, че той е зад нас. Минахме край него с колата. Мисля, че го пропуснахме преди 5 мин.
Ричард: Не знам. Имаш късмет, ако виждаш нещо в тази мъгла!
Дайана: Чуй! Казвам ти, че трябва да обърнем! От другата страна на реката е. Да се върнем в града!
Ричард: Никога не ще го намерим. Трябва да попитаме някого. Късно е и се уморих да карам. Мисля, че ще направим добре, ако питаме.
Дайана: Виж! Това не е ли нашият хотел?
Ричард: Това не е хотел. Не виждаш ли, че това е гарата.
Дайана: Сигурна съм, че хотелът не е далеч.

Г4 ПРАКТИЧНИ СЪВЕТИ

В ХОТЕЛА (At the hotel)

I have reserved [rizə:vd] **one room in the name of...**
Запазих (резервирах) стая на името на...

капаро	**deposit**	[dipozit]
бон за размяна (ваучер)	**voucher**	[vautʃə:]
стая с едно легло	**single room**	[singəl ru:m]
стая с две легла	**double room**	[dʌbəl ru:m]
стая с две легла	**twin bedroom**	
хотелът е пълен	**fully booked**	[fuli bukt]
полупансион	**half-board** (англ.)	[ha:f bo:d]
	modified (ам.)	[modifaid]
	American plan (ам.)	
пълен пансион	**full board** (бр. англ.)	[ful bo:d]
	American plan (ам.)	[amerikən]
напускам (и плащам)	**to check out**	[tʃek]

КОЙ Е НЕДЕЛНИЯТ ВЕСТНИК С НАЙ-ГОЛЕМИЯ ТИРАЖ В СВЕТА?

⇨ *ОТГОВОР НА СТР. 221*

25 I am invited

A1 ПРЕДСТАВЯНЕ

■ **To be** (спрегнат във всички времена + миналото причастие = страдателен залог)

I am invited, *аз съм поканен(а)*

not yet		*не още*
to receive	[risi:v]	*получавам*
to choose*, chose, chosen		*избирам*
to repair	[ri:peə]	*поправям*
to arrest	[ərest]	*арестувам, спирам*
to discover	[diskʌvə]	*откривам, разкривам*
to kill		*убивам*
to appoint	[əpoint]	*определям (място, време), назначавам*
to dismiss	[dismis]	*уволнявам*
to hire	[haiə]	*наемам*
director		*директор*
personnel manager		*нач. отдел „Личен състав"*
border		*граница*
Swiss		*швейцарски* (прилагателно)
huge	[hju:dʒ]	*огромен*
body		*тяло*
car crash		*катастрофа*
position		*пост*
candidate		*кандидат, -ка*

A2 ПРИЛОЖЕНИЕ

1. **I am invited by the Jacksons.**
2. **He will be received by the director.**
3. **She was chosen among ten candidates.**
4. **His car is not yet repaired.**
5. **He was arrested near the Swiss border.**
6. **The body was discovered in the street.**
7. **After the accident the two cars were surrounded by a huge crowd.**
8. **She got killed in a car crash.**
9. **He was appointed to this position last month.**
10. **This house was built before the war.**
11. **He was dismissed last month.**
12. **But she thinks he will be hired again.**

25 Аз съм поканен

A3 ЗАБЕЛЕЖКИ (ВЪРХУ A1 И ИЗРЕЧЕНИЯ A2)

■ Страдателен залог: когато подлогът в едно изречение понася някакво действие върху себе си, то допълнението се поставя в страдателен залог като подлог. На английски език страдателният залог се образува както и на български език с глагола *съм*, **to be** + миналото причастие на спрегаемия глагол.

деятелен залог	**I invite John.**	*Аз каня Джон.*
страдателен залог	**John is invited (by me).**	*Джон е поканен.*

■ 1. 2. 7. Допълнението, ако има такова, е въведено често с предлога **by,** но също се среща и предлогът **with,** напр.:

The lounge is filled with smoke. *Холът е изпълнен с дим.*

■ 4. **Not yet,** *не още.* **Yet** означава 1) *още*
2) *обаче*

В смисъл на *още* го срещаме най-вече в отрицателни изречения. (Но за да употребим *още* в положителни изречения, ще използваме по-скоро **still.**)

■ 8. **He got killed**. *Той се уби* (в смисъл на *той бе убит*). Касае се за страдателен залог. (В случай на самоубийство биха казали: **He killed himself**, буквално *Той уби себе си,* с използване на възвратното местоимение – виж „Възвратни местоимения", стр. 346.)

■ **To get** може да замести **to be,** когато има промяна в състоянието, например:

to be invited	*поканен съм*	**to get invited**	*карам да ме поканят*
to be married	*женен съм*	**to get married**	*женя се*
to be drunk	*пиян съм*	**to get drunk**	*напивам се*

A4 ПРЕВОД

1. Поканен съм от сем. Джаксън.
2. Той ще бъде приет от директора.
3. Тя беше избрана сред десет кандидатки.
4. Колата му още не е поправена.
5. Той беше арестуван близо до швейцарската граница.
6. Тялото бе открито на улицата.
7. След катастрофата двете коли бяха заобиколени от огромна тълпа.
8. Тя загина при автомобилна катастрофа.
9. Той беше назначен на този пост миналия месец.
10. Тази къща бе построена преди войната.
11. Той беше уволнен миналия месец.
12. Но тя мисли, че той пак ще бъде нает.

25 I was told...

Б1 ПРЕДСТАВЯНЕ

■ Глаголи с две допълнения и следователно с два страдателни залога:

to ask *питам, искам, моля*
to propose *предлагам*
to show* *показвам*
to offer *предлагам*
to teach* *преподавам*

• Глаголите, които изискват предлог, въвеждащ непряко допълнение, могат да се поставят в пасивна форма. Например:

to send for *пращам да търсят* или *карам да дойдат*
to replace *заместрам*
birthday *рожден ден* или *годишнина*
help *помощ*
increase *увеличение*
way *път, начин*
salary *заплата*

• **£** = символ на **pound**: *лира,* парична единица, се поставя преди цифрата; например: **£** 5,
но се произнася **five pounds** [faiv paundz]

• Внимание: *казват, че* **it is said...**
казват ми, че **I am told...**
казват за мен, че **I am said to...**

* Виж неправилни глаголи на стр. 368–370.

Б2 ПРИЛОЖЕНИЕ

1 You'll be asked two questions.
2. We were charged a lot of money for a very small bedroom.
3. She was given a new bicycle for her birthday.
4. They were lent £ 1,000.
5. I was offered a new job.
6. He was promised an important increase in salary.
7. She was proposed to replace him.
8. I hope they will be sent some help.
9. We were shown the way to the station.
10. Richard was taught English and Russian.
11. I was told he was ill.
12. The doctor was sent for.

Б3 ЗАБЕЛЕЖКИ

■ Двойно пасивна форма при глаголи с две допълнения.
Известен брой глаголи, които на английски, както и на български, изразяват най-общо идеята за предаване нещо на някого, могат да имат две допълнения и на английски език имат две възможни конструкции.

• От изречението:

I sent Peter a letter. (= I sent a letter to Peter.)
Изпратих писмо на Питър.

(сказуемо + пряко допълнение + непряко допълнение)
ще имаме две пасивни конструкции:

1. Peter was sent a letter.

където непрякото допълнение **Peter** е станало подлог в страдателен залог;

2. A letter was sent to Peter.
Едно писмо беше изпратено на Питър.

Първата форма е далеч по-често употребявана.
На английски език характерна особеност е честата употреба на страдателния залог. Използва се особено много в научния стил.

■ Б2, 12. Допълнението, въведено с предлога, може да стане подлог в страдателен залог; предлогът остава в края на изречението.

Б4 ПРЕВОД

1. Ще ви зададат два въпроса.
2. Накараха ни да платим много пари за една съвсем малка стая.
3. Подариха ѝ ново колело за рождения ден.
4. Дадоха им назаем 1000 лири.
5. Предложиха ми нова работа.
6. Обещаха му значително увеличение на заплатата.
7. Предложиха ѝ тя да го замести.
8. Надявам се, че ще им бъде изпратена помощ.
9. Показаха ни пътя към гарата.
10. Преподаваха на Ричард руски и английски.
11. Казаха ми, че е болен.
12. Повикаха лекар.

B1 УПРАЖНЕНИЯ

А. Дайте два варианта на изреченията в страдателен залог (и подчертайте формата, която се употребява по-често):

1. Предложих на Бети един магнетофон.
2. Той изпрати писмо на родителите си.
3. Той обеща нещо на дъщеря си.
4. Ние дадохме под наем нашия апартамент на Джордж.

Б. Употребете to get, когато е подходящо:

1. Той почина при катастрофа.
2. Казват, че тя е направила опит да се самоубие.
3. Тя още не е омъжена.
4. Тя се омъжи преди един месец.

B2 ОТГОВОРИ

А. 1. Betty was offered a tape-recorder; A tape-recorder was offered to Betty.

2. His parents were sent a letter; A letter was sent to his parents.
3. His daughter was promised something; Something was promised to his daughter.
4. George was lent our flat; Our flat was lent to George.

Б. 1. He got killed in an accident.

2. It is said she tried to kill herself.
3. She is not married yet.
4. She got married a month ago.

B3 ПРЕВОД НА БЕЗЛИЧНАТА ФОРМА

1. чрез страдателен залог; сравнете с Б3 и Б4;
2. чрез **one** в изречения, които са подобни на пословици,

One never knows... *Никога не се знае (човек никога не знае)...*

3. личните местоимения **we, you, they,** употребени според лицето, което говори, и според лицето, към което то се обръща. Например:

• един англичанин казва:

We drink beer... *Пие се бира* (във Великобритания).

• един англичанин казва на французин:

You drink wine in France... *Във Франция се пие вино...*

• говорейки за хора, които не са там:

They drink a lot of beer in Germany.
В Германия се пие много бира.

4. **Somebody,** когато не е известна самоличността:

Listen! Somebody's coming. *Слушай! Някой идва.*

5. **People:**

People like good food in this country.
В тази страна харесват хубавата храна.

B4 АМЕРИКАНСКИТЕ ИНСТИТУЦИИ

Те се основават на принципа на федерализма и на разделението на законодателната, изпълнителната и съдебната власт.
Основополагащият документ за това е Конституцията от 1789 г.

■ Изпълнителната власт

Президентът (**the President**), избиран за четири години, може да бъде повторно избран само още веднъж. Той живее в *Белия дом,* (**the White House**). Неговите правомощия правят американската система президентска, смекчена от ефективния контрол, упражняван от конгреса и местната власт в различните щати.

■ Законодателната власт

Тя е представена от *Конгреса* (**the Congress**), чието седалище се намира на един хълм във Вашингтон, **Capitol Hill.** Той е съставен от две камари:

• *Камарата на представителите* (**the House of Representatives**), чиито членове се избират за две години; броят на представителите от всеки щат зависи от неговото население. Сега има 435 представители.

• *Сенатът* (**the Senate** [senit]), който включва по двама сенатори на щат (или общо сто сенатори), избирани за шест години, една трета от които могат да бъдат подменяни на всеки две години.

■ Съдебната власт

• *Върховният съд* (**the Supreme Court**) взема решения като последна инстанция за конституционността на законите, както и за мерките, предприемани в различните щати. Той е институцията, която взема окончателното решение за смъртното наказание, за аборта и т.н.

Върховният съд включва девет съдии, назначени пожизнено от конгреса по *предложение* (**nomination**) на президента.

■ Партиите

Има две основни партии:

• *Републиканците* (**the Republicans**), чиято емблема е *слонът* (**the elephant**), често обозначавани със съкращението G.O.P. (**Grand Old Party**).

• *Демократите* (**the Democrats**) имат на емблемата си *магаре* (**the donkey**).

Това са партиите, които по време на предварителните избори посочват своите *официални кандидати* (**nominees**) за президентското и за вицепрезидентското място, *избирателна листа* (**the ticket**).

Г1 JOBS

Edward: Do you know who I met last week?
Sharon: I have no idea.
Edward: Charlie Baldwin. I met him by chance at the pictures[1].
Sharon: How is he doing? I was told he passed his exam in July.
Edward: Yes, he did. And he was immediately offered a new job, with a much better salary. He was chosen among ten candidates. I didn't understand what his new position is. All I know is (that) he was appointed last month.
Sharon: Have you got his phone number? I want to invite him for the weekend.
Edward: Yes, I have his phone number and his address.

1. **pictures**, *образи,* и (тук) *кино;* американски английски: **movies.** В началото **moving pictures,** *оживени образи.*

Г2 ПРАКТИЧНИ СЪВЕТИ. JOBS (продължение от стр. 66)

hairdresser	[heədresə]	*фризьор*
journalist	[dʒə:nəlist]	*журналист*
lawyer	[lɔ:jə]	*юрист*
manager	[mænidʒə:]	*директор*
mechanic	[mikænik]	*механик*
nurse	[nə:s]	*медицинска сестра*
postman	[poustmən]	*пощальон, пощенски служител*
receptionist	[risepʃənist]	*администратор в хотел*
secretary	[sekritəri]	*секретар, -ка*
shopkeeper	[ʃɔpki:pə]	*търговец,-ка*
teacher	[ti:tʃə]	*учител, -ка, преподавател, -ка*
worker	[wə:kə]	*работник*

Г3 РАБОТА

Едуард: Знаеш ли кого срещнах миналата седмица?
Шарън: Нямам никаква представа.
Едуард: Чарли Болдуин. Срещнах го случайно в киното.
Шарън: Как е той? Казаха ми, че си е взел изпита през юли.
Едуард: Да и веднага му предложили нова работа, с много по-добра заплата. Бил избран между десет кандидати. Не разбрах каква е новата му длъжност. Всичко, което знам, е, че е бил назначен миналия месец.
Шарън: Имаш ли телефонния му номер? Искам да го поканя за уикенда.
Едуард: Да, имам телефона и адреса му.

Г4 АМЕРИКАНСКИТЕ ИНСТИТУЦИИ (продължение от В4, стр. 213)

■ Президентът се избира съгласно система от две нива: всеобщо гласуване и от избирателна колегия, чиито членове по традиция гласуват както болшинството от избирателите във всеки от щатите. И така, кандидатът, който спечели мнозинство при всеобщите избори в даден щат, получава и съвкупността от гласовете на избирателната колегия в този щат.

■ Администрацията, **the Administration**
Това е името, дадено на правителството, т.е. на държавните секретари и висшите чиновници, от които е заобиколен президентът.

Забележка: Често явление е президентът да е от една партия, а конгресът, или едната от двете камари, да е доминиран от друга партия.

КАКВО ОЗНАЧАВА **PUBLIC HOUSE?**

⇨ *ОТГОВОР НА СТР. 245*

26 She has seen many films

A1 ПРЕДСТАВЯНЕ

■ Миналото причастие се образува:
- за правилните глаголи също като минало време
  infinitif + ed
- за неправилните глаголи (наречени още „силни“): специална форма за всеки глагол (сравни Бележки на стр. 368).

Сегашно перфектно време е сложно време, образувано с **to have** + миналото причастие

Например: **I have visited...** *Аз съм посетил...*
She has driven... *Тя е карала...*
- Във въпросителна форма: **have** + подлог + минало причастие
  Например: **Have you visited?** *Посещавали ли сте?*
- В отрицателна форма: подлог + **have** + **not** + минало причастие
  Например: **She has not driven...** *Тя не е карала...*

Сегашно перфектно време е в действителност време, което е тясно свързано с настоящето. Използва се за действия, извършени в миналото, но с резултат, който е актуален в момента на говоренето.
При тази употреба на сегашно перфектно време никога не се посочва конкретният момент в миналото, когато действието е било извършено.
Например: *Аз съм ходил в Англия. (= Аз познавам Англия).*
I have been to England.
- Сегашно продължително перфектно време:
  to have + been + сегашно действително причастие
- Сегашно перфектно време страдателен залог:
  to have + been + минало причастие

A2 ПРИЛОЖЕНИЕ

1. I have been to the United States more than once.
2. She has seen many films.
3. He has bought two bicycles.
4. He has been hurt in a car accident.
5. What have you been doing lately?
6. I have been working all morning.
7. We have been allowed to park here.
8. She has bought a new dress.
9. I have never met this person.
10. This year she has been studying English.
11. Have you ever been at the Fords?

А3 ЗАБЕЛЕЖКИ (ВЪРХУ ИЗРЕЧЕНИЯ А2)

■ 1. 2. 3. 4. 7. 8. Сегашно перфектно време показва, че се касае за действия, които са станали в неуточнен момент от миналото.

■ 1. 11. Обърнете внимание на идиоматичната употреба на **to be** в смисъл на *отивам* в страна, *посещавам* страна или *отивам у някого, посещавам някого.* Тази употреба съществува само в сегашно перфектно време; в минало време по-скоро бихме казали: **I went to the United States in 1995.** *Ходих в САЩ през 1995 г.*

■ Внимание: Каквото и да е допълнението, сегашно перфектно време се образува винаги със спомагателния глагол **to have.**
I have eaten a cake. **I have been to the USA.**

■ 5. Сегашно продължително перфектно време ще се използва, за да изрази действие, което е започнало в миналото и продължава и в настоящето.

■ 6. 10. По същия начин ще използваме сегашно перфектно, за да опишем едно действие, което, въпреки че е свършило, е част от единицата за време, в която то е разположено.

■ 9. **Never** *никога,* употребено с глагол в положителна форма.

■ 11. **Ever** *някога,* в положителен смисъл във въпросите (буквално – *Били ли сте някога в сем. Форд?*) и в изрази за предположение: **If you ever meet him.** *Ако някога го срещнеш.*

• **at the Fords':** *в сем. Форд,* притежателен падеж, думите **home,** *дом,* или **house** се подразбират.

А4 ПРЕВОД

1. Ходил съм в САЩ повече от веднъж.
2. Тя е гледала много филми.
3. Той е купил два велосипеда.
4. Той е бил ранен при автомобилна злополука.
5. Какво правиш напоследък?
6. Работя цяла сутрин.
7. Разрешиха ни да паркираме тук.
8. Тя си е купила нова рокля.
9. Никога не съм срещал този човек.
10. Тази година тя учи английски.
11. Ходили ли сте някога у семейство Форд?

26 I have known him for years

Б1 ПРЕДСТАВЯНЕ

■ Освен описаните в A1 употреби, сегашно перфектно време се утвърждава в широка степен като време от настоящето в структури, където употребата му е задължителна, за да се опишат действия, които са започнали в миналото и продължават в настоящия момент.

Например: *Аз съм с вас от 10 минути.*

I have been with you for 10 minutes.

Той е с нас от вчера.

He has been with us since yesterday.

• Сегашно перфектно продължително време ще бъде често използвано в този случай (за да отбележи идеята за времетраене).

Тя чака от няколко часа.

She has been waiting for several hours.

• Превод на: аз току-що + глагол в инфинитив

I have + just + минало причастие

Това е близко минало време.

Аз току-що срещнах Питър.

I have just met Peter.

an hour and a half		*един час и половина*
to complete	[kəmpli:t]	*довършвам*
to finish	[finiʃ]	*свършвам*
a report	[ripɔ:t]	*доклад*

for *от* (посочва продължителността на периода, в който се извършва действието)
since *от* (посочва началния момент на действието)

Б2 ПРИЛОЖЕНИЕ

1. **I have been working here for seven years.**
2. **I have been working here since 1994.**
3. **How long have you been working here?**
4. **We have been here for ten minutes.**
5. **We have been waiting for an hour and a half.**
6. **How long have you known Peter?**
7. **I have known him for years.**
8. **She has been studying English for five years.**
9. **He has been studying English since last year.**
10. **I have just completed my report.**
11. **She has just left her office.**
12. **We have just finished our work.**

Б3 ЗАБЕЛЕЖКИ (ВЪРХУ ИЗРЕЧЕНИЯ Б2)

■ 1. 5. 7. 8. **For,** *от,* обозначава времетраене. Продължителната форма поставя ударението точно върху това времетраене.
■ Внимание: **for** означава също *в продължение на,* но в този случай ще се използва минало време, което показва, че действието е завършено. Направете справка с уроци 14 (А2) и 40 (А1, А2, А3).

■ **since** означава *от,* от една начална точка, която може да бъде:

• един век, който е уточнен:
от 19 век **since the 19th century**
от миналия век **since last century**

• година или месец, които са уточнени:
от 1995, **since 1995** *от миналия юни,* **since last June**

• интервал от време: *от вчера,* **since yesterday**

■ 3. 6. **How long = for how long,** *от колко време, колко време има откак.*

■ Внимание: **how long** може да означава *в продължение на, колко време,* но в този случай ще използваме минало време, което показва, че действието е завършено (виж Урок 40, А2).
Бихме могли също да срещнем:
Have you been working here long?
Have you known Peter long?
смисъл, близък до смисъла на изречения 3 и 6; **long = for a long time,** *от дълго време.*

Б4 ПРЕВОД

1. Работя тук от седем години.
2. Работя тук от 1994 г.
3. От колко време работите тук?
4. Ние сме тук от 10 минути.
5. Ние чакаме от час и половина.
6. От колко време познаваш Питър?
7. Познавам го от години.
8. Тя учи английски от пет години.
9. Той учи английски от миналата година.
10. Току-що довърших доклада си.
11. Тя току-що напусна службата (офиса) си.
12. Ние току-що свършихме работата си.

26 Упражнения

B1 УПРАЖНЕНИЯ

А. Преведете: *от* (действието продължава от известно време).
1. Те повтарят едно и също нещо от години.
2. От месеци чакам отговора им.
3. Той е болен от три седмици.
4. От шест месеца тя се надява да спечели мача.

Б. Преведете: *от* (действието продължава от една определена дата, един определен момент).
1. Той повтаря това от снощи.
2. Той чака отговора ви от юни 19...
3. Той е болен от миналата седмица.
4. Агата се надява да вземе този изпит от миналата година.

В. Преведете: *от колко време?*
1. От колко време познаваш Валери?
2. От дълго време ли познавате семейство Ууд?
3. От дълго време ли чакате?
4. От дълго време ли си тук?

Г. Преведете: с *току-що...*
1. Тя току-що си взе изпита.
2. Аз току-що прекарах една седмица в Шотландия.

B2 ОТГОВОРИ

А. 1. They have been repeating the same thing for years.
2. I have been waiting for their answer for months.
3. He has been ill for three weeks.
4. She has hoped to win this match for six months.

Б. 1. He has been repeating that since yesterday evening.
2. He has waited (или **has been waiting**) for your answer since June, 19...
3. He has been ill since last week.
4. Agatha has hoped to get this exam since last year.

В. 1. How long have you known Valerie?
2. Have you known the Woods long?
3. Have you been waiting long?
4. Have you been here long?

Г. 1. She has just passed her exam.
2. I have just spent a week in Scotland.

В3 СРЕДСТВАТА ЗА МАСОВА ИНФОРМАЦИЯ ВЪВ ВЕЛИКОБРИТАНИЯ (Media)

ПЕРИОДИЧНИ ИЗДАНИЯ

Британците са големи читатели на *вестници* (**newspapers** [njuzpeipə:z]). Съществуват 6000 заглавия в най-разнообразни области и ежедневници (**dailies**), излизащи в тираж приблизително 25 милиона *екземпляра* (**copies** [kɔpiz]).

Можем да различим четири вида вестници:

■ Тъй наречените качествени вестници (**quality papers**):

• **The Times,** най-старият (1785 г.). Консервативен по своята същност, той се чете от *управляващата класа* (**the Establishment** [istæbliʃmənt]), от деловите среди и от *хората, упражняващи свободни професии* (**the professions** [prəfeʃənz]);

• **The Daily Telegraph**, с дясна ориентация и с тираж, превишаващ един милион екземпляра;

• **The Financial Times** [fainænʃəl taimz], независим;

• **The Guardian** [ga:diən], (1821 г.), с лява ориентация;

• **The Independant** (1986 г.), център.

■ *Популярни издания* (**popular press**):

• **The Sun,** независимо издание, в малък формат, по-скоро с агресивен и шовинистичен характер, той е най-четеният вестник и излиза ежедневно в тираж, превишаващ 4 милиона екземпляра.

• **The Daily Mirror,** ляв център, специализиран в рубриката „Разни“ и в скандалите; излиза в повече от 3 милиона тираж.

• **The Daily Mail,** дясно ориентиран, излизащ приблизително в два милиона тираж.

■ *Недрелни вестници* (**Sunday papers**):

Много обемисти, те съдържат освен *новини* (**news**), и многобройни *рубрики* (**reviews** [rivju:z]): художествени, спортни и т.н.

• **The Sunday Times,** консервативен (с близо 1,5 милионен тираж);

• **The Sunday Telegraph,** десен център (с повече от 600 000 екземпляра тираж);

• **The Observer** (1791 г.) независим, с тираж, превишаващ 700 000 екземпляра;

• **News of the World,** вестникът с най-голям тираж в световен мащаб (5 милиона екземпляра), е представител на *скандалната преса* (**gutter press,** буквално *преса за канала*); съдържа подробна информация за престъпления и неприлични приключения.

■ *Илюстрованите* списания (**magazines**): тук се срещат *седмичниците* (**weeklies**) и *месечните* издания (**monthlies**). В тях са засегнати всички области на живота – от икономиката и финансите с **The Economist** до скандалите с **Private Eye** или политиката и културата с **The Spectator.**

Г1 TELEVISION

Patricia: **Is there anything good on television tonight, Henry?**
Henry: **Not much. BBC 1 has a documentary.**
Patricia: **Oh, really? About what?**
Henry: **Animals in Africa.**
Linda: **And what about BBC 2?**
Henry: **The usual programmes about culture, painting and the theatre.**
Patricia: **I suppose ITV is all stupid comedy programmes?**
Henry: **That's right.**
Linda: **There's great concert on Channel Four.**
Patricia and Henry: **Good, let's watch that!**

Г2 РАДИО И ТЕЛЕВИЗИЯ ВЪВ ВЕЛИКОБРИТАНИЯ

■ BBC; създадена през 1927 г., BBC (**British Broadcasting Corporation**) е обществена институция, разполагаща с Кралска харта, която ѝ осигурява независимост. Тъй като не излъчва никакви реклами, тя се финансира чрез събирането на *такси* (**licence fee** [laisəns fi:]), които се заплащат от зрителите, както и от свои собствени приходи:

– Продажба на собствени издания (илюстровани списания) като **Radio Times**, както и поредици от предавания, радващи се на успех.

– Продажба на *права* (**rights** [raits]) върху негови репортажи, поредица от тематични предавания и *пиеси* (**dramas**).

– Продажба на учебници за езикови курсове по английски (**English by Radio and Television**).

• Телевизия: BBC притежава два канала:

– **BBC 1** – канал с по-обща програма, радваща се на голяма зрителска аудитория;

– **BBC 2** – канал с преобладаващо културни програми.

• Радио **BBC** има четири радиостанции: **Radio 1**, което разпространява популярна музика; **Radio 2 (Light Programme)**, с по-разнообразна програма; **Radio 3** с програма, в която преобладават музикални и културни предавания; **Radio 4**, специализирано в информационни предавания.

Г3 ТЕЛЕВИЗИЯ

Патриша: Има ли нещо хубаво по телевизията тази вечер, Хенри?
Хенри: Нищо особено. BBC 1 излъчва документален филм.
Патриша А, така ли? За какво?
Хенри: За животните в Африка.
Линда: А по BBC 2?
Хенри: Обичайните емисии за култура, живопис и театър.
Патриша: Предполагам, по ITV има само глупави комични предавания.
Хенри: Точно така.
Линда: По 4-ти канал има страхотен концерт.
Патриша и Хенри: Добре, ще го гледаме.

Г4 РАДИО И ТЕЛЕВИЗИЯ ВЪВ ВЕЛИКОБРИТАНИЯ

■ Частни станции (канали)
Успоредно с BBC съществуват два частни телевизионни канала:

• ITV (**Independent Television**), обединяваща група от частни местни фирми; издържаща се от реклами, тя излъчва много популярни предавания.

• **Channel Four**, *Четвърти канал,* излъчва предимно културни предавания, чуждестранни филми, опери и т.н.

НЯКОЛКО ДУМИ ОТ ТЕЛЕВИЗИОННИЯ РЕЧНИК

commercials *телевизионна реклама*
evening news *вечерен информационен бюлетин*
series *поредица от тематични предавания*
talk show *телевизионна беседа*

КАКВО ОЗНАЧАВА **HABEAS CORPUS**?

⇨ *ОТГОВОР НА СТР. 311*

27 Come in!

A1 ПРЕДСТАВЯНЕ

■ Много от английските глаголи, когато са последвани от предлози, могат да имат уточнен или леко променен собствен смисъл.

- **in** означава *проникване, навлизане*
- **out** означава *движение на излизане, на оттегляне*
- **up** означава *движение нагоре*
- **down** означава *движение надолу*
- **off** означава *заминаване* или *разделяне*
- **away** означава *отдалечаване*
- **on** обозначава *факта на носене, на обличане на дреха* или *продължение*

to come in		*влизам*
to show in		*въвеждам в стая*
to let in		*вкарвам; пускам да влезе*
to go out		*излизам*
to look up		*вдигам очи*
to put down		*поставям*
to be off		*тръгвам*
to run away		*избягвам*
to put on		*поставям; обличам*
to pass on		*прекарвам; подавам*
to move out	[mu:v aout]	*премествам се в ново жилище*
to take off	[teik ɔf]	*отлитам; свалям дреха*
to go on, to carry on		*продължавам*
the end		*край*
frightened	[fraitənd]	*уплашен, -а*
occasion	[əkeiʒən]	*случай*

A2 ПРИЛОЖЕНИЕ

1. **Come in!**
2. **Show her in!**
3. **Let them in!**
4. **We'll go out in a minute.**
5. **They will move out at the end of the month.**
6. **He looked up.**
7. **Put your case down.**
8. **The plane is going to take off.**
9. **Off we go!**
10. **I must be off.**
11. **The frightened boy ran away.**
12. **She put on a new dress for the occasion.**
13. **Pass it on.**
14. **Go on! Carry on!**

27 Влезте!

A3 ЗАБЕЛЕЖКИ

■ Докато предлогът **in** (сравни Урок 24) служи да обозначи място, положение, например: **to work in a room,** *работя в една стая,* то предлогът **in**, поставен след глагола, означава самото влизане: **Come in!** *Влезте!*
За да получим същата идея за влизане в дадено място, би трябвало да използваме предлога **into,** последван от допълнение:
Come into the room. *Влезте в стаята.*
■ **Show her in!** *Поканете я да влезе!* Именно предлогът **in,** поставен след глагола, придава главния смисъл на изречението; именно него превеждаме на български език.
■ Сравнете: **Look at me!** *Погледнете ме!* и **Look up!** *Вдигнете очи!* В първия случай предлогът **at** може да се използва само с едно допълнение, **me**. Без допълнение той изчезва: **Look!** *Гледай!* В замяна на това предлогът **up,** поставен след глагола, образува едно цяло с него и следователно той продължава да съществува в инфинитив и в повелително наклонение:

to look up	*вдигам очи*
look up!	*вдигни очи!*

■ **Off we go!** В този частен случай мястото на **off** в началото на изречението придава по-голяма живост на израза.
■ **The frightened boy ran away:** именно предлогът **away,** поставен след глагола, придава главния смисъл на изречението (отдалечаване, бягство), като глаголът посочва начина, по който се извършва действието. Сравнете с:

He ran out.	*Той излезе, тичайки (като тичаше).*
The car drove away.	*Колата се отдалечи.*
He walked away.	*Той се отдалечи (вървешком).*

A4 ПРЕВОД

1. Влезте!
2. Поканете я да влезе!
3. Пуснете ги да влязат!
4. Ние ще излезем след минута.
5. В края на месеца те ще се преместят в друга квартира.
6. Той вдигна очи (поглед).
7. Оставете си куфара.
8. Самолетът ще излети.
9. Да тръгваме!
10. Трябва да тръгвам.
11. Уплашеното момче избяга.
12. За случая тя си облече нова рокля.
13. Подайте го нататък.
14. Продължавайте! Продължавайте!

27 Hurry up!

Б1 ПРЕДСТАВЯНЕ

• С глагола **to get** смисълът зависи изцяло от предлога, който го следва: **to get out**, *излизам;* **to get up**, *ставам.*

• Най-общо казано, предлогът, поставен след глагола, подсилва, уточнява или променя смисъла му. Тези глаголи са фразеологични. Познаването на общия смисъл на предлога, поставен след глагола, помага да се разбере смисълът на изреченията. И тъй като знаем, че предлогът **on**, поставен след глагола, означава продължение, това позволява да разберем:

I must get on with my work. *Аз трябва да продължа работата си.*
They don't get on at all. *Те не се разбират въобще.*

Но преводите могат да се променят много в зависимост от контекста.

to get in	*влизам*
to get up	*ставам*
to get out	*излизам*
to go on	*продължавам*
to get down	*започвам да*

to wake up	[weik ʌp]	*събуждам се*
to hurry up	[hʌri ʌp]	*бързам*
to give up		*изоставям, отказвам се*
to slow down	[slou daun]	*забавям*
to turn down	[tə:n daun]	*отхвърлям предложение*
to look out, to watch out		*внимавам*
work	[wə:k]	*работа*
business	[biznis]	*работа, сделки*

Б2 ПРИЛОЖЕНИЕ

1. Get in!
2. Get up!
3. Get out!
4. I must get on with my work.
5. They don't get on at all.
6. Let's get down to work.
7. Let's get down to business.
8. Wake up! Wake him up!
9. Hurry up!
10. I give up!
11. Slow down!
12. The offer was turned down.
13. Look out! Watch out!

27 Побързайте!

Б3 ЗАБЕЛЕЖКИ

Един и същ предлог може да е част от фразеологичен глагол и да е същински предлог:
• без да има промяна в смисъла:
(фразеологичен глагол) **he ran up** *той се качи, като тичаше*
(същински предлог) **he ran up the stairs** *той изкачи стълбите, тичайки*
(фразеологичен глагол) **he got off** *той слезе*
(същински предлог) **he got off the bus** *той слезе от автобуса*
• с промяна на смисъла:
on, предлог: *върху*
on, предлог, поставен след глагола: може да означава *продължение*
■ Един глагол с предлог, който го следва, може да бъде последван от втори предлог, който въвежда допълнение:
I must get on with my work. *Трябва да продължа работата си.*
Let's get down to work. *Да се залавяме за работа.*
He looked up at me. *Той вдигна очи, за да ме погледне.*
■ Един и същ предлог, поставен след глагола, може да има различен смисъл: така например **up** в **get up**, *ставам;* **to hurry up**, *бързам,* **to give up**, *отказвам се.*
■ Допълнението на един глагол, след който има предлог, се поставя:
• между глагола и следващия го предлог, ако се касае за местоимение:
Put it down! *Сложи го!* **Show her in!** *Накарайте я да влезе!*
• преди или след предлога, поставен след глагола, ако се касае за съществително:
Put your case down или **Put down your case!** *Оставете си куфара.*

Б4 ПРЕВОД

1. Качете се! *или* Влезте!
2. Ставайте! Станете!
3. Излезте! Излез!
4. Трябва да продължа работата си.
5. Те въобще не се разбират.
6. Да се залавяме за работа!
7. Да се залавяме за работа!
8. Събуди се! Събудете го!
9. Побързай! (Побързайте!)
10. Отказвам се.
11. Намали! Намалете!
12. Предложението бе отхвърлено.
13. Внимавай! Внимавайте!

27 Упражнения

B1 УПРАЖНЕНИЯ

А. Преведете на български език:
1. Show them in!
2. Carry on!
3. I want to go out.
4. When does the plane take off?
5. Look up!
6. The flat is too small, we'll have to move out.
7. We must be off.
8. Why did he run away?

Б. Преведете на английски език:
1. Влезте! 2. Оставете си куфара! 3. Продължете!
4. Почакайте! 5. Погледнете! 6. Излезте!
7. Събудете се! 8. Намалете!

В. Въведете допълнението her с глаголите to wait, to wake up, to listen, to show in (внимавайте дали се касае за предлог или за фразеологичен глагол).

Г. Въведете допълнението her brother след същите глаголи:
1. Wait...! 2. Wake...! 3. Listen...! 4. Show...!

B2 ОТГОВОРИ

А. 1. Накарайте ги да влязат!
2. Продължете!
3. Искам да изляза.
4. Кога излита самолетът?
5. Вдигни очи!
6. Апартаментът е твърде малък, ще трябва да се преместим в ново жилище.
7. Трябва да тръгваме.
8. Защо избяга той?

Б. 1. Come in! 2. Put your case down. 3. Go on! 4. Wait! (Предлогът **for** ще се появи само с допълнение. Например: **Wait for me!**)
5. Look! (Предлогът **at** ще се появи с допълнение, напр.: **Look at this!**)
6. Go out! 7. Wake up! 8. Slow down!

В. 1. Wait for her! 3. Listen to her!
2. Wake her up! 4. Show her in!

Г. 1. Wait for her brother. 2. Wake her brother up, *или* wake up her brother. 3. Listen to her brother. 4. Show her brother in, *или* show in her brother.

В3 СРЕДСТВАТА ЗА МАСОВА ИНФОРМАЦИЯ В САЩ

■ ВЕСТНИЦИ (ПЕРИОДИЧНИ ИЗДАНИЯ)

В САЩ съществуват 1500 ежедневника и пресата продължава да упражнява голямо влияние върху общественото мнение, въпреки нарастващото влияние на телевизията. Много градове притежават свой собствен вестник, но някои заглавия разполагат с много широка читателска публика в национален мащаб. Сред тях са:

• **The New York Times** (основан през 1851 г.) с близо 900 000 броя тираж;

• **The Washington Post** (1877 г.) с тираж 600 000 броя, изиграл голяма роля за оставката на президента Никсън с разкритието на скандалната афера **Watergate;**

• **The Los Angeles Times** – 1 300 000 броя тираж;

• **The Chicago Tribune** – 1 200 000 броя тираж.

Трябва да отбележим, че неделните притурки могат да достигнат до неколкостотин страници.

Сред *седмичниците* (**weeklies**) заглавия като **Time, Newsweek, US News and World Report** се радват на международна читателска аудитория.

■ ТЕЛЕВИЗИЯ

Телевизията в САЩ представлява огромна индустрия. *Разпространението* (**broadcasting**) на емисиите се осъществява от стотици местни частни станции, които за една част от програмите си се захранват от три големи *национални канала* (**national networks**) с 60 % зрители и които покриват цялата територия: **NBC** (**National Broadcasting Corporation**), **ABC** (**American Broadcasting Corporation**) и **CBS** (**Columbia Broadcasting System**). Заради часовата разлика техните програми се променят според отделните щати. И трите *си съперничат* (**compete**) заради *рекламодателите* (**advertisers**), които ги финансират, да привлекат по-голямата *част* (**share**) от зрителите *в най-гледаното време* (**prime time**).

Съществува един независим обществен канал, **PBS** (**Public Broadcasting System**), с 3% зрители, без реклами, с културна насоченост, финансиран изцяло от дарения, от спонсори и от държавата. И най-сетне сред кабелните канали се откроява **CNN** (**Cable News Network**), който разпространява новини 24 часа в денонощието и който доби известност в цял свят благодарение на преките си репортажи по време на войната в Персийския залив.

27 Диалози и практични съвети

Г1 SHOPPING (1)

Linda Jones: **I'm going out shopping. Does anyone want anything?**
Betty: **I'll have that new dance CD.**
Jim: **And I'll have a new Walkman.**
Linda Jones: **Very funny – I'm only going to the local shop.**
Betty: **Then I'll have some chocolate.**
Jim: **And an orange juice for me please.**
IN THE LOCAL SHOP
Linda Jones: **Two pounds of apples, a pint of milk, a bar of chocolate and a carton of orange juice please.**
Ms Smith: **Certainly Mrs. Jones. That'll be two pounds ten pence please.**
Linda Jones: **There you are. Thank you. Bye.**
Ms Smith: **My pleasure. Goodbye.**

Г2 ПРАКТИЧНИ СЪВЕТИ: ХАЙ-ФИ И ИНФОРМАТИКА

• Все по-голям брой *магазини* (**shops**) във Великобритания и в САЩ (**stores**) предлагат *пълна гама* (**full range**) от *високонадеждно оборудване* (**Hi-Fi equipment**) или от *електронноизчислителна техника* (**computers**). Ето няколко полезни думи:

Accessories, *аксесоари (спомагателно оборудване)*
Amplifier, *усилвател*
Cassette-player, *касетофон*
CD (Compact Disc, ам. **disk)**, *компактдиск*
CD-Player, *четящо устройство на компактдиск*
DVD (Digital Video-Disc), *дигитална видеокасета*
Loudspeaker, *уредба, високоговорител*
Switch on/ off (to), *включвам/изключвам* (за електроапаратура)
Tuner, *радиоприемник*

Г3 ПОКУПКИТЕ

Линда Джоунс: Излизам да пазарувам. Някой иска ли нещо?
Бети: Аз искам новия компактдиск с танцова музика.
Джим: А аз искам нов уокмен (букв. ще взема).
Линда Джоунс: Много смешно, само че аз отивам до квартал-ния магазин.
Бети: Е, тогава аз искам шоколад.
Джим: И един портокалов сок за мен, ако обичаш.
В КВАРТАЛНИЯ МАГАЗИН
Линда Джоунс: Два фунта (≈ 1 кг) ябълки, една пинта (≈ 1/2 л) мляко, един шоколад и една кутия портокалов сок, ако обичате.
Г-жа Смит: Разбира се, госпожо Джоунс. Струва две лири и десет пенса, моля.
Линда Джоунс: Ето. Благодаря. Довиждане.
Г-жа Смит: За мен беше удоволствие. Довиждане.

Г4 ПРАКТИЧНИ СЪВЕТИ

CDRom (compact disc read only memory), *сидиром*
Click (to) a button, *натискам бутон*
Decoder, *дешифриращо устройство*
Digital camera, *цифрова камера*
Floppy (disk), *дискета*
Laptop microcomputer, *лаптоп, портативен компютър*
PC (personal computer), *персонален компютър*
Printer, *принтер*
Screen, *екран*
Software, *програмен продукт*

КАКВО ОЗНАЧАВА ИЗРАЗЪТ **SUNNY-SIDE UP**?

⇨ *ОТГОВОР НА СТР. 272*

28 We often spend our holidays abroad

A1 ПРЕДСТАВЯНЕ

■ Както на български език, така и на английски наречията са неизменяеми части на речта, които допълват смисъла на глагола. Наречията за време: **never**, *никога;* **always**, *винаги;* **often**, *често;* **still**, *още,* и наречията за количество: **almost**, *почти;* **hardly**, *едва,* се поставят:

• в положително изречение преди сказуемото, което те допълват:
We often spend our holidays abroad.
Често прекарваме ваканцията в чужбина.

• в отрицателно или въпросително изречение между спомагателния глагол (**to be, to have, to do**) или модалния глагол (**I can** и т.н.) и същинския глагол:
We have never spent our holidays abroad.
Ние никога не сме прекарвали ваканцията в чужбина.
Do you always spend your holidays abroad?
Вие винаги ли прекарвате ваканцията в чужбина?
Can you still do it?
Можете ли още да го направите?

always	[ɔlwiz]	*винаги*
almost	[ɔ:lmoust]	*почти*
hardly	[ha:dli]	*едва*
usually	[juʒuəli]	*обикновено*
still		*още; все пак*
occasionally	[əkeiʒənəli]	*от време на време*
to complain	[kəmplein]	*оплаквам се*
to succeed	[səksi:d]	*успявам*
to manage	[mænidʒ]	*справям се; ръководя, управлявам*

A2 ПРИЛОЖЕНИЕ

1. **He is always complaining.**
2. **She is often helped by her mother.**
3. **I can almost do it myself.**
4. **She can hardly believe it.**
5. **They have never succeeded.**
6. **He always manages to be late.**
7. **We often spend our holidays abroad.**
8. **We never have coffee for breakfast.**
9. **Do you often spend your holidays abroad?**
10. **Do you usually have coffee for breakfast?**
11. **We still see him occasionally.**
12. **He hasn't yet arrived. = He hasn't arrived yet.**

А3 ЗАБЕЛЕЖКИ (ВЪРХУ ИЗРЕЧЕНИЯТА ОТ А2)

■ 4. **She can hardly...** внимавайте с **hardly**, което означава *едва, трудно.*

• Да не се смесва с **hard** (прилагателно или наречие), което означава *твърд, твърдо.*

■ 5. Във въпросително изречение се употребява наречието **ever,** *някога.*

Have you ever seen him? *Виждали ли сте го някога?*

■ **To succeed** и **to manage** означават и двете *успявам.* Първият глагол е в смисъл на *постигам*, а вторият – на *справям се.* Обърнете внимание на разликата в конструкцията:
to succeed in doing something **to manage to do something**

■ **We never have coffee...** Забележете, че **to have** тук не е спомагателен глагол (противно на ролята му в изречение 5), а глагол със смисъл *пия.*

■ 10. **Usually**, наречие, образувано от прилагателното **usual + ly**. Този начин на образуване на наречията се среща често. Така например: **real**, **really**, *наистина;* **sad**, **sadly**, *тъжно;* **happy**, **happily**, *за щастие* и т.н.

■ 11. **Occasionally** се поставя в края на изречението, което е често явление при дългите наречия (с повече от три срички).

■ *Още* се превежда със **still** във въпросително или положително изречение, с **yet** – в отрицателно изречение. **Yet** може да се постави между спомагателния глагол и спрегаемия пълнозначен глагол или след спрегаемия пълнозначен глагол.

А4 ПРЕВОД

1. Той винаги се оплаква.
2. Майка ѝ често ѝ помага.
3. Аз мога да го направя почти сама.
4. Тя трудно може да повярва на това.
5. Те никога не са успявали.
6. Той винаги успява да закъснее.
7. Ние често прекарваме ваканцията в чужбина.
8. Ние никога не пием кафе на закуска.
9. Прекарвате ли често ваканцията си в чужбина?
10. Обикновено пиете ли кафе на закуска?
11. Ние още го виждаме от време на време.
12. Той още не е пристигнал.

28 Can you speak slower, please?

Б1 ПРЕДСТАВЯНЕ

• Наречията за място: (**here**, *тук;* **there**, *там;* **above**, *над;* **under**, *под* и т.н.) обикновено се поставят в края на простото или сложното изречение: **I live here.**
• Наречията могат да се отнасят към:
– сказуемото: такъв е случаят с **here** в **I live here.** *Аз живея тук.*
– прилагателното: такъв е случаят с наречието **very** в **He is very courageous.** *Той е много смел.*
– друго наречие: **They work very well.** *Те работят много добре.*
• Някои наречия могат да имат сравнителна степен:

slow	*бавно*	**slower**	*по-бавно*
far	*далече*	**farther**	*по-далече*
well	*добре*	**better**	*по-добре*
hard	*твърдо*	**harder**	*по-твърдо*

• С някои наречия, както с прилагателните (сравни Урок 21, Б), може да се образува въпрос, започващ с **How**:
How often do you meet? *Колко често се срещате?*

then	[ðen]	*тогава*	**slow**	[slou]	*бавно*
to hurt*	[hə:t]	*наранявам*	**slowly**	[slouli]	*бавно*
hard	[ha:d]	*твърд*	**badly**	[bædli]	*лошо*

* Виж неправилни глаголи, стр. 368–370.

Б2 ПРИЛОЖЕНИЕ

1. **Now I live here.**
2. **My parents live farther from the town.**
3. **We have never been there before.**
4. **I was already tired then.**
5. **He is very courageous, he works very hard.**
6. **You must work harder.**
7. **She works very well. She works better than me.**
8. **You speak too fast.**
9. **Can you speak slower, please?**
10. **Can you speak more slowly?**
11. **How often do you meet?**
12. **How badly was he hurt?**

Б3 ЗАБЕЛЕЖКИ

■ **Before** може да бъде:
• предлог: **He arrived before me**. *Той пристигна преди мен.*
• съюз (в смисъл на *преди да*)
I left before he arrived. *Аз тръгнах, преди той да дойде.*
• наречие, като тук в Б2, изречение 3
■ **Hard** тук (в Б2, изречение 5) е наречие в смисъл на *усилено*.
Да не се смесва с **hardly**, *едва*.
■ **Fast** е:
• прилагателно: например: **My car is fast**. *Колата ми е бърза.*
• наречие: (в Б2, изречение 8).
■ Съществуват две наречия за *бавно:* **slow** (което може да бъде също прилагателно в смисъл на *бавен*) и **slowly** (в Б2, изречения 9 и 10), откъдето и две сравнителни степени за превеждане на *по-бавно* **slower** и **more slowly**.
■ **Badly** (Б2, изречение 12) е един от многобройните примери за образуване на наречие от прилагателно чрез прибавяне на суфикса **-ly**. Наречието **badly** може да означава *зле* или както тук – *лошо*.
Например: **It is badly done**. *Това е лошо направено.*
■ **Far** е тук прилагателно, ту, както в случая, наречие. Неговата сравнителна степен е **farther** (сравнете изречение Б2, 2) или **further**, когато посочва продължение или времетраене.
Например: **We can't go further with this discussion.**
Ние не можем да продължаваме този спор.

Б4 ПРЕВОД

1. Сега аз живея тук.
2. Моите родители живеят по-далече от града.
3. Никога не сме ходили там преди.
4. Тогава аз бях вече уморен.
5. Той е много смел, той работи здравата.
6. Трябва да работите повече.
7. Тя работи много добре. Тя работи по-добре от мен.
8. Вие говорите прекалено бързо.
9. Може ли да говорите по-бавно, ако обичате?
10. Може ли да говорите по-бавно?
11. Колко често се срещате?
12. Лошо ли бе наранен?

28 Упражнения. *Обичайни наречия*

В1 УПРАЖНЕНИЯ

А. Прибавете към изречението наречието в скобите. (Внимавайте в словореда!)

1. He is complaining (always).
2. I go to London (often).
3. We have coffee for breakfast (usually).
4. He has't arrived (yet).
5. They have succeeded (never).
6. I can believe you (hardly).

Б. Задайте въпроси, като започнете с how + наречие.

1. He speaks English very well.
2. We live very far.
3. He was driving too fast.
4. They meet very often.
5. He was badly hurt.
6. Usually, she works very hard.

В2 ОТГОВОРИ

А. 1. He is always complaining.
2. I often go to London.
3. We usually have coffee for breakfast.
4. He hasn't arrived yet. (*или* He hasn't yet arrived.)
5. They have never succeeded.
6. I can hardly believe you.

Б. 1. How well does he speak English?
2. How far do you live?
3. How fast was he driving?
4. How often do they meet?
5. How badly was he hurt?
6. How hard does she usually work?

В3 НЯКОЛКО ОБИЧАЙНИ НАРЕЧИЯ

again	[əgein]	*пак; отново*
rarely	[reəli]	*рядко*
seldom	[seldəm]	*рядко*
sometimes	[sʌmtaimz]	*понякога*
early	[ə:li]	*рано*
soon	[su:n]	*скоро*
backward	[bækwə:d]	*назад, отзад*
forward	[fɔ:wə:d]	*напред, отпред*
inside	[insaid]	*вътре*
outside	[autsaid]	*вън, отвън*
maybe, perhaps		*може би*
indeed		*в действителност*
quite	[kwait]	*съвсем, напълно*
only	[ounli]	*само*
together	[təgeðə]	*заедно*

B4 УИЛЯМ ШЕКСПИР (Shakespeare)

■ Малко неща се знаят за най-гениалния творец в английската литература, например, че е роден на 23 април 1564 г. в **Stratford–upon–Avon,** трето дете в семейството на преуспяващ търговец. Смята се, че е посещавал общинското училище от 5- до 14-годишна възраст, като е учил в него латински, както и че е придобил елементарни познания по старогръцки.

През 1582 г. в Стратфорд той се оженва за **Anne Hathaway,** с 8 години по-голяма от него. Срещаме го отново в Лондон през 1588 г., където неговите успехи на драматург скоро ще разгневят претенциозните университетски възпитаници. Занапред репутацията му на актьор и драматург само ще нараства.

През 1594 г. той влиза в трупата на кралския шамбелан (**Lord Chamberlain's men**). Към 1596 г. успява да направи състояние и към 1601 г. купува една хубава къща в **Stratford.** През 1603 г. *Джеймс I,* който наследява *Елизабет* на трона, дарява на трупата **Chamberlain's men** титлата *Кралски артисти.* Шекспир се настанява в *театър „Глобус",* където е акционер, а след това, към 1609 г. – в **Blackfriars theatre.**

През 1613 г. се оттегля в **Stratford** и води охолен живот. Умира там на 23 април 1616 г.

■ Шекспир е написал 37 пиеси, както исторически хроники (поредиците за кралете **Richard** и **Henry**), така и развлекателни пиеси (**A Midsummer Night's Dream** – *„Сън в лятна нощ"*), като не забравяме комедиите (**The Taming of the Shrew**) *„Укротяване на опърничавата"* и трагедиите за *Юлий Цезар.* Много от неговите пиеси са трудни за определяне според класическите критерии за комедия и трагедия. Комичното и буфонадата съпътстват трагичното дори и в най-съвършените му произведения (**Hamlet,** написана през 1600 г., **Othello** – през 1604 г., **Macbeth** – през 1605 г., и **King Lear** – през 1606 г.). Най-чистата поезия, героизмът и благородството се преплитат с отвратителен реализъм, с пороци и престъпления.

Този театър на шум и на гняв, на смях и на меланхолия, изпъстрен с луди крале, с призраци, с предатели, с феи, с герои и непорочни девойки, е имал всичко необходимо, за да се хареса на публиката от Елизабетинската епоха, съставена от представители на всички социални класи – буйни, наивни и суеверни, готови да приемат всички условности (женски роли, изпълнявани от младежи), но страстно увлечени по поезия и екзотика, жадни за знания и очакващи от театъра да задоволи всичките им вълнения и двойната им любов по комичното и трагичното.

Г1 MY ENGLISH IS NOT SO GOOD

Pierre: **Can you speak slower, I mean more slowly please? I don't understand English very well. I've only studied it for two years, and this is my first trip to England.**
Pat: **I think you are doing very well. Your English is much better than my French. Mind you, I only learnt it at school. That was twenty years ago and I didn't work at it very hard. I've had almost no opportunity to speak French ever since.**
Pierre: **Today, if you want to succeed in business, it's more useful to speak English than French.**
Pat: **But it's not enough. English-speaking people should also learn French, Spanish or German...**
Pierre: **Now you're speaking too fast again! Could you repeat please?**

Г2 ГЛАВНИ ПИЕСИ НА ШЕКСПИР

Театърът и поезията на Шекспир, също като Библията, са играли първостепенна роля в развитието на английския език, като са установили културни традиции, споделяни днес от цялата англоговоряща общност.

■ ИСТОРИЧЕСКИ ДРАМИ, МЕЖДУ КОИТО:
King Henry IV, (крал) *Хенри IV;* **King Henry V**, (крал) *Хенри V;*
The Famous History of the Life of King Henry VIII
История за живота на прославения крал Хенри VIII
The Life and Death of King John, (Животът и смъртта на) *Крал Джон*
The Tragedy of King Richard II, (Трагедията на крал) *Ричард II*
The Tragedy of King Richard III, (Трагедията на крал) *Ричард III*

■ ТРАГЕДИИ, МЕЖДУ КОИТО:
Antony and Cleopatra, *Антоний и Клеопатра;* **Coriolanus**, *Кориолан;* **Hamlet, Prince of Denmark**, *Хамлет (принц датски);*
Julius Caesar, *Юлий Цезар;* **King Lear**, *Крал Лир;*
Macbeth, *Макбет;* **Othello, the Moor of Venice**, *Отело, или Мавърът от Венеция;* **Romeo and Juliet**, *Ромео и Жулиета.*

Г3 МОЯТ АНГЛИЙСКИ НЕ Е ЧАК ТОЛКОВА ДОБЪР

Пиер: Може ли да говорите по-бавен, искам да кажа по-бавно, моля ви? Не разбирам много добре английски. Учил съм го само две години и това е първото ми пребиваване в Англия.
Пат: Мисля, че се справяте много добре. Вашият английски е много по-добър от моя френски. Забележете, че съм го изучавал само в училище. Това беше преди 20 години и не работех много сериозно. Оттогава практически не съм имал повод да го говоря.
Пиер: В наши дни, ако човек иска да успее в бизнеса, е по-полезно да говори английски, отколкото френски.
Пат: Но това не е достатъчно. Английски говорящите би трябвало да научат също френски, испански или немски.
Пиер: Ето че отново говорите много бързо. Може ли да повторите, ако обичате?

Г4 ГЛАВНИ ПИЕСИ НА ШЕКСПИР

■ КОМЕДИИ И РОМАНСИ, СРЕД КОИТО:

All's Well that Ends Well, *Всичко е добре, когато свършва добре*
As You Like It, *Както ви се хареса*
The Comedy of Errors, *Комедия от грешки*
Measure for Measure, *Мяра според мяра*
The Merry Wives of Windsor, *Веселите уиндзорки*
A Midsummer-Night's Dream, *Сън в лятна нощ*
Love's Labour's Lost, *Напразни усилия на любовта*
Much Ado About Nothing, *Много шум за нищо*
The Taming of the Shrew, *Укротяване на опърничавата*
Two Gentlemen of Verona, *Двамата веронци*
The Winter' Tale, *Зимна приказка*

КАКВО Е **DONUT**?

⇨ *ОТГОВОР НА СТР. 273*

29 I know a mechanic who'll fix it...

A1 ПРЕДСТАВЯНЕ

who	[hu:]	относително местоимение подлог	*който, която*
who(m)	[hu:m]	отн. местоимение допълнение	*когото*
which	[witʃ]	отн. местоимения подлози и	*който*
that	[ðæt]	допълнения	*когото*

mechanic	[mikænik]	*механик, техник*
newspaper	[njuzpeipə]	*вестник*
physician	[fiziʃən]	*лекар*
prescription	[priskripʃən]	*рецепта*
fellow	[felou]	*другар, индивид, човек*
theatre	[θiətə]	*театър*
relative	[relətiv]	*роднина; относителен, -а*
furniture	[fə:nitʃə]	*мебели, мебелировка*
auction	[ɔ:kʃən]	*търг, аукцион*
evidence	[evidəns]	*факти, доказателство*
quite	[kwait]	*съвсем, напълно*
quietly	[kwaiətli]	*тихо, спокойно*
to fix		*поправям*
to mention	[menʃən]	*споменавам*
to tour	[tuə]	*обикалям*
to write* out		*съставям*

to prove (+ прилагателно) *оказвам се, доказвам* (без прилагателно)

A2 ПРИЛОЖЕНИЕ

1. **I know a mechanic who will fix this in no time.**
2. **The newspapers didn't mention the name of the fellow who was arrested.**
3. **I'll call the physician who wrote out your prescription.**
4. **He was invited to dinner by a relative (whom) he had not seen for years.**
5. **Do you remember the lady with whom we toured Italy? (the lady we toured Italy with?)**
6. **Why didn't you sell me the furniture (which) you got rid of at the auction?**
7. **He gave evidence which proved quite useful to the police.**
8. **We have two children and a dog that travel with us.**

29 Познавам един механик, който ще го поправи...

A3 ЗАБЕЛЕЖКИ

■ Относителни местоимения, изпълняващи ролята на подлог: **who, which, that**; относителни местоимения допълнения: **whom** (съкратено понякога до **who**), **which, that.** Относителните местоимения определят думата, стояща пред тях, която може да бъде лице (**who, whom**), предмет или животно (**which**) или и трите едновременно (**that**).

■ **That** е задължително:
1. Когато относителното местоимение замества както хора, така и животни и неодушевени предмети (A2, 8).
2. След **only, all, first, last** и прилагателни в превъзходна степен.

■ Всяко относително местоимение допълнение може да бъде пропуснато (A2, изречения 4, 5, 6, 7). Все пак, ако е прибавено към някакъв предлог, то предлогът трябва да бъде поставен след глагола, в случай че относителното местоимение е изпуснато (A2, изречения 5 и 6) на мястото, където той би трябвало да се намира, за да въведе допълнението към глагола.
Например: **we came here on a red bus** може да се изрази:
the red bus on which we came here, или
the red bus (which) we came here on.

Забележка: Съкратената форма **who** вместо **whom** (допълнение) не се използва никога след предлог.

A4 ПРЕВОД

1. Познавам един механик, който ще поправи това за нула време.
2. Вестниците не споменаха името на мъжа, който е бил арестуван.
3. Ще повикам лекаря, който е написал рецептата ви.
4. Той беше поканен на вечеря от роднина, когото не беше виждал от години.
5. Спомняте ли си дамата, с която направихме обиколка на Италия?
6. Защо не ми продадохте мебелите, от които се отървахте на търга?
7. Той даде свидетелски показания, които се оказаха доста полезни за полицията.
8. Ние имаме две деца и едно куче, които пътуват с нас.

29 ...our cottage, the roof of which was damaged...

Б1 ПРЕДСТАВЯНЕ

- **of which** *за когото, за която, за които; чийто, чиято*
- **whose** [hu:z] *чийто, чиято, чиито*
- **all that** *всичко това, което*
- **what** *това, което* • **which** *това, което*

pub	[pʌb]	*кафене, кръчма*	**storm**	[sto:m]	*буря*
villages	[vilidʒiz]	*села*	**apple**	[æpəl]	*ябълка*
church	[tʃə:tʃ]	*църква*	**uncle**	[ʌŋkl]	*чичо*
mountain	[mauntin]	*планина*	**sailor**	[seilə:]	*моряк*
iron	[airən]	*желязо*	**love**	[lʌv]	*любов*
cross		*кръст*	**actors**	[æktə:z]	*актьори*
cottage	[kɔtidʒ]	*малка дървена къща*	**single**	[siŋgl]	*сам, -а*
roof	[ru:f]	*покрив*	**huge**	[hju:dʒ]	*огромен, -а*

to bear*	[beə]	*нося*	**delicious**	[diliʃəs]	*възхитителен, -а*
to climb	[klaim]	*катеря се*	**to damage**	[dæmidʒ]	*повреждам*
to cost*		*коствам, струвам*	**to publish**	[pʌbliʃ]	*публикувам*
to spoil*		*развалям*	**to realize**	[riəlaiz]	*давам си сметка*

Б2 ПРИЛОЖЕНИЕ

1. **There was not a single pub in the villages through which we drove.**
2. **We'll climb up the highest mountain, the top of which bears a huge iron cross.**
3. **Here's our cottage, the roof of which was damaged by the storm.**
4. **This is the apple-tree whose apples you found so delicious.**
5. **My uncle is a sailor whose love for the sea cost him a lot.**
6. **Her fiancé, whose parents have a lovely country-house, would like to have their wedding party there.**
7. **All that was said at that meeting should be published.**
8. **He didn't realize what was happening.**
9. **The actors were speaking much too quickly, which spoilt most of our fun.**

Б3 ЗАБЕЛЕЖКИ

■ **Of which,** *чийто (на когото, на която, на които);* използвано за предмети, **of which** се поставя след притежавания предмет:

...the house the roof of which... *къщата, чийто покрив...*

■ **Whose** [hu:z] *чийто (на който);* неговата конструкция напомня конструкцията за притежание (стр. 341): притежаваният предмет, без да е членуван, се поставя след относителното местоимение:

...a sailor whose love for the sea...

...моряк, чиято любов към морето...

Употреба: по принцип запазено само за лица, в съвременния английски език има тенденция **whose** да замести **of which.**

...the tree whose apples... *дървото, чиито ябълки...*

■ **What,** *това, което* – съединява сказуемо и подчинено изречение, което го допълва (изр. 8).

Did she realize what happened?

Разбра ли тя това, което се случи?

■ **Which,** *това, което;* дава допълнителна информация относно предходно изречение (сравни с 9).

They spoke quickly, which spoilt our fun.

Те говориха бързо, което развали удоволствието ни.

Б4 ПРЕВОД

1. В селата, през които минахме с колата, нямаше нито една кръчма.
2. Ние ще изкачим най-високата планина, чийто връх е увенчан с огромен железен кръст.
3. Ето нашата малка дървена вила, чийто покрив беше повреден от бурята.
4. Това е ябълковото дърво, чиито ябълки ви се сториха толкова вкусни.
5. Моят чичо е моряк, чиято любов към морето му коства много.
6. Нейният годеник, чиито родители имат пленителна къща в провинцията, би искал да устроят там приема за сватбата.
7. Всичко, което се каза на събранието, трябва да бъде публикувано.
8. Той не осъзнаваше онова, което се случваше.
9. Актьорите говореха твърде бързо, което развали голяма част от удоволствието ни.

B1 УПРАЖНЕНИЯ

А. Преведете, без да изпускате относителното местоимение:

1. Приятелите, които идват тази вечер.
2. Човекът, с когото говорехте, е мой брат.
3. Колата, чийто покрив е черен, е на Питър.
4. Катастрофата, която видях...
5. Хората, които те посрещат във вторник, ...

Б. Пропуснете относителното местоимение, когато това е възможно:

1. All that glitters is not gold.
2. I know the people who came.
3. I met the people whom you received last summer.
4. I saw the fellow whose fiancée is French.
5. She has a dog and a son that always play together.
6. The car which we drove was fast.
7. These are the only fruit-trees that we have left.

B2 ОТГОВОРИ

А. 1. The friends who are coming tonight.
2. The man to whom you were speaking is my brother.
3. The car the roof of which (whose roof) is black is Peter's.
4. The accident that I saw...
5. The people that (whom) they receive on Tuesdays...

Б. 1. All that...
2. I know the people who came.
3. ...the people (who) you received...
4. ...the fellow whose fiancée...
5. ...a dog and a son that...
6. The car (which) we drove.
7. ...the only fruit-trees (that) we have left.

B3 ПРОИЗНОШЕНИЕ

• Да си припомним:

1. Крайните срички **-tion**, **-(s)sion**, **-cian** и т.н. се произнасят винаги [ʃən], като [ə] е едва доловимо. Освен това сричката, върху която пада ударението, е винаги преди крайната.
2. Окончанието за множествено число **-es** се произнася [iz] след звуковете [s][ʃ][ks][tʃ][dʒ].

auction	[ɔ:kʃən]	boxes	[bɔksiz]
mention	[menʃən]	brushes	[brʌʃiz]
passion	[pæʃən]	churches	[tʃə:tʃiz]
physician	[fiziʃən]	cottages	[kɔtidʒiz]
prescription	[priskripʃən]	crosses	[krɔsiz]
relation	[rileiʃən]	villages	[vilidʒiz]

B4 КРЪЧМАТА (THE PUB)

■ Най-популярното място за събирания във всеки град или село на *Обединеното кралство* (**United King-dom**), както и в Северна и Южна Ирландия, е кварталното заведение, **pub**. Това е съкращението от **Public House**, буквално *обществена къща,* което много лесно се е разпространило в цял свят. То е подобно на българската *кръчма* и на латинската таверна, където по принцип в началото се сервират само алкохолни напитки (**alcoholic drinks** или **liquors**): бира, уиски. Тук се предлагат също и *леки ястия* (**snacks**), най-вече от традиционната кухня, като **ploughman's lunch** (*обеда на орача* – хляб, сирене, лук и масло). До неотдавна тези заведения са били задължени да имат много стриктно *работно време* (**opening hours**), за да се избегне злоупотребата с алкохол.

■ В началото хората ходели да пийнат в **ale-house**, нещо като малка бирария, произвеждаща своя собствена бира. Промишлените *бирарии* (**breweries**), за да наложат собствените си марки, започнали да отварят заведения със собствено име. И така **pub** се превърнал в място за срещи и за събирания на работниците на излизане от работа, а също и в края на седмицата. Дълго време достъпът на жени в него бил забранен, а после ограничен до общодостъпната част, **saloon**, тъй като **public bar** бил запазен само за мъжете.
Впоследствие това се променило и кварталното заведение станало мястото, където се събират всички британци и всички ирландци без разлика на пол и социален статус. В действителност днес там можем да срещнем (във весела и сърдечна обстановка) както бизнесмени, работници и чиновници, така и младежи, студенти и майки. Но достъпът на деца до осемнадесетгодишна възраст си остава забранен.

■ В Лондон има повече от 7000 такива заведения и някои присъстват във всички справочници за града заради уютната обстановка и дълга история. В някои квартали и в провинцията, както и в почти цяла Ирландия, тук все още се събират, за да попеят заедно или за да поиграят на някои традиционни игри като хвърляне на *стрелички* (**darts**).

Г1 AT THE PUB

Jack: **How about a drink in a pub?**
David: **Which one?**
Jack: **The one at the corner of the street.**
David: **Fine.**
Barbara: **Gentlemen, can I help you?**
Jack: **Yes, please, I'd like a beer.**
David: **And I'll have a whisky, please.**
Barbara: **Here you are, that'll be two pounds twenty, please.**
Jack: **It's my round. It's on me.**
David: **Thanks, Jack.**

Г2 ПРАКТИЧНИ СЪВЕТИ

• Запомнете една доста разговорна дума: **booze** означава всякаква алкохолна напитка. **Boozer** означава човек, който пие много (*пиянде, пияница*), или пък английското много разговорно, за кръчма, ***rade***.

Няколко полезни разговорни израза

■ Това, което не трябва да се прави (**Don'ts!**)

To be (a bit) high; a bit jolly; (slightly) tipsy.
Малко съм пийнал.
To be drunk, intoxicated („официален" термин): *Пиян съм.*
To be completely drunk; dead drunk; as drunk as a fiddler.
Мъртво пиян съм.

■ Това, което законите на гостоприемството ви препоръчват да правите:

It's on me this time! *Мой ред е да черпя!*
It's my round! *Мой ред е!*
No, it's on the house! *За сметка на заведението е!*

Г3 В КРЪЧМАТА

Джак: Какво ще кажеш да пийнем в кръчмата?
Дейвид: В коя?
Джак: Тази на ъгъла на улицата.
Дейвид: Много добре.
Барбара: Господа, какво ще поръчате? (буквално: Мога ли да ви помогна?)
Джак: Да, ако обичате. Бих искал една бира.
Дейвид: А аз бих искал едно уиски, моля.
Барбара: Ето. Това прави две лири и двадесет пенса.
Джак: Мой ред е. Аз черпя.
Дейвид: Благодаря, Джак.

Г4 ПРАКТИЧНИ СЪВЕТИ

■ Как става това?
Всички напитки се сервират на бара и се плащат веднага. Не чакайте келнер или келнерка (**waiter, waitress**)! Впрочем никакъв *бакшиш* (**tip**) не е необходим, но *редовни клиенти* (**locals**), черпят от време на време *по чашка* (**a drink**) *бармана* (**bartender**). Младежите на възраст от 14 до 18 г. се допускат само ако са придружени от възрастен; те не могат да консумират алкохолни напитки и зоната на бара си остава забранена за тях. Все още в много от *кварталните заведения* (**local pubs**), както и в тези по селата, се предлагат разнообразни развлечения: *игри на стрелички* (**darts**) с типичната им *мишена* (**dart board**), игри на *домино* (**dominoes**), *билярд* (**pool, snooker**).

КАКЪВ Е ДЕВИЗЪТ НА ГОЛЕМИЯ ЛОНДОНСКИ МАГАЗИН **HARROD'S**?

⇨ *ОТГОВОР НА СТР. 279*

30 How nice of you!

A1 ПРЕДСТАВЯНЕ

- **what** (+ съществително)! — *колко!*
- **how** (+ прилагателно или наречие)! — *колко!*
- **such** (глагол + **such** + съществително)! — *такъв, такава!*
- **so** (глагол + **so** + прилагателно или наречие)! — *толкова!*

pity	[piti]	*състрадание, съжаление, милост*
character	[kærəktə]	*характер; личност, особа*
cook	[kuk]	*готвач*
dinner	[dinə]	*вечеря*
fuss	[fʌs]	*суетене; врява*
garden	[ga:dən]	*градина*
lovely	[lʌvli]	*очарователен, -а; прекрасен, -а*
strange	[streindʒ]	*странен, -а*
surprised	[sə:praizd]	*изненадан, -а*
unexpected	[ʌnikspektid]	*неочакван, -а; внезапен, -а*
to make a fuss		*правя сцени*

A2 ПРИЛОЖЕНИЕ

1. **What a pity!**
2. **What a lovely garden!**
3. **What a strange idea!**
4. **What a nice dinner!**
5. **How nice!**
6. **How nice of you!**
7. **She's such a good cook!**
8. **He's such a character!**
9. **They made such a fuss about it!**
10. **I was so surprised!**
11. **It's so unexpected!**
12. **He's been working so much (so hard)!**

30 Колко мило от ваша страна!

А3 ЗАБЕЛЕЖКИ

■ Възклицанията. Сред тях се открояват три вида:
- тези, които се отнасят към съществителното: **what**
- тези, които се отнасят към прилагателното: **how**
- тези, които се срещат в изр. с глагол: **such, so**

1. **What** + съществително име: Да не се забравя неопределителният член в единствено число: **What a pity!**
2. **How** + прилагателно (или наречие)
   How stupid of him! *Колко глупаво от негова страна!*

■ Внимание:
- **What a pity it is! How nice she is!**

Във възклицателните форми с **what** и **how** глаголът, ако има такъв, се предшества от подлог и се намира след възклицанието.
- Може да има едно или повече прилагателни с **what:**
  What a lovely garden! What a nice little boy!
- Можем да срещнем **how** + прилагателно
  How pleasant an evening (we had)!
  Каква приятна вечер (прекарахме)!

Обърнете внимание в този случай на присъствието на неопределителен член пред името в единствено число (и подлога + глагол в края на изречението).

А4 ПРЕВОД

1. Колко жалко!
2. Каква прекрасна градина!
3. Каква странна идея!
4. Каква хубава вечеря!
5. Колко хубаво!
6. Колко мило от ваша страна!
7. Тя е толкова добра готвачка! (Тя готви толкова добре!)
8. Той е такъв особняк!
9. Те вдигнаха толкова излишен шум по този повод!
10. Бях толкова изненадана!
11. Това е тъй неочаквано!
12. Той работи толкова много!

30 What a funny story!

Б1 ПРЕДСТАВЯНЕ

• Многовариантност на една и съща тема:

funny	[fʌni]	*смешен, -а*
life	[laif]	*живот*
story	[stɔri]	*история, виц*
to have fun		*забавлявам се*
to tell stories		*разказвам истории (вицове)*

• Забележка:
Обърнете внимание, че е трудно, ако не и невъзможно, да има точно съответствие за предаване на наречията от един език в друг. Можем да изберем да наблегнем на една или друга част от изречението (съществително име, сказуемо, прилагателно или наречие). Преводът никога не е стереотипен: *колко, тъй, толкова* могат да бъдат последователно предадени с **how, so, such, what**.

Б2 ПРИЛОЖЕНИЕ

1. **It's so late!**
2. **How late you are!**
3. **It's so funny!**
4. **How funny it is!**
5. **What a funny story!**
6. **It's such a funny story!**
7. **He told us such a funny story!**
8. **What a funny story he told us!**
9. **I never heard such a funny story!**
10. **We didn't know he could be so funny!**
11. **I've never had so much fun in my life!**
12. **I've never had such fun in my life!**

Б3 ЗАБЕЛЕЖКИ

■ Възклицания със **such** и **so**:
Те се намират в изречения с глагол, който обикновено е разположен в началото; **so** се отнася към прилагателното (или наречието), **such** – към съществителното име (не забравяйте неопределителния член в единствено число).

It's so funny!
Толкова е смешно!
It's such a funny story!
Това е една толкова смешна история!
I didn't know he could be so funny!
Не знаех, че той можел да бъде толкова забавен.
He told us such a funny story!
Той ни разказа една толкова смешна история!

■ Забележка: Обърнете внимание на разнообразието от възможни форми за възклицания (А1, Б1). Така може да се подчертае за определена ситуация ту съществителното име, ту прилагателното (или наречието).

Б4 ПРЕВОД

1 Толкова е късно! Колко е късно!
2. Колко сте закъснели!
3. Толкова е смешно! Колко е смешно!
4. Колко е смешно!
5. Каква комична история!
6. Това е една толкова смешна история!
7. Той ни разказа една толкова смешна история!
8. Каква смешна история ни разказа той!
9. Никога не съм чувал толкова смешна история!
10. Ние не знаехме, че той можел да бъде толкова забавен.
11. Никога през моя живот не съм се забавлявал така!
12. През живота си не съм се забавлявал толкова!

B1 УПРАЖНЕНИЯ

А. Преведете на английски език:

1. Колко е тъжно!
2. Колко е тъжно!
3. Толкова е тъжно!
4. Каква тъжна история!
5. Колко е тъжна тази история!

Б. Преведете на български език:

1. How expensive his car is!
2. What an expensive car he has!
3. His car is so expensive!
4. He has such an expensive car.

В. Предайте нюанс на възклицание:

We spent an enjoyable evening with them.

Г. Образувайте възклицание, като наблегнете на думата или тази част от изречението, която е с по-тъмен шрифт:

1. They've bought a **lovely** house.
2. They've bought a lovely **house.**
3. **They've bought** a lovely house.

B2 ОТГОВОРИ

А. 1. How sad it is! It's so sad!
2. It's so sad! How sad it is!
3. How sad it is! It's so sad!
4. What a sad story!
5. How sad this story is!

Б. 1, 2, 3 или 4. Той има толкова скъпа кола!
Колко е скъпа колата му!
Колко скъпа кола има той! и т.н.

В. 1. What an enjoyable evening we spent with them!
2. We spent such an enjoyable evening with them!
3. How enjoyable the evening we spent with them was!
4. The evening we spent with them was so enjoyable!

Г. 1. How lovely the house they've bought is!
2. What a lovely house they've bought!
3. They've bought such a lovely house!

В3 КРИМИНАЛНИ РОМАНИ (DETECTIVE STORIES)

В областта на полицейския и шпионския роман британците са ни дали плеяда от автори, чиито герои запленяват все още всички поколения. Ето четирима от тях:

■ **Arthur Conan Doyle** (1859–1930): роден в Шотландия, Единбург; учи медицина, която упражнява до 1890 г. През 1887 г. той създава героя **Sherlock Holmes,** меланхоличен и безпогрешен частен детектив, когото можем да разпознаем по лулата и каскета, и придружаван от верния си помощник **Doctor Watson,** който ще бъде разказвачът на техните подвизи. Конан Дойл става известен през 1891 г. През 1893 г., след като е публикувал 23 *разказа* (**short stories**), той решава да убие героя си (**character** [kærəktə]). Протестите на неговите читатели го принуждават да го възкреси през 1905 г. и пак да под-хване неговите приключения до 1927 г.

■ **Agatha Christie** (1890–1976): Агата Милър, станала Кристи след първия си брак, публикува през 1920 г. първия си *роман* (**novel**) **The mysterious affair of Styles,** който преди това е бил отхвърлен от шестима издатели. Става известна през 1926 г. с втория си роман *„Убийството на Роджър Акройд“* (**The Murder of Roger Ackroyd**). Тя създава двама герои: **Hercule Poirot,** бивш белгийски полицай, и **Miss Marple,** възрастна неомъжена дама, която провежда разследване на убийствата, ставащи най-често в едно малко, спокойно селце. Между 1920 и 1976 г. написва 87 романа, преведени на повече от сто езика и продавани в стотици милиони екземпляра.

■ **Ian Fleming** (1908–1964 г.): роден в Лондон, възпитаник на прочутото **Public School Eton,** става офицер, а след това журналист в агенция „Ройтерс“. По това време той създава героя си **James Bond,** *таен агент 007* (**secret agent 007** [si:krit eidʒənt dʌbl ou sevʌn]), на служба при Нейно Величество, герой на поредица от бестселъри, измежду които **Doctor No, Casino Royal, Gold-finger, Moonraker, From Russia With Love,** по-голямата част от които са филмирани.

■ **John le Carre** (1931 г.): истинското му име е Дейвид Корнуел, започва кариерата си във Външно министерство, **Foreign Office,** където работи от 1960 до 1964 г. Изпратен по служба в Германия, той ще използва този си опит – Германия, разделена от Берлинската стена и от Студената война, както и познаването на британските тайни служби, – за да напише през 1963 г. романа *„Шпионинът, който идваше от студа“* (**The Spy Who Came in from the Cold**). Льо Каре създава героя **George Smiley,** кротък интелектуалец и главен таен агент, когото срещаме в почти всичките му романи: *„Къртицата“* 1974 г. (**Tinker, Tailor, Soldier, Spy**), *„Отличният ученик“* 1977 г. (**The Honorable Schoolboy**), *„Хората на Смайли“* 1980 г. (**Smiley's People**) и много други.

30 Диалози и практични съвети

Г1 CAN YOU STAY FOR LUNCH?

Mark: What a nice surprise! I'm so glad to see you! It's been such a long time!
Sally: We were driving through[1] the town, so we thought...
Mark: What a good idea! Can you stay for lunch? Then we could show you the town.
Bill: Sorry, but we have to be in Edinburgh tonight.
Mark: What a pity Alice is not here! She'll be so sorry! She already missed you last time.
Sally: We've brought a present for her. Please give it to her on her birthday.
Mark: How nice of you! Do come in and have a cup of tea. At least you could rest for a while.
Bill: Thank you, with pleasure[2].

1. **through** =през; **to drive through** = прекосявам с кола
2. **pleasure** [pleʒə]

Г2 ПРАКТИЧНИ СЪВЕТИ

HOME, SWEET HOME* ДОМ, МИЛ ДОМ

Изразът :

„An Englishman's home is his castle."

Домът на англичанина е неговата крепост.

напомня, че Англия е страна, чиито жители са много привързани към дома си.

Ето видовете къщи, които ще срещнете:

- **Terraced houses** [terəst hauziz]: касае се за *еднакви* (**identical**) къщи, които са залепени една за друга и са разположени в дълги редици, **rows of houses**.

- **Semi-detached houses** [semi ditætʃt hauziz]: касае се за т.нар. *„къщи близнаци"*, т.е. слепени две по две.

***home** = *у дома*

Г3 МОЖЕТЕ ЛИ ДА ОСТАНЕТЕ НА ОБЯД?

Марк: Каква приятна изненада! Толкова се радвам да ви видя! Колко дълго не сме се виждали!
Съли: Минавахме през града с кола и тогава си помислихме, че...
Марк: Каква добра идея! Можете ли да останете за обяд? След това можем да ви покажем града.
Бил: Съжалявам, но трябва да сме в Единбург тази вечер.
Марк: Колко жалко, че Алис не е тук. Тя така ще съжалява за това! Миналия път пак ви пропусна.
Съли: Донесохме подарък за нея. Бъди така добър да ѝ го дадеш за рождения ѝ ден.
Марк: Колко мило от ваша страна! Но влезте да пием по чаша чай. Бихте могли поне малко да си отдъхнете.
Бил: Благодаря, с удоволствие.

Г4 ПРАКТИЧНИ СЪВЕТИ

• **Detached house**: това е *отделна къща,* срещаща се по-рядко. В *предградията,* **suburbs**, и в малките градчета към жилищата често има две градини, едната пред къщата, **front garden**, а другата – зад нея, **back garden**.

Съществуват и хубави *домове,* **mansions** [mænʃənz], разполагащи понякога със затревен *тенискорт,* **grass court**.

В селата често се срещат **cottages** със *сламени* покриви, **thatched** [ðætʃt].

КАК СЕ НАРИЧА АМЕРИКАНСКИЯТ НАЦИОНАЛЕН ХИМН?

⇨ *ОТГОВОР НА СТР. 295*

30а ТЕСТОВЕ – УРОЦИ ОТ 21 ДО 30

*Попълнете с **а**, **б**, **в** или **г**:*
(има само един верен отговор на въпрос)

21. How ______ times did you see him?
а) much
б) often
в) long
г) many

22. She is ______ taller than her sister.
а) so
б) much
в) too
г) more

23. You ______ leave now.
а) may not
б) may to
в) are not allowed
г) not may

24. I ______ born in Paris.
а) am
б) was
в) did
г) have

25. He ______ this position last month.
а) is appointed
б) has appointed
в) was appointing at
г) was appointed to.

(Виж отговорите на стр. 373)

26. She has been _______ five years.
а) to study since
б) studying
в) studying for
г) studied since

27. I must get _______ my work.
а) about on
б) down in
в) away up
г) on with

28. Do you _______ coffee for breakfast?
а) have usually
б) usually have
в) have usually had
г) usually had

29. He is the boy _______ father you met.
а) of whom
б) who the
в) whose
г) which

30. I never heard _______ funny story!
а) so
б) such
в) such a
г) how

(Виж отговорите на стр. 373)

31 He had phoned her

A1 ПРЕДСТАВЯНЕ

• На английски език минало предварително време се образува със спомагателния глагол **to have** в минало време:
had + миналото причастие на главния глагол.

He had phoned her.	*Той ѝ се беше обадил по телефона.*
He had not phoned her.	*Той не ѝ се беше обадил по телефона.*
He hadn't phoned her.	*Той не ѝ се беше обадил по телефона.*
Had he phoned her?	*Той беше ли ѝ се обадил по телефона?*
Hadn't he phoned her?	*Не беше ли ѝ се обадил той по телефона?*

• Продължителната форма на минало предварително време (посочваща действие, което се е извършвало) се получава, като използваме:

had been + глагол + **-ing**

She had been shopping the whole afternoon.
Тя беше пазарувала целия следобед.

• Трябва да се отбележи, че за образуване на английското минало предварително време се използва само спомагателният глагол **to have.**

to admit	[ədmit]	*допускам, признавам*
to shop	[ʃɔp]	*пазарувам*
to lock	[lɔk]	*заключвам*
to pay attention	[ətenʃən]	*внимавам*
to do on purpose	[pə:pəs]	*правя нарочно*

A2 ПРИЛОЖЕНИЕ

1. **We had seen her before.**
2. **He had not phoned us before.**
3. **We had never met them before.**
4. **I didn't know he had worked for them.**
5. **I only knew ha had been in the army.**
6. **I must admit he had told us in advance.**
7. **When we arrived, the train had already left.**
8. **We wanted to help, but he had already done it.**
9. **She was tired, bacause she had been shopping the whole afternoon.**
10. **The garage was locked, and I'm sure he had done it on purpose.**
11. **He had said it so many times that we didn't pay attention.**

A3 ЗАБЕЛЕЖКИ (ВЪРХУ ИЗРЕЧЕНИЯ A2)

■ 4. Обърнете внимание на отсъствието на **that**; в действителност съюзът **that** може да бъде изпуснат в такива конструкции. **I didn't know that he had worked for them** е съвършено вярно, но се среща по-рядко в разговорния език.
Същата забележка се отнася и за изречения 5 и 6.

■ 4. Минало предварително време **he had worked** изразява предварително действие спрямо минало свършено време **I didn't know.**

■ 5. Обърнете внимание на мястото на **only**; по същия начин:

Аз мисля само (че)...	**I only think (that)...**
Аз искам само...	**I only want to...**
Аз желая само...	**I only wish...**
Аз се надявам само...	**I only hope...**

Но при **to be** и непълните глаголи **can, must, may** то се поставя след тях:

Той е само едно хлапе,	**He's only a boy...**
Аз казвам само, че...	**I'm only saying that...**
Аз мога само да кажа, че...	**I can only say...**

■ 6. *Той ни го беше казал предварително.* **He had told us in advance.** Не е необходимо тук да се превежда прякото допълнение. За да го преведем, бихме казали: **He had told us about it in advance.**

• по същия начин с **to ask:**
Защо не им го искате?
Why don't you ask them?

A4 ПРЕВОД

1. Ние я бяхме виждали преди.
2. Той не ни се беше обаждал преди.
3. Ние не ги бяхме срещали никога преди това.
4. Аз не знаех, че той беше работил за тях.
5. Знаех само, че той беше служил в армията.
6. Трябва да призная, че той ни беше казал преди това.
7. Когато пристигнахме, влакът вече беше заминал.
8. Ние искахме да му помогнем, но той вече го беше направил.
9. Тя беше изморена, защото беше пазарувала целия следобед.
10. Гаражът беше заключен и аз съм сигурен, че той го беше направил нарочно.
11. Той го беше казвал толкова често, че ние не обърнахме внимание.

31 He had been in France for a year

Б1 ПРЕДСТАВЯНЕ

• Английското минало предварително време и най-вече формата на **-ing** често се превежда с минало несвършено време, така както и английското сложно време (**present perfect**) е често превеждано със сегашно време.

He had been working for them for several years.
Той работеше за тях от няколко години.
He had been working for them since the war.
Той работеше за тях от войната.

• Действието е било започнато преди и продължава още в миналия момент, за който се говори. Друг пример:
I have been here for 5 minutes. *Аз съм тук от 5 минути.*
I had been there for 5 minutes. *Аз бях там от 5 минути.*

to occur	[əkə:]	*1) идва ми на ум; 2) ставам, случвам се*
wounded	[wundid]	мин. причастие на **to wound**: *ранявам*
marriage	[mæridʒ]	*сватба*
spy	[spai]	*шпионин*
difficulties	[difikəltiz]	*трудности*
difficult		*труден, -а*
same	[seim]	*еднакъв, -а*
probably	[prɔbəbli]	*вероятно*

Б2 ПРИЛОЖЕНИЕ

1. **When I first met him, he had been in France for a year.**
2. **He had been working for them for several years.**
3. **He had been working for them since the war.**
4. **He hadn't been the same since his marriage.**
5. **It hadn't occured to me that he could be a spy.**
6. **He had had a difficult time in the army.**
7. **He had been wounded in the war.**
8. **He had had difficulties getting a new job.**
9. **That's probably why he had accepted their offer.**
10. **When I first met him, he had probably been a spy for years.**

Б3 ЗАБЕЛЕЖКИ (ВЪРХУ ИЗРЕЧЕНИЯ Б2)

■ 1. **When I first met him, ...** също и:
When I first arrived... *Когато пристигнах за първи път...*
■ 3. **for** означава времетраене (продължителност), **since** – начална точка.
■ 5. **to occur**, *ставам, провеждам се, състоя се* (за събитие); но също, както тук, *сещам се.*
Обърнете внимание на удвояването на крайно **r** във формата за минало време **occurred.** Това е нормално за глагол, завършващ на една-единствена гласна, последвана от една-единствена съгласна и върху чиято последна сричка пада ударението.
to shop, shopped **to admit, admitted.**
По същия начин с такива глаголи имаме удвояване на крайната съгласна при формите на **-ing: to get, getting.**
■ 6. **He had had:**
В минало предварително време, както и в сегашно перфектно време (**he has had**), **to have** е спомагателен глагол сам на себе си.
■ 6. **army**: в широк смисъл, *армията,* в по-стеснен смисъл с главно А (**Army**) – *сухопътна армия,* в противовес на **the Navy**, *флота* и **the Air Forces**, *военно-въздушни сили.*
■ 7. **to be wounded**, *ранен съм* от огнестрелно или хладно оръжие; да се направи разлика: **to be hurt**, **to be injured** (автомобилна катастрофа и т.н.).
■ 8. Изразът **to have difficulties** е последван от глагол с форма на **-ing**.

Б4 ПРЕВОД

1. Когато го срещнах за първи път, той беше във Франция от година.
2. Той работеше за тях от няколко години.
3. Той работеше за тях от войната.
4. Той вече не беше същият след сватбата.
5. Не ми беше дошло на ум, че той може да бъде шпионин.
6. В армията той беше преживял един труден период.
7. Той беше ранен през войната.
8. Беше срещнал трудности в намирането на работа.
9. Ето защо вероятно той беше приел тяхното предложение.
10. Когато го срещнах за първи път, той вероятно беше шпионин от години.

31 Упражнения

B1 УПРАЖНЕНИЯ

А. Преведете на английски език:

1. Сигурен съм, че тя го беше направила нарочно.
2. Никога не го бяхме срещали.
3. Преди той беше имал трудности.
4. Аз не бях обърнала внимание.
5. Когато ние пристигнахме, той вече беше тръгнал.
6. Той се беше съгласил два дни преди това.
7. Той работеше за тях от две години.

Б. Попълнете със *since* или *for* и преведете:

1. She had been listening... hours.
2. They had been watching TV... 5 o'clock.
3. He had been borrowing money... his marriage.
4. We had been walking... a long time.
5. I had been working with them... the war.
6. He had been sick... a week.

B2 ОТГОВОРИ

А.
1. I'm sure she had done it on purpose.
2. We had never met him.
3. He had had difficulties before.
4. I hadn't paid attention.
5. He had already left when we arrived.
6. He had accepted two days before.
7. He had been working for them for two years.

Б.
1. **for:** Тя слушаше от часове.
2. **since:** Те гледаха телевизия от 5 часа следобед.
3. **since:** Той вземаше пари назаем още от времето на сватбата им.
4. **for:** Ние вървяхме от дълго време.
5. **since:** Работех с тях от войната.
6. **for:** Той беше болен от седмица.

В3 ЗДРАВЕОПАЗВАНЕТО (HEALTH)

■ Във Великобритания *Националната здравна служба,* **the National Health Service (NHS)** е била създадена през 1946 г. от *лейбъристкото правителство* (**Labour Government**) на **Clement Attlee.** Представлявала е една благородна система, включваща в частност *безплатно медицинско обслужване* (**free health care**). Тя продължава да бъде финансирана от вноските на служителите и на работниците, както и на работодателите. Това е периодът, който тогава наричали *държава-покровител* (**Welfare State**). Освен това съществува *социално осигуряване* (**Social Security**), но то касае само материалната и финансова помощ на държавата по отношение на *бедните* (**people in need**). Цялата национална територия е разделена на райони, които са обхванати от общопрактикуващи местни лекари.

В рамките на NHS всеки човек над 16 години може да избере своя лекар, който пък е свободен да приеме или да откаже пациента. По същия начин стоят нещата и със *стоматолозите* (**dentist** или **dental surgeon**). Възможно е пациентът да си смени лекаря със съгласието на предишния или пък поради преместване в друго жилище. При пътуване пациентите могат да бъдат лекувани, като се обърнат към *местната медицинска служба* (**Family Doctor Service**). Обикновено *медицинското лечение* (**medical treatment**) за туристи е безплатно, и най-вече за тези, които преди тръгване са взели необходимите мерки, за да се снабдят с формуляр МО от Общественото осигуряване. Списъкът на *общопрактикуващите лекари* (**general practitioners** или **GPs**) може да се намери в *кметствата* (**Town Halls**) на Великобритания. Ако трябва да пребивавате известно време на едно и също място, за предпочитане е *да се запишете* (**to register**) при местен общопрактикуващ лекар. *Лекарствата* (**drugs** или **medicines**), фигуриращи върху *рецептата на лекаря* (**the doctor's prescription**), се получават в *аптека* (**pharmacy**).

В зависимост от *диагнозата* (**diagnosis**) най-сериозните случаи могат да бъдат лекувани в *болница* (**hospital**), където се намират *лекари специалисти* (**specialists**) и *хирурзи* (**surgeons**).

■ В САЩ единствената система, покриваща цялата страна, се отнася до възрастните хора (**Medicare**) и до най-бедните (**Medicaid**). Колкото до останалите граждани, техните разходи често са покривани от работодателите им или пък те самите са принудени да внасят членски внос в частни каси.

31 Диалози и практични съвети

Г1 TAXIS

Frank: **Taxi! Excuse me, are you free?**
Taxi driver: **Certainly. Where do you want to go?**
Frank: **To Piccadilly Circus please.**
Taxi driver: **I'm afraid I won't be able to take all those passengers and their bags as well.**
Jane: **That's all right. We'll take a second taxi.**
Frank: **How much will it cost to go to Piccadilly Circus, more or less?**
Taxi driver: **About five pounds if the traffic is not too bad.**
Frank: **Fine. Right, Jane, I'll take the kids and you take your sister and we'll meet at Piccadilly Circus.**

Г2 ПРАКТИЧНИ СЪВЕТИ

С ТАКСИ В ЛОНДОН

• Лондонските таксита, често черни на цвят, **black cabs**, но също и цветни, са снабдени, когато са свободни, със зелен светлинен надпис **For Hire**, *за наемане*. Те могат да направят обратен завой (**U-turn**), за да дойдат до вас, дори и когато се движат в другата посока. Таксиметърът, **meter** [mi:tə], показва *цената на пробега,* **the charge** [tʃa:dʒ]; за повече от двама души и за куфари има *добавка,* **extra charge**; *бакшишът* **tip** (от 10 до 15 %) е винаги добре дошъл и можете да поискате *разписка,* **a receipt** [risi:t].

• Лондон се състои от множество селища, всяко от които притежава свой собствен облик, но в тях често се използват едни и същи *имена на улици,* **street names.** Дори и самите шофьори се нуждаят от подробна карта. Били са изброени общо четиридесет **Wellington Road** и двадесет **Gloucester Road** [glostə roud].

Г 3 ТАКСИТА

Франк: Такси! Извинете, свободен ли сте?
Шофьор на такси: Разбира се. Къде искате да отидете?
Франк: На Пикадили Съркъс, ако обичате.
Шофьор на такси: Няма да мога да взема всички тези пътници, както и чантите им.
Джейн: Няма нищо, ще вземем второ такси.
Франк: Приблизително колко ще струва до Пикадили Съркъс?
Шофьор на такси: Ако трафикът не е прекалено натоварен, приблизително пет лири.
Франк: Чудесно. Добре, Джейн, вземам децата с мен, а ти ще вземеш сестра си и ще се срещнем на Пикадили Съркъс.

Г4 ПРАКТИЧНИ СЪВЕТИ

ИМЕНАТА НА УЛИЦИТЕ

• Освен *улиците*, **streets**, и *авенютата*, **avenues** [ævinjuz], вие ще срещнете:

alley	[æli]	*алея*
circus	[sə:kəs]	*площад (кръгъл)*
crescent	[kresənt]	*улица във формата на дъга*
lane	[lein]	*път, алея*
mews	[mjuz]	*спокойни малки улички, оградени от бивши конюшни*
square		*площад (правоъгълен или квадратен)*
terraces		*улица с редица от еднакви къщи*

КАКВО Е ТОВА **UNION JACK**?

⇨ *ОТГОВОР НА СТР. 295*

32 Do you want some?

A1 ПРЕДСТАВЯНЕ

■ **some** (неопределително местоимение): съответства на понятието *част от цяло, известно, неопределено количество.*

some money, some difficulties

• **some** (неопределително местоимение): съответства на българското понятие *малко от това,* без определяне на количество

I want some. *Искам малко от това.*

• **some** се използва в положителни изречения и при въпроси, когато очакваният отговор е положителен.

■ **any** (неопределително местоимение): съответства на понятието *част от цяло, неопределено количество.*

I don't want any. *Не искам от това.*

• **any** се използва в отрицателни изречения и при въпроси, когато не се знае дали отговорът ще бъде положителен или отрицателен.

■ **no:** *никакъв, никаква, никакво, никакви*

no money, no cigarettes *никакви пари, никакви цигари*

■ **a little:** *малко от, малко*

a little milk, *малко мляко,* **just a little,** *само малко*

milk		*прясно мляко*	**juice**	[dʒu:s]	*сок*
biscuits	[biskits]	*бисквити*	**lemon**	[lemən]	*лимон*
party	[pa:ti]	*прием, празник*	**just**	[dʒʌst]	*точно*
orange	[orindʒ]	*портокал*	**to forget***	[fəget]	*забравям*

A2 ПРИЛОЖЕНИЕ

1. **I must buy some milk.**
2. **I thought I had some left.**
3. **Do you want some milk?**
4. **Yes, please, just a little; just a little milk.**
5. **Have you got any biscuits left?**
6. **No, I haven't got any (biscuits) left.**
7. **Don't forget to buy some for the party.**
8. **I'm sorry, I have no orange juice.**
9. **But I have some lemon juice.**
10. **Do you want some?**
11. **May I have some, please?**
12. **Just a little, please.**

32 Искате ли от това?

А3 ЗАБЕЛЕЖКИ (ВЪРХУ ИЗРЕЧЕНИЯ А1 И А2)

■ Внимание при произнасянето на:
biscuits [biskits] **orange** [orindʒ] **juice** [dʒu:s]

■ 2. **I have some left,** в конструкция с миналото причастие (**left**) на глагола (**to leave**) *оставям;* съответства на бълг. *остава ми от това.*

■ 3. Тук се използва **some,** защото очакваме положителен отговор.

■ 4. **a little** може да бъде последвано само от единствено число.

■ 5. Бихме могли да кажем също: **Do you have any biscuits left? Any**, защото не се знае дали отговорът ще бъде положителен или отрицателен.

■ 6. (**biscuits**) между скоби показва, че може да бъде изпуснато съществителното име.

■ 7. **party** може да означава *приятелско събиране, прием, вечеринка, вечеря, празник* (**dinner-party**), всъщност всеки повод за групови развлечения. **Party** означава също *група, войска.*

■ 8. **no**, като **some** и **any,** може да се използва пред единствено или пред множествено число.
I have no oranges. *Аз нямам портокали.*

■ 11. **May I**, учтива форма за искане на разрешение.

А4 ПРЕВОД

1. Трябва да купя прясно мляко.
2. Мислех, че ми е останало малко.
3. Искате ли прясно мляко?
4. Да, ако обичате, съвсем малко; съвсем малко мляко.
5. Останали ли са ти бисквити?
6. Не, не са ми останали бисквити.
7. Не забравяй да ми купиш малко за събирането.
8. Съжалявам, нямам портокалов сок.
9. Но имам лимонов сок.
10. Искате ли от него?
11. Може ли малко, ако обичате?
12. Съвсем малко, ако обичате.

32 We won't have spent much money

Б1 ПРЕДСТАВЯНЕ

■ Бъдеще предварително време (рядко използвано) се образува с **shall have** в първо лице на единствено и множествено число, **will have** в другите лица (или **'ll have** във всички лица) + миналото причастие на глагола.

We'll have finished it. *Ние ще сме свършили.*

■ **Much:** *много,* използва се пред неброими съществителни имена.

Many: *много,* използва се пред броими съществителни имена.

Lots of: *много, куп, голям брой, голямо количество от* се използва както пред неброими, така и пред броими съществителни.

■ **Little:** *малко,* използва се с единствено число.

little money: *малко пари*

I have very little left. *Останало ми е много малко.*

■ **Few:** *малко,* използва се с броими съществителни.

few friends: *малко приятели*

I have very few. *Аз имам много малко (от тези).*

■ **None:** *никакъв, никаква, никакви* (местоимение), което не е следвано от съществително име

I have none, *нямам никакъв*

cheque	[tʃek]	*чек*
presents	[prezənts]	*подаръци*
thing	[θiŋ]	*нещо*
to wonder	[wʌndə]	*питам се, чудя се*

Б2 ПРИЛОЖЕНИЕ

1. **We'll have spent very little money.**
2. **We won't have spent much money.**
3. **We won't have used many cheques.**
4. **We'll have used few cheques.**
5. **It's a good thing we spend so little.**
6. **Jim has bought lots of presents.**
7. **I always tell him he spends too much.**
8. **I wonder how he has managed to spend so much.**
9. **I asked him if he had any money left.**
10. **He told me he had none left.**
11. **It's a good thing he is leaving in a few days.**
12. **He won't have spent much time here.**

Б3 ЗАБЕЛЕЖКИ (ВЪРХУ ИЗРЕЧЕНИЯ Б2)

■ 1. Да не се смесва **a little money**, *малко* (но достатъчно) *пари,* с **little money**, *почти никакви.*
■ 2. **Much** се използва най-вече в отрицателни изречения. За потвърждение по-скоро биха казали:
He spends a lot of money или **He spends lots of money.**
■ 3. На американски английски правописът е **check.**
■ 4. Да не се смесва **few** (*малко)* + множествено число, и **a few**, *няколко.*
■ 6. **Lots of** може да се използва пред множествено число или пред неброими съществителни: **lots of money, lots of presents.**
A lot of се използва пред единствено число или пред множествено число без **s: a lot of people, a lot of children** (но може също да се каже **lots of people, lots of children**).
■ 8. *Толкова,* отнасящо се до множествено число на броими съществителни имена, ще се преведе със **so many**:
He has many friends. – I didn't know he had so many.
Той има много приятели. – Аз не знаех, че той има толкова много.
11. Обърнете внимание на този бъдещ смисъл на сегашно продължително време.
12. **To spend** означава *харча, изразходвам (пари...)* или *прекарвам (времето).*

Б4 ПРЕВОД

1. Ние ще сме похарчили много малко пари.
2. Ние не ще сме похарчили много пари.
3. Ние не ще сме използвали много чекове.
4. Ние ще сме използвали малко чекове.
5. Хубаво е, че ние изразходваме (харчим) толкова малко.
6. Джим е купил куп подаръци.
7. Винаги му казвам, че той харчи много.
8. Чудя се как е успял да похарчи толкова.
9. Попитах го дали са му останали някакви пари.
10. Той ми каза, че нищо не му е останало.
11. Добре е, че той заминава след няколко дни.
12. Той не ще е прекарал много време тук.

32 Упражнения. Изрази

B1 УПРАЖНЕНИЯ

А. Попълнете със <u>some, any, no, none</u>:

1. I didn't want...
2. He had... tickets.
3. I still have a few cigarettes, but I have... cigars left.
4. They are all his. Personally, I have...
5. I don't think he wants...
6. May I have... please?

Б. Преведете на английски език:

1. Той ще ги е похарчил преди края на седмицата.
2. Тя ще ни е забравила.
3. Тя ще е карала в продължение на 6 часа.
4. Ние ще телефонираме, когато той пристигне.

B2 ОТГОВОРИ

А. 1. any 2. some 3. no 4. none 5. any 6. some
Б. 1. He'll have spent it before the end of the week.
2. She'll have forgotten us.
3. She'll have driven for 6 hours.
4. We'll phone when he has arrived. (Внимание: след съюза **when** (*когато*) няма бъдеще време, следователно няма и бъдеще предварително.)

B3 ИЗРАЗИ

■ **Never had so few done so much for so many**.
„Никога толкова малко (хора) не бяха сторили толкова (много) за толкова много (хора)". (Уилям Чърчил по повод героизма на пилотите от Кралските ВВС по време на битката за Англия – в началото на Втората световна война.)

■ Обърнете внимание на **any**: в положително изречение **any** може да означава *който и да е, която и да е.*

Come any day. *Елате когато и да е* (в който и да е ден).

■ Думи, образувани със **some**

- **somebody** *някой*
- **someone** *някой*
- **something** *нещо*
- **somewhere** *някъде*

■ Думи, образувани с **any**

- **anybody, anyone** *някой*

или в положително изречение, *който и да е, всеки*

- **Anybody (anyone) could do it.** *Всеки би могъл да го направи.*
- **anything** *нещо* (във въпросителни изречения); *каквото и да е, всичко* (в положителни изречения);
- **anywhere** *някъде* (във въпросителни изречения); *където и да е, навсякъде* (в положителни изречения).

В4 ТРАПЕЗАТА ВЪВ ВЕЛИКОБРИТАНИЯ

■ На трапезата

Ако сте поканен у британски приятели, ще установите, *че масата е сервирана по различен начин* (**the table is laid differently**). *Приборите* (**fork and spoon**) са разположени с острия ръб нагоре, *чашата* (**glass**) е леко вдясно от чинията (**plate**). Най-често няма *покривка* (**tablecloth**), а индивидуални покривчици и *сребърни прибори* (**silverware**).

Във Великобритания вилицата се държи *с лявата ръка* (**with the left hand**) и поставяме храна върху нея с помощта на *нож* (**knife,** мн.ч. **knives**). Когато човек не се храни, най-често си поставя ръцете под масата, по-точно на коленете, и в началото това винаги изненадва чужденеца.

■ Храненията (Food)

Основните хранения през деня са закуската и вечерята.

• *Закуската* (**breakfast**) все повече и повече се доближава до тази на континента, т.е. тя не предлага вече както някогашната традиционна английска закуска, **English breakfast,** готвени ястия: *овесена каша* (**porridge**), *яйца със сланина* (**eggs and bacon**), *бъркани яйца* (**scrambled eggs**) или пък *пържени яйца* (**fried eggs**), *кренвирши* (**sausages**) и *пържени домати* (**fried tomatoes**). Днес се закусва с чай с мляко или с *кафе* (**coffee**), с *препечени филийки* (**toast**), *масло* (**butter**) и *конфитюр* (**jam**) или *портокалов мармалад* (**marmalade**).

• *Обедът* (**lunch** или **luncheon**) често се хапва набързо: *салата* (**salad**), сандвич, *лека закуска* (**snack**) или понякога *традиционната пържена риба с пържени картофи* (**fish and chips**), които могат да се намерят в кварталното заведение.

• *Вечерята* (**dinner**) обикновено е доста рано, така че да остане време за любимите занимания: четене на вестници, телевизия, кино и евентуално театър. В действителност представленията започват обикновено по-рано, отколкото на континента.

Г1 AT THE COFFEE SHOP

Saleswoman: **Good morning, can I help you?**
James: **Yes please, a table for four, and we'd like some coffee.**
Saleswoman: **Do you want milk with your coffee?**
James: **No, thank you. I'd rather have it black. May I have some orange juice, please?**
Saleswoman: **Sorry, we have none left. But we do have lemon juice. Help yourself to the biscuits. Do you want anything else[1]?**
Karen: **May I have some more coffee? It's delicious. Have you got any cheese to go with the biscuits?**
Saleswoman: **Certainly. What about the children? What will they have?**
Karen: **They usually have tea with milk, please, and orange juice.**
Saleswoman: **Sorry, but we have no orange juice left.**

1. **Else** = *друг, още;* **anything else** = *нещо друго.*

Г2 ПРАКТИЧНИ СЪВЕТИ: EGGS (ЯЙЦАТА)

• Ако ви попитат:
How would you like your eggs?
Как искате яйцата?
• Вие можете да отговорите:

	fried	[fraid]	*пържени*
или	**sunny-side up**		*на очи*
	scrambled	[skræmbəld]	*бъркани*
	soft-boiled	[soft boild]	*рохко сварени*
	hard-boiled	[ha:d boild]	*твърдо сварени*

Г3 В КАФЕ-СЛАДКАРНИЦАТА[1]

Продавачка: Добър ден, мога ли да ви бъда полезна?
Джеймс: Да, ако обичате, маса за четирима и бихме искали кафе.
Продавачка: Искате ли мляко с кафето?
Джеймс: Не, благодаря. Предпочитам го без мляко. Може ли да получа портокалов сок, моля?
Продавачка: Съжалявам, свърши. В замяна на това имаме лимонов сок. Вземете си бисквити. Искате ли нещо друго?
Карен: Може ли още малко кафе? Много е хубаво. Нямате ли сирене за бисквитите?
Продавачка: Разбира се. А децата? Те какво ще си поръчат?
Карен: Те ще пият чай с мляко, ако обичате, и портокалов сок.
Продавачка: Съжалявам, но нямаме вече портокалов сок.

1. **Coffee shop** – да се внимава с превеждането му; касае се за магазин за продажба изключително на безалкохолни напитки (чай, кафе, плодови сокове и т.н.), където се сервират също и сладкиши, сандвичи, леки закуски (**snacks**).

Г4 ПРАКТИЧНИ СЪВЕТИ

COFFEE SHOP (САЩ)

• С кафето на закуска могат да ви предложат:

donut/dough-nut	[dounʌt]	*поничка*
hashed browns	[hæʃt braunz]	*стъргани картофи*
muffin	[mʌfin]	*вид кифличка*
pancake	[pænkeik]	*палачинка*

КАКВО ОЗНАЧАВА ФОРМУЛАТА **B & B's**?

⇨ *ОТГОВОР НА СТР. 320*

33 You would be surprised

А1 ПРЕДСТАВЯНЕ

■ На английски език условното наклонение се образува със спомагателния глагол **would** (във всички лица), последван от глагол в инфинитив без **to**.

I would do it. *Бих го направил.*

you would do it, *ти би го направил/ вие бихте го направили*

• Съкратената форма е **I'd** [aid] **you'd, he'd, she'd** и т.н.
в отрицателна форма **wouldn't** [wudənt]

• Тази част от изречението, която съдържа предположението или условието, на английски е в минало време, предшествано от **if**.

if he asked	**if she knew**
ако той попиташе	*ако тя знаеше*

• За да преведем глагола *трябва* в сегашно време на условно наклонение, трябва да използваме **should** [ʃud] или **ought to** [o:t tu] във всички лица.

you should come
you ought to come } *ти би трябвало да дойдеш*

• **Might** [mait] е условно наклонение на **may.**

to apologize	[əpɔlədʒaiz]	*извинявам се*
kind	[kaind]	*вид*
to call on		*навестявам, посещавам*
to suit	[sju:t]	*подхождам*
to refuse	[rifju:s]	*отказвам*

А2 ПРИЛОЖЕНИЕ

1. **If I were you, I would refuse.**
2. **If I was younger, I would learn how to play tennis.**
3. **If I had more money, this is the kind of car I would buy.**
4. **We would like to do it if we had more time.**
5. **You would be surprised if I told you.**
6. **I wouldn't be surprised if he asked for money.**
7. **Would it be simpler if he went with you?**
8. **Wouldn't it be better if we apologized?**
9. **You wouldn't believe that if you knew him.**
10. **We could call on them if it suits you.**
11. **I'd like you to do it.**
12. **We ought to apologize (We should apologize).**

A3 ЗАБЕЛЕЖКИ (ВЪРХУ ИЗРЕЧЕНИЯ А2)

■ 1. 2. *Ако аз бях, ако ти беше* и т.н. По принцип се употребява **were** във всички лица, включително и в първо лице. На практика често се чува **if I was**, което е по-разговорно; **were** за другите лица (**if you were** и т.н.).

■ 2. Обърнете внимание на израза *уча* + глагол
to learn how to + глагол
to play tennis, to play cards (*играя на карти*)

■ 8. **to apologize** *извинявам се; представям извиненията си*
to apologize for something *извинявам се за нещо*
to apologize to somebody for something
извинявам се на някого за нещо

■ 10. Добре да се различава **to call on somebody,** *посещавам някого,* и **to call somebody, to call somebody on the phone,** *търся някого по телефона.*

■ 12. **I'd like:** същата конструкция като след **to want (I want you to do it)**.

A4 ПРЕВОД

1. Ако бях на ваше място, бих отказал.
2. Ако бях по-млад, щях да се науча да играя тенис.
3. Ако имах повече пари, това е колата, която бих си купил.
4. Ние бихме желали да го направим, ако имахме повече време.
5. Щяхте да се изненадате, ако ви го кажех.
6. Аз не бих се изненадал, ако той поиска пари.
7. Няма ли да е по-просто, ако той дойде с вас?
8. Няма ли да е по-добре, ако се извиним?
9. Вие не бихте повярвали на това, ако го познавахте.
10. Ако това ви устройва, ние бихме могли да ги посетим.
11. Бих желал да го направите.
12. Би трябвало да се извиним (Трябва да се...).

33 It would have been easier

Б1 ПРЕДСТАВЯНЕ

■ Минало време на условно наклонение – например: *Щяхме да дойдем, ако бяхме знаели,* се образува на английски с:

would + have + минало причастие

- Изречението, започващо с **if**, е в минало предварително време: **We would have come, if we had known.**
- Кратките форми:

we would have come – we'd have come *ние щяхме да дойдем*
she would have bought – she'd have bought *тя би купила*
if we had had – if we'd had *ако бяхме имали*

аз бих могъл, ти би могъл и т.н.	**I could have, you could have**
той би могъл да дойде;	**he could have come**
аз би трябвало да и т.н.	**I should have** или **I ought to have**
тя би трябвало да дойде	{ **she ought to have come** / **she should have come**

to notice	[noutis]	*забелязвам, отбелязвам*
to enjoy	[indʒɔi]	*наслаждавам се*
castle	[ka:sl]	*замък*
stay		*престой*
expensive	[ikspensiv]	*скъп, -а*
guest house		*пансион*

Б2 ПРИЛОЖЕНИЕ

1. **We would have come if we had known.**
2. **We would have visited the castle if we had had more time.**
3. **I would never have noticed it if you hadn't shown it to me.**
4. **We wouldn't have enjoyed our stay so much without you.**
5. **We wouldn't have done it if it hadn't been for the kids.**
6. **It wouldn't have been so expensive if you had stayed in guest houses.**
7. **She'd have bought it if it'd been less expensive.**
8. **It would have been easier if Mary could have phoned.**
9. **She ought to have come (she should have come).**
10. **You should have tried (you ought to have tried).**
11. **I could have caught it.**
12. **They could have won.**

Б3 ЗАБЕЛЕЖКИ (ВЪРХУ ИЗРЕЧЕНИЯ Б2)

■ 7. Внимавайте в произношението на **it'd been** [itəd bi:n], получено в резултат от съкращаването на **it had been**, *това беше.*
• Сравнете с:
it'd be [itəd bi], получено от съкращаването на **it would be**, *това би било*
и **it'd have been** [itəd hæv bi:n], получено от съкращаването на **it would have been**, *това би било*
■ 8. **If she could have phoned...** *Ако тя бе могла да се обади по телефон...* Забележете, че за да поставите в минало време **if she could phone**, *ако тя можеше да се обади по телефона,* не може като на български език да се използва миналото причастие: *ако тя беше могла да се обади по телефона.* В действителност модалният глагол **can** няма минало причастие. Ето защо ще използваме инфинитива **phone** без **to** и ще го поставим в минало време:
have phoned
■ Бихме могли също да използваме **to be able to**:
If she had been able to phone...
• Внимание: **she could phone** може да означава *тя можеше да телефонира* или *тя би могла да телефонира.*
she could have phoned може да означава
(ако) тя бе могла да телефонира или *тя би могла да телефонира.*
• Нормалното минало предварително време, *тя беше могла да телефонира* (без условие или предположение) е:
She had been able to phone.

Б4 ПРЕВОД

1. Ако бяхме знаели, щяхме да дойдем.
2. Ако бяхме имали повече време, щяхме да посетим замъка.
3. Аз никога не бих го забелязала, ако вие не ми го бяхте показали.
4. Ние не бихме прекарали толкова хубаво без вас.
5. Ние не бихме го направили, ако не беше за децата.
6. Не би било толкова скъпо, ако вие бяхте отседнали в пансиони.
7. Тя би го купила, ако беше по-евтино.
8. Това би било по-лесно, ако Мери беше могла да телефонира.
9. Тя би трябвало да дойде (но не дойде).
10. Трябваше да опитаме (но не го направихме).
11. Можеше да го хвана (но не съм го направила).
12. Можеха да спечелят (но уви!).

33 Упражнения. Изрази в условно наклонение

B1 УПРАЖНЕНИЯ

А. Преведете на английски език:

1. Ако бях по-млад, щях да играя ръгби.
2. Бих искал да купя тази кола.
3. Ние бихме могли да ги посетим в понеделник.
4. Бих желал тя да дойде.
5. Ние би трябвало да ги попитаме.

Б. Поставете в минало време на условно наклонение:

1. I'd buy it if I had more money.
2. You wouldn't believe it if you knew Jim.
3. They could do it if they had time.
4. He might come.
5. We ought to phone her.

B2 ОТГОВОРИ

А.
1. If I was (were) younger, I'd play rugby.
2. I'd like to buy this car.
3. We could call on them (visit them) on Monday.
4. I'd like her to come.
5. We ought to (we should) ask them.

Б.
1. I'd have bought it if I'd had more money.
2. You wouldn't have believed it if you had known Jim.
3. They could have done it if they'd had time.
4. He might have come.
5. We ought to have phoned her.

B3 ИЗРАЗИ С УСЛОВНО НАКЛОНЕНИЕ

■ **would you mind** + глагол с **-ing**
имате ли нещо против да...
■ **would you mind if I...**
имате ли нещо против аз да...
■ **would you be so kind as to...**
бихте ли били така добър да...
■ **what would you like to have...**
какво бихте искали да вземете...
■ **would you like me to...?**
Искате ли аз да...?

B4 HARROD'S

■ **Harrod's**, един от най-известните и луксозни големи магазини в света, води началото си от малка *бакалница* (**grocery** [grousəri]), купена през 1849 г. от търговеца на чай Хенри Харод в **Knightsbridge** [naitsbridʒ], лондонски квартал, все още слабо познат в онези години. *Оборотът* (**turnover** [tə:nouvə]) по онова време не достигал 20 лири (**twenty pounds**) на седмица.
■ През 1861 г. синът на Хенри Харод, Чарлз, двадесетгодишен, откупил от баща си това магазинче и по примера на магазин „Бон Марше", създаден в Париж през 1852 г. от Аристид Бусико, отворил *универсален магазин* (**department store** [dipa:tmənt stɔ:]), където се продавали всякакви *артикули* (**items** [aitəmz]). Успехът бил пълен: седем години по-късно оборотът достигнал 1000 лири на седмица, а към 1880 г. около стотина служители работели от 7 до 20 ч. В навечерието на Коледата на 1883 г. *пожар* (**fire** [faiə]) изпепелил целия магазин. Но Чарлз Харод уредил да *доставят поръчките* (**to deliver the orders** [dilivə ði ɔ:dəz]) на всичките му *клиенти* (**customers** [kʌstəməz]). Десет месеца по-късно магазинът бил построен отново. Освен това Чарлз продължил да прави нововъведения, като предложил за първи път система за плащане на кредит и като инсталирал първия *ескалатор* (**escalator** [eskəleitə]). *Коняк* (**brandy** [brændi]) и *амонячна сол* (**smelling salts**) били предвидени за чувствителните хора.
■ ***Omnia, Omnibus, Ubique:*** този латински девиз на магазина, който означава *„Всичко, за всички, навсякъде"* (**Everything, Everybody, Everywhere**), напълно отговаря на действителността. Наистина в Хародс се намира всичко: класически щандове на един голям магазин, но също и обширни помещения за хранителни стоки (**Food Halls**), където сред великолепен декор от *дърво* (**wood**) и от *мрамор* (**marble** [ma:bəl]) щандове със сирена, риба, меса, колбаси, сладкарски изделия, вина и др. от цял свят предизвикват възхищението на клиентите. Хародс доставя всичко и навсякъде: *кренвирши* (**sausages** [sosidʒiz]) на борда на кораб, сирена в предградията, животни – кучета, птици или слонове – по избор.
В началото на януари всяка година *разпродажбите* (**sales** [seils]) на Хародс привличат тълпи, които не се колебаят да *чакат на опашка* (**to queue** [kju:]), за да се възползват от значителните *намаления* (**discounts** [diskaunts]) на голям брой стоки, като се започне от *тиганите* (**pans**) и се стигне до *бижутата* (**jewels** [dʒuəlz]) и *скъпоценните камъни* (**gems** [dʒemz]).
Осветен денем и нощем, Хародс, въпреки че е откупен от финансова групировка от Близкия изток, си остава поне привидно символ на английската мощ, придобита през 19 век.

Г1 SHOPPING (2)

Ann: Where did you get that beautiful dress?
Kim: In that new department store that has just opened in High Street.
Ann: It must be very expensive. I prefer to go to the shopping centre in our area.
Kim: I know it's much cheaper, but the quality is not the same. Besides you can get all you want in the city centre.
Ann: That's true but our local main street is not too bad. You can get all the essentials.
Kim: Yes, but when you want to spoil yourself, you know, give yourself a treat, you have to look further.
Ann: I suppose so.

1. **treat** [tri:t] удоволствие, радост; угощение, черпня
   this is my treat: *аз плащам* (вж. Г2, стр. 164)

Г2 ПРАКТИЧНИ СЪВЕТИ: В МАГАЗИНА

Няколко полезни израза:

В колко затваря магазинът?
What time does the store close?

Каква марка... ми препоръчвате?
What brand of... do you recommend?

Колко време би отнело поправянето на това сако?
How long would it take to alter this jacket?

Ето моя паспорт. Освободен ли съм от ДДС?
Here is my passport! Am I exempt from V.A.T.?

За момента аз само гледам.
I'm just looking for now.

Къде мога да намеря продавач(ка)?
Where can I find a salesperson?

Г3 ПОКУПКИТЕ (2)

Ан: Къде купи тази хубава рокля?
Ким: В новия универсален магазин на Хай Стрийт, който току-що беше открит.
Ан: Трябва да е много скъпа. Предпочитам да ходя в търговския център в нашия квартал.
Ким: Знам, че е по-евтино, но качеството не е същото. Освен това можеш да вземеш (купиш) всичко, което поискаш, в центъра на града.
Ан: Това е вярно, но главната улица на нашия квартал не е толкова лоша. Там можеш да купиш всички основни неща.
Ким: Да, но знаеш ли, когато ти се прииска да се поглезиш, да си доставиш малко удоволствие, трябва да търсиш на друго място.
Ан: Да, предполагам, че имаш право.

Г4 ПРАКТИЧНИ СЪВЕТИ

cobbler's	*обущарница*
confectioner's	*сладкарница*
delicatessen	*гастроном, бакалница*
D.I.Y. (do–it–yourself)	*магазин „Направи си сам“*
dry cleaner's	*химическо чистене*
health food shop	*магазин за диетични храни*
launderette	*обществена пералня*
newsagent's	*вестникарска будка*
stationer's	*книжарница за канцеларски материали*
tobacconist	*магазинче за продажба на тютюн*

's след името на търговеца обозначава неговия магазин.

КАКВО Е ТОВА **RUGGER**?

⇨ *ОТГОВОР НА СТР. 319*

34 He doesn't understand what it means

A1 ПРЕДСТАВЯНЕ

■ Непряката реч (**reported speech**) се състои в това да се предадат нечии думи. Например:
It's raining. *Вали* – това е пряка реч, докато
He says it's raining. *Той казва, че вали* – е непряка реч.
• На български език, когато предаваме един въпрос, например *Вали ли?,* в непряка реч той се превръща в *Той пита дали вали.* Можем да установим промяна в реда на сказуемо – подлог, който става подлог – сказуемо.
• На английски език сме свидетели на същата промяна в реда спомагателен глагол – подлог

Is it raining?	**She asks if it is raining.**
Have you seen him?	**He asks if you have seen him.**
Will you drive there?	**She asks if you will drive there.**

или на изчезването на спомагателния глагол **do** (освен в отрицателна форма):

Do you work hard?	**He asks if you work hard.**
Don't you know him?	**He asks if you don't know him.**

to mean*	[mi:n]	*означавам*
to imagine	[imædʒin]	*представям си*
coat	[kout]	*палто, сако*

A2 ПРИЛОЖЕНИЕ

1. **'What does this word mean?'**[1]
2. **He doesn't understand what it means.**
3. **'Where is my coat?'**
4. **She wonders where her coat may be.**
5. **'How does she do it?'**
6. **He can't imagine how she does it.**
7. **'Why didn't you ask her?'**
8. **He doesn't know why you didn't ask her.**
9. **'When will you leave?'**
10. **She's asking him when he will leave.**
11. **'What did I do with it?'**
12. **He doesn't remember what he did with it.**

1. В английския език пряката реч се въвежда с единични кавички, за разлика от българския, където се пише тире.

34 Той не разбира какво означава това

A3 ЗАБЕЛЕЖКИ (ВЪРХУ ИЗРЕЧЕНИЯ A2)

■ 4. **To wonder,** *чудя се.* Често е в конструкция с **whether** [weðə] *дали...*

I wonder whether he'll come. *Чудя се дали той ще дойде.*

■ 7. Обърнете внимание на конструкцията на **to ask:**

Попитайте сестра ми. **Ask my sister.**

искам сведения, **to ask for information**

■ 8. **Didn't** тук продължава да съществува и в непряка реч, понеже още в началото се касае за отрицателно изречение. Направете сравнение с: **Why did you ask her?**

He doesn't know why you asked her.

■ 9. Обърнете внимание, че можем да употребим бъдеще време след **when,** когато то е въпросително наречие, в пряка и непряка реч, т.е. когато **when** означава: *в кой момент?*

Това бъдеще време би било невъзможно след **when** в смисъл на *когато* в конструкция като:

We'll leave when he is ready.

Ние ще тръгнем, когато той е готов.

■ 12. Обърнете внимание на пряката конструкция на **to remember:**

I remember it. *Спомням си за това.*

I remember him. *Спомням си за него.*

A4 ПРЕВОД

1. – Какво означава тази дума?
2. Той не разбира какво означава това.
3. – Къде ми е палтото?
4. Тя се чуди къде може да е палтото ѝ.
5. – Как го прави тя?
6. Той не може да си представи как тя го прави.
7. – Защо не я попитахте?
8. Той не знае защо вие не я попитахте.
9. – Кога ще заминете?
10. Тя го пита кога ще замине.
11. – Какво направих с това?
12. Той не си спомня какво е направил с това.

34 He said he would let us know

Б1 ПРЕДСТАВЯНЕ

• Когато се предават думи, които са били произнесени в миналото, в английския език, за разлика от българския, е необходимо да се спазва съгласуването на времената, т.е. да поставим тези думи в минало време:
Например: **'It is very easy to do', she said.**
– Лесно е за правене – каза тя.
She said it was very easy to do.
Тя каза, че е много лесно за правене.

• Съюзът **that** често се изпуска в конструкции като **He said that..., She answered that...** и т.н.

• Да си припомним: **Have they been here long?**
Те от дълго време ли са тук?

• Вижте пак в Урок 26 употребата на сегашно перфектно време.

to build*	[bild]	*строя*
to claim	[kleim]	*претендирам, твърдя*
to let know		*съобщавам*
whether	[weðə]	*дали*

* Виж неправилни глаголи на стр. 368–370.

Б2 ПРИЛОЖЕНИЕ

1. **'It is very easy to do', she answered.**
2. **She answered it was very easy to do.**
3. **'I can build it myself', he told me.**
4. **He told me he could build it himself.**
5. **'I have enough money' he claimed.**
6. **He claimed he had enough money.**
7. **'Have they been here long?' he asked.**
8. **He asked if (whether) they had been here long.**
9. **'I will let you know', he said.**
10. **He said he would let us know.**
11. **'When will you leave?' she asked them.**
12. **She asked them when they would leave.**

Б3 ЗАБЕЛЕЖКИ (ВЪРХУ ИЗРЕЧЕНИЯ Б2)

■ Обърнете внимание на премахването на съюза **that** във всички изречения в непряка реч. Можем спокойно да кажем и да напишем:
She answered that it was very easy to...
но изразът без **that** се среща по-често.

■ 5. Да си припомним: мястото на **enough**
– след прилагателно, наречие или глагол:
it is big enough, he works hard enough, he earns enough.
– преди или след съществително име:
I have enough money или **I have money enough.**

■ 7. Обърнете внимание на употребата на сегашно перфектно време (сравни с Урок 26):
long тук е наречие, означаващо **for a long time**, *от дълго време,* също в: **How long have you been here?**
От колко време сте тук?

■ 8. **Whether**, *дали,* се използва, когато не се знае дали отговорът е положителен или отрицателен.

■ 9. **To let,** когато помага да се образува повелително наклонение (**Let us go!** сравни с Урок 19) или означава, както тук: *оставям, позволявам,* е последвано от инфинитив без **to.**

Б4 ПРЕВОД

1. – Лесно е да се направи – отговори тя.
2. Тя отговори, че е лесно да се направи.
3. – Мога да го построя сам – ми каза той.
4. Той ми каза, че може (би могъл) да го построи сам.
5. – Аз имам достатъчно пари – твърдеше той.
6. Той твърдеше, че има достатъчно пари.
7. – От дълго време ли са тук? – попита той.
8. Той попита дали те бяха тук от дълго време.
9. – Ще ви го съобщя – каза той.
10. Той ни каза, че щял да ни го съобщи.
11. – Кога ще заминете? – попита ги тя.
12. Тя ги попита кога ще заминат.

B1 УПРАЖНЕНИЯ

А. Поставете в непряка реч, като започнете изречението с she says или с he asks според случая (внимавайте в словореда – дали се касае за въпрос; той не се променя за изречение в положителна форма).

1. 'The weather is fine.'
2. 'Is it far?'
3. 'What does this word mean?'
4. 'I can do it myself.'

Б. Поставете в непряка реч, като започнете с she said или с he asked според случая:

1. 'It's very easy to do.'
2. 'They have been here for a long time.'
3. 'When will you send it?'
4. 'Have you got enough?'

B2 ОТГОВОРИ

А. 1. She says the weather is fine.
2. He asks if it is far.
3. He asks what this word means.
4. She says she can do it herself.

Б. 1. She said it was very easy to do.
2. She said they had been here for a long time.
3. He asked when you would send it (*кога щяхте да го изпратите*) или when you will send it (*кога ще го изпратите*).
4. He asked if you had got enough (или if you have got enough).

B3 РАЗЛИЧНИ ВАРИАНТИ НА „КАЗВАМ"

to say something to somebody *казвам нещо на някого*
to tell somebody something *казвам (разказвам) нещо на някого*

to claim	[kleim]	*твърдя, претендирам*
to declare	[dikleə]	*заявявам, твърдя;* сравни **to state**
to emphasize	[emfəsaiz]	*наблягам, изтъквам;* сравни **to stress**
to point out	[point aut]	*отбелязвам* (в смисъл *изтъквам*) различно от **to notice**, *забелязвам*
to repeat	[ripi:t]	*повтарям*
to shout	[ʃaut]	*викам, крещя*
to state	[steit]	*заявявам, твърдя*
to stress		*подчертавам, наблягам на*
to stammer	[stæmə]	*заеквам*
to stutter	[stʌtə]	*заеквам*
to utter	[ʌtə]	*продумвам, изричам*
to whisper	[wispə]	*шептя*

B4 БРИТАНСКАТА КУХНЯ (Cuisine)

- **Starters** (предястия, ордьоври)

asparagus soup: *крем супа от аспержи*
chicken broth: *пилешки бульон*
cold cuts: *студено месно плато*
jellied eels: *желирани змиорки*
mussels: *миди*
oxtail soup: *телешки бульон (със зеленчуци)*
oysters: *стриди*
potted shrimps: *скариди в гювече*
smoked fish: *пушена риба*

- **Pies** (тестени изделия)

Cornish pasty: *корнуолски пай с кайма, лук и картофи*
pork/chicken pie: *свински/пилешки пай*
sausage roll: *руло с наденички*
steak and kidney pie: *пай с говеждо месо и бъбречета*
Welsh rarebit: *уелски специалитет (топло предястие с шунка, яйца, препечен хляб)*

- **Main course** (основни ястия)

Dover sole and chips: *дувърска писия на скара с пържени картофи*
grilled salmon [sæmən]: *сьомга на скара*
haggis: *(шотландски специалитет) пълнен овчи стомах* (като нашата саздърма)
Irish stew: *ирландска овнешка яхния с картофи и лук*
lamb chops, mixed vegetables and boiled potatoes: *агнешки флейки със зеленчуци и варени картофи*
Lancashire hotpot: *агнешки флейки и бъбречета с картофи и лук*
roast beef, Yorkshire pudding and roast potatoes: *ростбиф с пудинг и печени картофи*

- **Sweets** (десерти)

apple/raspberry crumble: *ябълкова/малинова торта*
lemon sponge and custard: *пандишпан с английски крем и лимон*
trifle: *шарлота (често с плодове)*

Г1 TYPICAL DISHES

Brian: **What sort of restaurant are we going to, Mark?**
Mark: **It's what you call a typical English cafe, Brian. Linda said it's the best in town.**
Brian: **Good, but what do they have to eat?**
Mark: **Well, chips, you call them French fries in the United States, and then you can have anything else you want.**
Brian: **Like what?**
Mark: **Like sausages, bacon and eggs, Yorkshire pudding etc.**
Brian: **Sounds delicious. And what can we drink?**
Mark: **Well, most people drink tea or coffee, but you can have soft drinks, milk or even mineral water.**
Brian: **Hey, I need a beer!**
Mark: **Well, if they have a licence[1], you can have a beer.**
Brian: **I sure hope they have a license[2].**

1. правопис на британски английски
2. правопис на американски английски

Г2 ПРАКТИЧНИ СЪВЕТИ

MEAT (МЕСО)

- То може да бъде сервирано:

добре опечено	**well done**	[wel dʌn]
средно опечено	**medium**	[miːdiəm]
алангле	**underdone**	[ʌndədʌn]
недоопечено	**rare**	[reə]

- То може да бъде приготвено:

печено във фурна	**baked**	*на скара*	**grilled**
печено на шиш	**barbecued**	*печено*	**roasted**
печено в затворен съд	**braised**	*на яхния*	**stewed**
пържено	**fried**	*пълнено*	**stuffed**

Г3 ТИПИЧНИ ЯСТИЯ

Брайан: В какъв вид ресторант отиваме, Марк?
Марк: В това, което наричат типично английско заведение. Линда каза, че то е най-доброто в града.
Брайан: Добре, но там какво сервират?
Марк: Ами пържени картофи, в САЩ ги наричате френски пържени картофи, а после можеш да си поръчаш всичко, което искаш.
Брайан: Какво например?
Марк: Кренвирши, сланина с яйца, йоркширски пудинг и т.н.
Брайн: Изглежда вкусно. А какво можем да пием?
Марк: Е, повечето хора пият чай или кафе, но ти можеш да си поръчаш безалкохолни напитки, прясно мляко или дори минерална вода.
Брайан: Ей, на мен ми се пие бира.
Марк: Ако имат разрешително, можеш да пиеш бира.
Брайан: Надявам се, че имат разрешително.

Г4 ПРАКТИЧНИ СЪВЕТИ

АРОМАТНИ ТРЕВИ И ПОДПРАВКИ

HERBS AND SPICES [spaisiz]		
чесън	**garlic**	[ga:lik]
босилек	**basil**	[bæzil]
канела	**cinnamon**	[sinəmən]
сушан	**chervil**	[tʃə:vil]
вид лук	**chives**	[tʃaivz]
кимион	**cumin**	[kʌmin]
естрагон	**tarragon**	[tærəgən]
джинджифил	**ginger**	[dʒindʒə]
мента	**mint**	[mint]
червен пипер	**paprika**	[pæ:pri:kə]
магданоз	**parsley**	[pa:sli]
шафран, сафран	**saffron**	[sæfrən]
мащерка	**thyme**	[taim]

КЪДЕ СЕ НАМИРА СТОЛИЦАТА НА САЩ?

⇨ *ОТГОВОР НА СТР. 43*

35 I wish it were possible

A1 ПРЕДСТАВЯНЕ

■ Подчинителното наклонение не се използва много често в английския език.

> То има само една форма, в сегашно време, тази на инфинитива без **to**.

• Подчинителното наклонение се използва:
– в готови изрази

Got save the Queen! *Господ да пази кралицата!*
– от американците – за да изрази внушение или предположение.

• Минало свършено време може да приеме смисъла на подчинително наклонение след **I wish**, *аз желая* или *бих искал;* **it's high time**, *крайно време е да;* **I'd rather**, *бих предпочел.*

> Спомагателните глаголи **may** и **should** служат също за образуване на сложно време на подчинителното наклонение:

• **may**, за да се изрази пожелание, евентуалност, цел
• **should**, за да се изрази опасение, внушение

to afford [əfɔ:d] *позволявам си, имам средствата да*

to bless	*благославям*	**however**	*обаче; колкото и... да*
to wish	*пожелавам*	**mutual**	*взаимен, -на*
advance	*аванс, предплата*	**possible**	*възможен, -а*
date [deit]	*дата*	**so that**	*за да*
discussion	*дискусия, спор*	**God**	*Бог*
estate [isteit]	*имот, имение*		

A2 ПРИЛОЖЕНИЕ

1. **God bless you!**
2. **It's important that she attend this meeting.**
3. **They insist that he accept their offer.**
4. **I wish he were with us.**
5. **I wish it were possible.**
6. **It's high time you stopped that discussion.**
7. **I'd rather you didn't choose this date.**
8. **However rich they may be, they can't afford to buy this estate.**
9. **We wish that she may succeed.**
10. **He'll book in advance so that he may attend the concert.**
11. **We arrived early so that she should not worry.**

35 Бих искал това да е възможно

А3 ЗАБЕЛЕЖКИ (ВЪРХУ ИЗРЕЧЕНИЯ А2)

■ 1. **God bless (you):** използвано най-вече като израз на учтивост. Срещат се също и **God save the Queen!** *Господ да пази кралицата!* или **Long live the Queen!** *Да живее кралицата!*

Goodbye, *довиждане*

е съкратена форма от **God be with you!** *Господ да е с вас!*

If this be true... *ако това е вярно* (юридическа терминология)

If need be... *ако е необходимо*

■ 2. 3. Изрази, използвани в американския английски, които се срещат също и в британския английски (Внимание: няма **s** в трето лице).

■ 4. 5. **Were** (множествено число в минало свършено време от **to be**) служи за подчинително наклонение във всички лица.

■ 4. 5. 6. 7. След **I wish**, *аз пожелавам, бих искал, бих желал;* **it's high time**, *крайно време е;* **I'd rather (I would rather)**, *бих предпочел,* глаголите са в минало време, но със смисъл на подчинително наклонение. И трите израза предават неосъществено пожелание.

■ 8. **However... they may be,** *колкото и... да са те* (или *макар и да..., какъвто и... да*); **however** означава също *обаче.* **To afford,** *имам средствата* (финансови) *да, съм в състояние да, позволявам си.*

I can't afford it. *Не мога да си го позволя.*

А4 ПРЕВОД

1. Бог да ви благослови!
2. Важно е тя да присъства на това събрание.
3. Те настояват той да приеме тяхното предложение.
4. Бих искал той да е с нас. (Ако можеше той да е с нас.)
5. Бих искал това да е възможно. (Ех! Ако това беше възможно!)
6. Крайно време е да преустановите този спор.
7. Бих предпочела вие да не избирате тази дата.
8. Колкото и богати да са, те не могат да си позволят да купят това имение.
9. Бихме искали тя да успее!
10. Той предварително ще запази билети, тъй че да може да присъства на концерта.
11. Ние пристигнахме рано, за да не се притеснява тя.

35 She wants me to apply

Б1 ПРЕДСТАВЯНЕ

■ Както видяхме в А1, простата форма на подчинителното наклонение е малко употребявана в английския език (но се появява отново под влияние на американския английски), докато формата за минало време на подчинителното наклонение и сложната форма на подчинителното наклонение (с **may-should**) са по-скоро присъщи на писмения език.

■ В замяна на това се употребяват по-често:

- изявително наклонение след съюзите: **before**, *преди да*, **unless**, *освен ако не,* **till**, *докато,* **provided**, *стига само да;*
- инфинитивно изречение (сравни Урок 19, Б3);
- формата на **-ing** на глагола, наречена „отглаголно съществително" (сравни Урок 39, Б1), с някои глаголи като **to mind**, *имам против* (обикновено в отрицателни и въпросителни изречения).

to accompany [əkʌmpəni]	*придружавам*
to stand*	*1) понасям (тук); 2) прав съм*
to apply for [əplai]	*подавам молба; кандидатствам*
polite [pəlait]	*учтив, -а*
personal (прилагателно)	*личен, -а*
else	*друг, -а*
to check	*проверявам*
to mind [maind]	*имам против; обръщам внимание на*
to take care of	*грижа се за*

Б2 ПРИЛОЖЕНИЕ

1. **Tell him to call at my office before he leaves.**
2. **They won't accept unless you really insist.**
3. **She will accompany us though she is very tired.**
4. **We must prepare the meeting before they arrive.**
5. **I will wait here till he comes back.**
6. **He will be very polite though he can't stand them.**
7. **You must not expect them to agree with you.**
8. **She wants me to apply for this job.**
9. **I'd like him to propose something else.**
10. **We'd like you to check whether he is right (or wrong).**
11. **Do you mind my asking you a personal question?**

Б3 ЗАБЕЛЕЖКИ (ВЪРХУ ИЗРЕЧЕНИЯ Б2)

■ 1. **To call at,** *отбивам се*
Внимание: **to call on somebody,** *минавам да видя някого*
before he leaves, *преди той да замине;* бихме могли да имаме **before leaving,** *преди да тръгна;* в този случай **before** вече не е съюз, а предлог (сравни с Урок 39, А3).
■ 3. 6. **Though** [ðou] *въпреки че*
равно на: **although** [ɔlðou]
■ 5. **Till,** *докато;* равно на **until** (срещащо се по-рядко).
■ 6. **Polite,** *учтив ≠ неучтив, дебелашки, зле възпитан* **rude** [ru:d]
■ 7. 8. 9. 10. Да си припомним: инфинитивно изречение. След **to expect,** *очаквам да,* **to want,** *искам,* **I'd like (I would like),** *бих искал или бих желал,* вместо подчинително наклонение – имаме допълнение, което е и подлог на едно сказуемо в инфинитив (сравни Урок 19, В3).
■ 9. **Something else,** *нещо друго;* също **somebody else,** *някой друг.*
Внимание: **somewhere else,** *някъде другаде*
■ 11. **To mind,** *имам нещо против.*
Вместо подчинително наклонение след този глагол имаме конструкция, която има формата на сегашно действително причастие на **-ing,** без да има функцията на такова; всъщност отглаголното съществително е това, което означава: факта да се направи нещо; можем да го използваме с притежателно местоимение.

Б4 ПРЕВОД

1. Кажете му да мине през моя офис, преди да замине.
2. Те няма да приемат, ако вие действително не настоявате.
3. Тя ще ни придружи, въпреки че е много уморена.
4. Ние трябва да приготвим събранието, преди те да са дошли.
5. Ще чакам тук, докато той се върне.
6. Той ще бъде много учтив, въпреки че не може да ги понася.
7. Вие не трябва да очаквате те да се съгласят с вас.
8. Тя иска аз да се кандидатирам за тази служба.
9. Бих искал той да предложи нещо друго.
10. Ние бихме желали да провериш дали той е прав (или греши).
11. Имате ли нещо против да ви задам един личен въпрос?

35 Упражнения. Някои подчинителни съюзи

В1 УПРАЖНЕНИЯ

А. Преведете (минало свършено време със смисъл на подчинително наклонение):

1. Крайно време е той да се върне.
2. Ние бихме предпочели той да не отговаря на този въпрос.
3. Тя би предпочела вие да останете с нея.
4. Бих искал ти да останеш с нас!

Б. Преведете на английски език:

1. Аз искам ти да ги придружиш до гарата.
2. Те искат аз да проверя дали той знае да кара.
3. Тя би искала ти да я закараш в Бостън.
4. Имате ли нещо против аз да замина веднага?

В2 ОТГОВОРИ

А. 1. It's high time he came back.
2. We'd rather he didn't answer that question.
3. She'd rather you stayed with her.
4. I wish you stayed with us!

Б. 1. I want you to accompany them to the station.
2. They want me to check whether he can drive.
3. She would like you to drive her to Boston.
4. Do you mind my leaving now? (... if I leave).

В3 НЯКОЛКО ПОДЧИНИТЕЛНИ СЪЮЗА

• условие, предположение:
if, *ако;* **unless**, *освен ако не*
in case, *в случай че*
provided, *само да*
whether, *дали... (да или не)*

• противопоставяне, ограничаване:

though, *въпреки че*
however, *колкото и... да*

• причина:
as, *тъй като, щом като*
because, *защото*
since, *понеже*

• време:
after, *след като*
before, *преди*
as, *в момента, в който*
as long as, *докато; стига да*
as soon as, *веднага щом като*
once, *веднъж щом*
till, *докато*
when, *когато*
whenever, *всеки път, когато*

• цел:
for fear that, **lest** } *от страх да не би*
so that } *за да*
that } *толкова/така ... че*

Внимание: след съюзите за време глаголът се поставя в сегашно време.

B4 ЗНАМЕНА И ХИМНИ(Banners And Anthems)

■ ЗНАМЕТО НА ОБЕДИНЕНОТО КРАЛСТВО (UNION JACK)

От вътрешната страна на корицата на вашия учебник е изобразено знамето на Обединеното кралство, **Union Jack.**

От 1603 до 1801 г. знамето на Обединеното кралство съдържало червения кръст на Свети Георги **(Saint-George)** на Англия и белия диагонален кръст върху син фон на Свети Андрей **(Saint-Andrew)** на Шотландия. Думата **jack** е с морски произход и означава *флага,* който украсява носа (**bow**) на боен кораб. Червеният диагонален кръст на Свети Патрик (**Saint-Patrick**), покровител на Ирландия, бил включен през 1801 г., когато Ирландия се присъединила към Великобритания.

■ *Бог да пази кралицата!* **God save the Queen!**

Написан през 1744 г., той е не само *национален химн (***national anthem***)* на Обединеното кралство (Великобритания и Северна Ирландия), но също и на известен брой страни от Британската общност, **Commonwealth** (сред които Австралия, Канада, Нова Зеландия).

Във Великобритания националният химн се пуска в края на радио- и телевизионните програми, както и в началото на по-голяма част от международните спортни състезания.

■ АМЕРИКАНСКОТО ЗНАМЕ

Първата версия на американското знаме съдържала 13 *червени и бели* ленти (**stripes** [straips]), представляващи 13-те първоначални колонии, с британския флаг (**Union Jack**) горе вляво.

На 14 юни 1777 г. било утвърдено американското знаме; британският флаг (**Union Jack**) бил заменен с 13 *звезди* (**stars**), представляващи 13-те щата на Съюза, които понастоящем са 50.

■ Американският национален химн

The Star-Spangled Banner, *Флагът, осеян със звезди,* бил композиран през 1814 г. от американския адвокат *Франсис Скот Кей* (1779–1843) по време на американско-английската война от 1812–1814 г. Възприет от американската армия и флота, **The Star-Spangled Banner** станал *национален химн* през 1913 г. след решение на Конгреса.

35 Диалози и практични съвети

Г1 AT THE POST OFFICE

Burt: Excuse me, Madam, is there a Post Office near here, please?
Lady: Yes, there's one right at the end of the street.
Burt: Thank you.
Lady: Not at all.
IN THE POST OFFICE.
Burt: I want to buy some stamps, please, and to send a parcel.
Clerk: Go to window number four, sir.
Burt: Thanks.
Clerk: You're welcome.
Burt: I want to send a letter to the United States and this parcel to Italy, please.
Clerk: Certainly, sir. Forty pence for the letter and two pounds for the parcel.
Burt: Thank you very much.
Clerk: My pleasure.

Г2 ПРАКТИЧНИ СЪВЕТИ: В ПОЩАТА

указател	**directory** [direktəri]
разговор за Ваша сметка **P. C. V.**	**reverse charge call** [rivə:s tʃa:dʒ ko:l] **collect call** (ам.) [kəlekt ko:l]
пощенски код	**postal code** (брит.) [poustəl koud] **zip code** (ам.) (**zone of improved postage**)
плик	**envelope** [enviloup]
формуляр	**form** [fo:m]
препоръчано писмо	**registered letter** [redʒistə:d letə]
събиране на пощата	**collection, pick-up** [kəlekʃən]
№ за безплатно обаждане	**toll free number** [to:l fri: nʌmbə]
писма до поискване	**poste restante** (брит.) **general delivery** (ам.) [dʒenərəl dilivəri]
цена (на съобщението)	**charge** [tʃa:dʒ]

Г3 В ПОЩАТА

Бърт: Извинете, госпожо, тук наблизо има ли поща?
Дама: Да, има една точно в края на улицата.
Бърт: Благодаря.
Дама: Няма защо.

В ПОЩАТА

Бърт: Искам да купя марки и да изпратя колет, моля.
Чиновник: Идете на гише №4, господине.
Бърт: Благодаря.
Чиновник: Няма защо.
Бърт: Искам да изпратя едно писмо в САЩ и този колет в Италия, моля.
Чиновник: Разбира се, господине. 40 пенса за писмото и две лири за колета.
Бърт: Много ви благодаря.
Чиновник: Моля.

Г4 ПРАКТИЧНИ СЪВЕТИ

АМЕРИКАНСКА СИСТЕМА ЗА СПЕЛУВАНЕ НА СОБСТВЕНО ИМЕ ПРИ МЕЖДУНАРОДЕН РАЗГОВОР (виж също стр. 148)

A	Alpha	G	Golf	N	November	T	Tango	Z	Zulu
B	Bravo	H	Hotel	O	Oscar	U	Uniform		
C	Charlie	J	Juliet	P	Papa	V	Victor		
D	Delta	K	Kilo	Q	Quebec	W	Whisky		
E	Echo	L	Lima	R	Romeo	X	Xray		
F	Foxtrot	M	Mike	S	Sierra	Y	Yankee		

КАКВО ВАЖНО ЗА АНГЛИЧАНИТЕ СЪБИТИЕ СЕ Е СЛУЧИЛО ПРЕЗ 1066 Г.

⇨ *ОТГОВОР НА СТР. 25 И 33*

36 I'll make them study it

A1 ПРЕДСТАВЯНЕ

■ Известен брой често употребявани английски глаголи биват следвани от друг глагол в инфинитив без **to**. Това са:
• спомагателните глаголи **shall, should, will, would;**
• модалните глаголи **can, may, must;**
• глаголът **to let:**
– било защото той помага за образуване на повелително наклонение (сравни Урок 19) **let us begin**, *да започнем;*
– било защото има смисъл на *оставям, позволявам:*
please, let me do it, *оставете ме да го направя, ако обичате;*
• **to make**, *карам* някого да;
• **to have**, в смисъл на *правя;*
• изразите **I had better**, *по-добре да,* както и
I had rather или **I would rather**, *предпочитам, бих предпочел,* са също следвани от глагол в инфинитив без **to**.

to introduce	[intrədju:s]	*представям някого*
to post	[poust]	*изпращам по пощата*
to warn	[wɔ:n]	*предупреждавам*
to write*	[rait]	*пиша*
a couple of	[ə kʌpəl əv]	*няколко, два*

* Виж неправилни глаголи на стр. 368–370.

A2 ПРИЛОЖЕНИЕ

1. **Let me do it for you!**
2. **Why didn't he let us help him?**
3. **Let me introduce my brother to you.**
4. **I'll make them study it.**
5. **She'll make him understand.**
6. **It will make you feel better.**
7. **I'll have him write a report.**
8. **We'll have George post it for you.**
9. **I won't have him say it again.**
10. **We'd better hurry.**
11. **You'd better warn him.**
12. **I'd rather stay (there) a couple of days more.**

A3 ЗАБЕЛЕЖКИ (ВЪРХУ ИЗРЕЧЕНИЯ A2)

■ 4. 5. 6. 7. 8. **To make** + инфинитив без **to** означава едно по-директно действие; една по-лична намеса, отколкото **to have** + инфинитив без **to**, който често има смисъл на *правя така, че.*
■ 8. Можем също да кажем: **We'll have it posted by George.**
■ 9. **I won't have** тук означава: *аз не ще търпя, аз не ще оставя.* Сравнете **I won't have it said that...** *Не ще оставя да кажат, че; не искам да казват, че...* (букв. *Не ще оставя това да бъде казано, че...*).
■ 10. **We'd better** е съкратено от **we had better**.
■ 11. **To warn**, *предупреждавам за опасност, предпазвам.* За *предупреждавам* в смисъл на *съобщавам* се използва **to inform, to let know**.

Съобщете ми чрез обратно писмо.
Please, let me know by return of mail.

■ 12. Обърнете внимание, че **there** тук играе ролята на постпозитивен елемент, който се поставя след глагола и посочва резултата от действието, докато глаголът посочва начина, по който действието се извършва; дори бихме казали:

She'd rather walk there. *Тя би предпочела да отиде там пеша.*

12. **I'd rather**, получено в резултат от сливането на **I had rather** или **I would rather**.
Внимание: *много бих искал да* + подлог + сказуемо в подчинително наклонение на английски език дава: **I'd rather** + подлог + глагол в минало свършено време.

Много бих искала той да дойде. **I'd rather he came.**

A4 ПРЕВОД

1. Оставете аз да го направя вместо вас!
2. Защо той не ни остави да му помогнем?
3. Разрешете ми да ви представя моя брат.
4. Ще ги накарам да го научат.
5. Тя ще го накара да разбере.
6. Това ще ви накара да се почувствате по-добре.
7. Ще го накарам да напише доклад.
8. Ще накараме Джордж да го пусне вместо вас.
9. Не ще го оставя да повтаря (не ще търпя той да го повтаря).
10. По-добре да побързаме.
11. По-добре да го предупредите.
12. Бих предпочела да остана (там) два дни повече.

36 Help me do it

Б1 ПРЕДСТАВЯНЕ

• **to need**, *имам нужда от*, в отрицателни изрази този глагол често е непълен:

he needn't do it, *няма нужда да го прави*

• По същия начин **to dare**, *осмелявам се*, се превръща в модалния глагол **dare** в отрицателните изрази и в израза

I dare say... *Осмелявам се да кажа...*

• В такива случаи тези глаголи представят другите характеристики на неправилните глаголи: отрицателната форма, получена чрез прибавяне на **not**, няма **s** в трето лице, ед.ч.

• **to help** в съвременния разговорен език често е следван от инфинитив без **to** (но той самият не се „държи" като модален глагол).

• „Глаголите за възприятие" **to see**, **to hear** могат да бъдат последвани било от инфинитив без **to**, било от формата на **-ing** (в този случай, за да се наблегне върху момента, в който се развива действието).

■ *защо* + инфинитив = **why** +инфинитив без **to**

to fall* (fell, fallen)		*падам*
to fight	[fait]	*боря се, бия се*
to postpone	[poustpoun]	*отлагам, забавям*
to steal*	[sti:l]	*крада*
measure	[meʒə]	*мярка*
actually	[æktjuəli]	*в действителност*
so		*така*

Б2 ПРИЛОЖЕНИЕ

1. **He needn't phone today.**
2. **She needn't worry.**
3. **I dare not ask him.**
4. **I dare say you are right.**
5. **Please, help me do it!**
6. **We didn't actually see him steal it.**
7. **Bob saw him fall.**
8. **They heard him walk away.**
9. **I heard him say so.**
10. **Why take the train?**
11. **Why not postpone the meeting?**

Б3 ЗАБЕЛЕЖКИ (ВЪРХУ ИЗРЕЧЕНИЯ Б2)

■ 3. **To dare** означава също *предизвиквам,* когато е употребен в този смисъл, той е последван винаги от инфинитив с **to** и няма поведение на модален глагол.

He dared me to do it: he challenged me to do it.
Той ме предизвика да го направя.

■ 5. Можем, разбира се, да кажем също: **help me to do it.**

■ 6. Внимавайте с **actually**, което означава *в действителност, наистина;* но и *сега, понастоящем.*

• *понастоящем* е **currently**, **at present**, **now**
• внимавайте също с **presently**: *скоро* на британски английски и *понастоящем* на американски английски.

■ 6. Конструкцията на **to steal**, **stole**, **stolen**: *крада.*

To steal something from somebody.

■ 8. **To walk away**, *отдалечавам се.* Обърнете внимание, че наречието **away**, което в случая се явява постпозитивен елемент, т.е. стои след глагола, придава главната идея на действието (отдалечаването), докато глаголът показва начина, по който се извършва действието (ходейки). По същия начин:

he ran away, *той се отдалечи* (като тичаше)
she drove away, *тя се отдалечи* (с кола)

■ 9. Обърнете внимание на употребата на **so.** По същия начин:

Do you think so? *Така ли мислиш?*
I think so. *Така мисля (да).*

Б4 ПРЕВОД

1. Няма нужда той да телефонира днес.
2. Не е нужно тя да се безпокои.
3. Не се осмелявам да го попитам.
4. Мисля, че вие имате право.
5. Моля ви, помогнете ми да го направя!
6. Ние в действителност не го видяхме да го открадва.
7. Боб го видя да пада.
8. Те го чуха да се отдалечава (вървешком).
9. Чух го да казва така.
10. Защо да хващаме влака?
11. Защо да не отложим събранието?

36 Упражнения

В1 УПРАЖНЕНИЯ

А. Преведете на английски език:

1. Позволете ми да ви кажа нещо.
2. Сигурен ли сте, че тя ще го накара да разбере?
3. Ще накарам Боб да им телефонира.
4. По-добре да отложим събранието.
5. Предпочитам да направя резервация за 8-и.
6. Хайде! (Да тръгваме!)

Б. Заместете следните конструкции с изрази, в които има инфинитив без to (и които леко ще променят смисъла):

1. He doesn't need to phone today.
2. They obliged me to do it.
3. I'll have it sent by George.

В. Преведете на български език:

1. I warned him that I wouldn't have him repeat it.
2. Several people actually saw them run away.
3. I'd rather have the meeting postponed.
4. I've had several books stolen from me.
5. Did anybody see him fall?

В2 ОТГОВОРИ

А. 1. Let me tell you something.
2. Are you sure she'll make him understand?
3. I'll have Bob telephone them.
4. We'd better postpone the meeting.
5. I'd rather book for the 8th.
6. Let's go!

Б. 1. He needn't phone today.
2. They made me do it.
3. I'll have George send it.

В. 1. Предупредих го, че не ще търпя той да го повтаря.
2. В действителност няколко човека са ги видели да бягат.
3. Бих предпочел да отложа събранието.
4. Откраднаха ми няколко книги.
5. Някой видял ли го е да пада?

B3 АНГЛОСАКСОНСКАТА МУЗИКА (Music)

■ Jazz – Rock and Roll – Rhythm and Blues – Rap

Казват, че джазът бил най-големият принос на САЩ в културата на XX век.

Зародил се вследствие връзката между африканската традиция, съхранена от черните роби в южната част на САЩ, и бялото музикално обкръжение, джазът се появява в Луизиана в началото на века. От Ню Орлиънс той достига до Чикаго, Ню Йорк, обхваща целите Съединени щати и Европа. През 50-те години на XX век завладява света и успява да превъзмогне презрението и сдържаността, които често са придружавали неговото зараждане. Той черпи корените си от **blues**, тъжните песни на черните работници и пътуващи музиканти, от **gospel**, религиозните химни, които пеят чернокожите, и от **ragtime** – по-структурирана и силно синкопирана музикална форма.

Неговите основни съставки са колективната и индивидуална импровизация и **swing**, подчертаният ритъм, който трудно се определя, но лесно се усеща.

Различните стилове в джаза: **New Orleans**, **Middle-Jazz** или **Mainstream**, **Be Bop** и **Modern Jazz**, са дали многобройни шедьоври и са направили известни гениални творци като **Louis Armstrong**, **Duke Ellington**, **Charlie Parker**, **Miles Davis**, **John Coltrane**.

Ако вокалното изкуство на певците и певиците на джаз (**Louis Armstrong**, **Bessie Smith**, **Billie Holiday**, **Ella Fitzgerald**) е оказало влияние върху френския шансон, то най-вече потомците на джаза, **Rock and Roll** и **Rhythm and Blues**, са тези, които от 50-те години насам завладяват младежите от цял свят. Певци като **Elvis Presley**, английски групи като **Beatles** и **Rolling Stones** направиха истинска революция в музикалните вкусове.

Днес тази музика е завладяла цялата планета, подпомагана от преимуществото на английския като международен език (и от ритмичния му характер), но също и от способността на това течение с англосаксонски произход да включи други музикални традиции, да се развие технически и технологично и да се приспособи към социалните среди. Днес успехът на рапа е илюстрация за това.

Г1 MUSIC

Sally: **This last number is very hard to play. It's actually more difficult on the piano then on the guitar. Sam will never be ready[1] for the show. I can't make him understand that he has a problem with the rhythm[2].**
Jill: **You needn't worry, as the show is going to be postponed.**
Sally: **How do you know?**
Jill: **George told me he heard Bill say so. It makes me feel better, too. I still need to work on that song. I could do with a couple of weeks more.**
Sally: **I can't believe it. Why didn't he let us know? We'd better make sure. Why not phone Bill and ask him?**
Jill: **Let's call him now.**

1. **ready,** *готов, -а*
2. **rhythm** [riðəm] *ритъм*

Г2 ПРАКТИЧНИ СЪВЕТИ

На английски език музикалните ноти се обозначават с букви:

A [ei]	B [bi:]	C [si:]	D [di:]	E [i:]	F [ef]	G [dʒi]
ла	си	до	ре	ми	фа	сол

бемол	**flat**
диез	**sharp**
оркестър	**an orchestra** (класическа музика); **a band**
песен	**a song**
пея	**to sing, sang, sung**
парче	**a number, a tune**

Внимание

свиря на пиано **to play the piano**
свиря на китара **to play the guitar**
Мога да свиря на пиано. **I can play the piano.**

Внимавайте в правописа на думата **rhythm** [riðəm] *ритъм.*

Г3 МУЗИКА

Сали: Този последен пасаж е много труден за изпълнение. Да си кажем право, той е по-труден за изпълнение на пиано, отколкото на китара. Сам никога не ще бъде готов за спектакъла. Не мога да го накарам да разбере, че той има проблеми с ритъма.
Джил: Няма нужда да се безпокоиш (да се притесняваш), тъй като спектакълът ще бъде отложен.
Сам: Как го узна?
Джил: Джордж ми каза, че чул Бил да го казва. Аз също се чувствам по-добре. Имам нужда от още време, за да работя върху тази песен. Две седмици в повече биха ми дошли добре.
Сали: Не мога да повярвам. Той защо не ни предупреди? По-добре да се уверим. Защо не се обадим на Бил и да го попитаме?
Джим: Да му се обадим веднага.

Г4 ПРАКТИЧНИ СЪВЕТИ

МУЗИКАЛНИ ИНСТРУМЕНТИ (Musical Instruments)

акордеон	**accordion**	*обикновено пиано*	**upright piano**
ударни инстр.	**drums**	*роял*	**grand piano**
тръба	**bugle**	*малък роял*	**semi–grand**
кларнет	**clarinet**	*саксофон*	**saxophone**
клавесин	**harpsichord**	*бас*	**sousaphone**
контрабас	**bass**	*барабан*	**drum**
рог	**horn**	*тромбон*	**trombone**
китара	**guitar**	*туба*	**tuba**
арфа	**harp**	*цигулка*	**violin, fiddle**
обой	**oboe**	*виолончело*	**cello**
пиано	**piano**	*ксилофон*	**xylophone**

ОТКЪДЕ ИДВА ИМЕТО НА ГРАД ЛОНДОН?

⇨ *ОТГОВОР НА СТР. 89*

37 It always makes me laugh

A1 ПРЕДСТАВЯНЕ

■ Освен **to make** и **to have,** за да преведем *карам да* + глагол, обърнете внимание на употребата на:

- **to get:**
  to get somebody to do something
  карам някого да направи нещо
- **to cause:**
  to cause something to happen
  карам нещо да се случи; карам нещо да стане
  to cause somebody to do something
  карам някого да направи нещо
- запомнете също често употребяваните изрази:
  карам някого да дойде **to send for somebody**
  карам някого да чака **to keep somebody waiting**

to laugh	[la:f]	*смея се*	**mind**	[maind]	*ум, дух*
to deliver	[dilivə]	*доставям*	**delay**	[dilei]	*закъснение*
to fail	[feil]	*провалям се*	**campaign**	[kæmpein]	*кампания (рекламна)*
to advise	[ədvaiz]	*съветвам*	**return**	[ritə:n]	*завръщане*
to catch*		*хващам*	**mail**	[meil]	*поща*
eventually	[iventjuəli]	*в крайна сметка*			

A2 ПРИЛОЖЕНИЕ

1. **It always makes me laugh.**
2. **That'll make him change his mind.**
3. **What makes you think so?**
4. **I'll have John do it. He'll enjoy it.**
5. **I'll have him deliver it to your hotel.**
6. **I'll make him do it whether he likes it or not.**
7. **We'll get her to find one for you.**
8. **The delay caused the campaign to fail.**
9. **Please let us know your address by return of mail.**
10. **I would advise you to send for a doctor.**
11. **I'm sorry I kept you waiting.**
12. **He eventually got caught.**

37 Това винаги ме кара да се смея

A3 ЗАБЕЛЕЖКИ (ВЪРХУ ИЗРЕЧЕНИЯ A2)

■ 2. **To change one's mind,** *променям мнението си.*
To make up one's mind, to make one's mind up: *решавам се*
■ 3. Обърнете внимание, че **what** тук е подлог.
■ 4. **To enjoy something,** *изпитвам удоволствие от нещо, обичам;* например: **Did you enjoy the film?** *Филмът хареса ли ви?*
■ 5. **To deliver,** *доставям; доставка* **delivery**.
■ 6. **To make**, *карам някого да направи нещо* (чрез принуда), *принуждавам да.*
■ 7. **To get somebody to do something,** *карам някого* (чрез убеждение) *да направи нещо* и т.н.
■ 8. Внимание с **delay**, което означава *закъснение, отлагане*
without (further) delay, *незабавно, веднага*
• **deadline** [dedlain], *краен срок (последен срок)*
■ 8. **To fail,** *пропадам, не успявам; провал,* **failure** [feilə]
■ 10. **To send for somebody**, *изпращам да доведат някого*
Отивам да търся (някой, нещо), **to go and fetch.**
■ 12. **Eventually** може също да означава *евентуално,* но в повечето случаи има смисъл на *в крайна сметка.*

A4 ПРЕВОД

1. Това винаги ме разсмива.
2. Това ще го накара да промени мнението си.
3. Какво ви кара да мислите така?
4. Ще накарам Джон да го направи, това ще му достави удоволствие.
5. Ще го накарам да го достави във вашия хотел.
6. Ще го накарам да го направи, без значение дали това му харесва или не.
7. Ще я накараме да намери една такава и за вас.
8. Закъснението провали рекламната кампания.
9. Съобщете ни вашия адрес чрез обратна поща.
10. Ще ви посъветвам да изпратите някого за лекар.
11. Съжалявам, че ви накарах да чакате.
12. В крайна сметка го заловиха.

37 Have you had it checked?

Б1 ПРЕДСТАВЯНЕ

• Когато караме (възлагаме) някого да направи нещо, най-вече в сферата на битовите услуги, се използва конструкцията:

to have + съществително или местоимение + минало причастие на пълнозначния глагол

Например: **to have one's car repaired,** *поправят ми колата* (вършат ми тази услуга срещу заплащане)

■ Произношение:
Глаголите, състоящи се от 3 срички и завършващи на **-ate**, получават ударението на 1-ва и на 3-та сричка: **to decorate, to demonstrate, to penetrate, to estimate** и т.н.

to decorate	[dekəreit]	*украсявам*
to alter	[ɔ:ltə]	*променям*
to serve	[sə:v]	*служа*
suit	[sju:t]	*костюм*
specialist	[speʃəlist]	*специалист*

Б2 ПРИЛОЖЕНИЕ

1. **I've had a new suit made.**
2. **I must have my car repaired.**
3. **Can you have it done for tomorrow?**
4. **I'll have it sent to you in the morning.**
5. **They want to have a new house built.**
6. **They have had their flat decorated by a specialist.**
7. **You can have it delivered to your hotel.**
8. **You can have it altered, you know.**
9. **Have you had it checked?**
10. **Can't you have the date changed?**
11. **I'd like to have my beer served with the steak.**
12. **I must have my hair cut.**

Б3 ЗАБЕЛЕЖКИ (ВЪРХУ ИЗРЕЧЕНИЯ Б2)

■ 1. 3. **To make** означава:
• *правя* в смисъл на *изработвам, произвеждам*
• *правя* в смисъл на *извършвам някакво действие, карам някого да направи нещо*
• **To do** означава *правя* в смисъл на *извършвам някакво действие* (сравни с А2, 6):
I'll make him do it.
Ще го накарам да го направи.
• Тук в **Can you have it done for tomorrow? to do** внушава освен това факта за завършване на действието.
■ 4. Сравнете с **I'll have somebody send it to you.**
■ 10. Внимавайте добре да произнесете **to change** [tʃeindʒ] със същия звук като в **danger** [deindʒə], *опасност,* **range** [reindʒ], *обхват, редица.*
■ 11. По-разумно е в английски ресторант да уточните, че искате напитката ви да бъде сервирана заедно с ястията.
■ 12. **Hair** – събирателно съществително име в единствено число.
Her hair is black. *Нейните коси са черни.*
В множествено число има смисъл на *косми* (**hairs**).
■ 12. Обърнете внимание, че в английския език, за да се изрази безличното *трябва,* се използват **must** или **to have to** (сравни с Урок 18).
Трябва да тръгнем. **We must leave, we have to leave.**

Б4 ПРЕВОД

1. Уших си нов костюм.
2. Трябва да дам колата на ремонт.
3. Може ли да ви го направят за утре?
4. Ще накарам да ви го изпратят сутринта.
5. Те искат да си построят нова къща.
6. Те си обзаведоха апартамента с помощта на специалист.
7. Може (да накарате) да ви го доставят във вашия хотел.
8. Да знаете, че може да ви го променят.
9. Накарахте ли да го проверят?
10. Не може ли да ви променят датата?
11. Бих искал да ми сервират бирата с пържолата.
12. Трябва да се подстрижа.

37 Упражнения

B1 УПРАЖНЕНИЯ

A. Заместете активния израз с пасивен:
например: **I'll have him send it to you/I'll have it sent to you (by him).**

1. I'll have him repair it.
2. We'll have them change it.
3. I'll have John deliver it tomorrow.
4. We'll have him write it for you.
5. I'll have him pay for it.

Б. Преведете:

1. Накарахме да обзаведат апартамента ни.
2. Те ме посъветваха да извикам лекар.
3. Надявам се, че не съм ви накарала да чакате.
4. Той ще накара да ви доставят костюма във вашия хотел.
5. Какво ви кара да мислите, че той ще се провали?

B2 ОТГОВОРИ

A. 1. I'll have it repaired (by him).
2. We'll have it changed.
3. I'll have it delivered by John tomorrow.
4. We'll have it written for you.
5. I'll have it paid for.

Б. 1.We've had our flat decorated.
2. They advised me to send for a doctor.
3. I hope I haven't kept you waiting.
4. He'll have the suit delivered to your hotel.
5. What makes you think he will fail?

B3 ДА СИ ПРИПОМНИМ ИЗРАЗИТЕ:

притеснявам се	**to worry**
спестявам	**to save (money)**
причинявам си болка	**to hurt oneself**
оперирам се	**to undergo surgery /to be operated on/ to have an operation**
изкарвам (много) пари	**to make (a lot of) money**
преструвам се на глупак	**to play the fool**
карам със 100 км в час	**to do seventy miles** [mailz] **an hour**
правя грешка	**to be mistaken**
разрешам да ме изпреварят	**to be overtaken**

B4 HABEAS CORPUS

• Този латински израз, който означава *„ти трябва да имаш тялото“*, обяснява един принцип от английското право, според който заподозреният трябва бързо да бъде изправен пред съдия или съд, заседаващ публично.

• И така, един гражданин не може да бъде задържан в ареста или държан в затвора повече от един определен период, без съдебна инстанция да се е произнесла по делото. Когато изтече този период, трябва да се постанови освобождаване под гаранция.

• Точното значение на **habeas corpus** загатва за един текст, гласуван през 1679 г. от американския парламент. В широк смисъл той се прилага към забраната за своеволни арестувания и задържания и символизира защитата на индивидуалните права и свободи на гражданите.

• Американската конституция поправя тези елементи в своя основен закон, по-точно в **Bill of Rights**, съставен от десетте първи поправки в нея, прилагани от 1791 г. насам и предназначени да защитят гражданите от нарушаването на тези права от държавата.

• В същия дух действа и **Miranda Ruling**, решение на Върховния съд на САЩ (1966 г.), което постановява, че полицията трябва ясно да уведоми задържаните, преди да ги разпита, че те имат правото да мълчат, че всичко, което кажат, може да бъде използвано против тях, че имат правото да се посъветват с адвокат и в случай че не могат да си го позволят, ще им бъде назначен служебен защитник.

• Всеки отговор на въпроси, даден от задържания, на когото тези сведения не са били съобщени (казани или прочетени), не би трябвало да бъде използван срещу него.

Г1 CAR REPAIRS

Liz: **The car's making a funny noise. If I were you, I'd take it to a garage to have it checked before we have the same problems as last year...**

At the garage

Kate: **Can you have it repaired[1] today?**
Repairman: **I can't promise anything until we know what is wrong with it. I'll have a mechanic look at it this afternoon.**
Liz: **Can you have it done for tomorrow?**
Repairman: **If it's not too bad and if we are not too busy...**
Kate: **It can't be very bad. I had the car repaired last week...**
Repairman: **How many miles have you driven since then?**
Kate: **Almost 1,000 (one thousand).**
Repairman: **That's enough for anything to happen. Call me tonight around 6. I'll tell you if it can be done tomorrow.**

1. Виж на стр. 308 *карам някого да направи нещо.*

Г2 ПРАКТИЧНИ СЪВЕТИ. CARS, КОЛИ

алтернатор (генератор за променлив ток)	**alternator**
амортисьор	**shock absorber**
електрическа крушка	**bulb**
скоростна кутия	**gear box**
свещ	**spark plug**
регулирам	**to stall**
капак на двигателя	**bonnet** (брит. англ.), **hood** (ам.)
карбуратор	**carburetter** (брит.), **carburator** (ам.)
теч, изтичане	**leak**
манивела	**crank**
повреда	**breakdown**
предно стъкло	**windshield** (ам.), **windscreen** (брит.)
броня	**bumper**
фар	**headlight**
регистрационна табелка	**licence plate** (брит.) **number plate** (ам.)
пълен резервоар	**full tank**

Г3 ПОПРАВКА НА АВТОМОБИЛИ

Лиз: Колата издава странен шум. На твое място бих я закарала в сервиза, за да я проверят, преди да имаме същите проблеми, както миналата година...

В сервиза

Кейт: Можете ли да я поправите днес?
Собственикът на сервиза: Не обещавам нищо, преди да разбера какво не е в ред. Ще помоля автомонтьора да я види днес следобед.
Лиз: Можете ли да я поправите за утре?
Собственикът на сервиза: Ако не е много сериозно и ако не сме много претрупани с работа.
Кейт: Не може да е нещо сериозно. Колата ми беше ремонтирана миналата седмица.
Собственикът на сервиза: И колко километра сте изминали оттогава?
Кейт: Почти 1000.
Собственикът на сервиза: Достатъчно е, за да стане нещо. Обадете ми се към шест часа вечерта. Ще ви кажа дали колата може да бъде поправена за утре.

Г4 ПРАКТИЧНИ СЪВЕТИ. CARS, КОЛИ

картер	**crankcase**	*ауспух*	**exhaust pipe**
контактен ключ	**ignition key**	*радиатор*	**radiator**
биела	**a rod**	*тегля, влача*	**(to) tow**
ремък	**fan belt**	*резервоар*	**tank**
спукване	**puncture**	*огледало за обратно виждане*	**rear-view mirror**
крик	**jack**	*резервно колело*	**spare tyre**
съединител	**clutch**	*вентилатор*	**fan**
спирачка	**brake**	*волан*	**steering wheel**

КОЕ НАРИЧАМЕ **DOCKLAND**?

⇨ *ОТГОВОР НА СТР. 90*

38 I'm not late, am I?

A1 ПРЕДСТАВЯНЕ

■ На български език въпросът понякога е последван от *нали* в търсене на одобрение, потвърждение или просто автоматично.
• На английски език „нали“ се образува, като се повторят спомагателният глагол и подлогът. Например:

He won't come, will he? *Той няма да дойде, нали?*

Когато първоначалното изречение е отрицателно, спомагателният глагол се повтаря в положителната си форма (в същото време) и е последван от личното местоимение подлог. Ако подлогът на изречението е съществително име, то е повторено чрез съответното местоимение.

Your friends won't come, will they?
Вашите приятели не ще дойдат, нали?

Изключително често употребявани, тези изрази, наречени **„questions tags“**, представляват истински автоматизми.

to resign	[rizain]	*подавам си оставката*
ticket	[tikit]	*билет*
boss		*шеф*
glass (мн.ч. **glasses**)	[gla:siz]	*стъкло; очила*
road	[roud]	*път*
slippery	[slipəri]	*хлъзгав; опасен*

A2 ПРИЛОЖЕНИЕ

1. It's not very warm, is it?
2. I'm not late, am I?
3. He is not complaining, is he?
4. You don't know her, do you?
5. He can't refuse, can he?
6. You haven't got the tickets, have you?
7. She hasn't lost it, has she?
8. You didn't resign, did you?
9. They won't come now, will they?
10. He wouldn't do it, would he?
11. The boss didn't dismiss them, did he?
12. The glass wasn't empty, was it?
13. The roads weren't too slippery, were they?
14. Linda won't marry him, will she?

38 Не съм закъснял, нали?

А3 ЗАБЕЛЕЖКИ

■ 1. Направете добре разликата между **warm**, което се отнася за приятна температура, и **hot**, което обозначава една по-висока температура. Например **hot water tap**, *кранче за топла вода.*
■ 3. *Оплаквам се от нещо,* **to complain about something**.
a complaint, *оплакване, жалба.*
■ 8. **to resign**, *подавам оставка;* **resignation**, *оставка*
■ 11. **boss**, фамилиарен синоним на **manager**, *директор*
■ 11. **to dismiss**, *изпъждам, уволнявам;* по-фамилиарно се казва **to fire** (ам.) или **to sack** (британски английски); **dismissal**, *уволняване*
■ 14. *женя се,* **to get married**.

сватба	**marriage**; (церемония) **wedding**
младоженка	**the bride**, *младоженец* **the bridegroom**
шафер	**the best man**
шаферка	**the bridesmaid**
вдовица	**a widow**, *вдовец,* **a widower**
сирак	**an orphan**
развеждам се	**to divorce**, *получавам развод,* **to get a divorce**

А4 ПРЕВОД

1. Не е много топло, нали?
2. Не съм закъснял, нали?
3. Той не се оплаква, нали?
4. Вие не я познавате, нали?
5. Той не може да откаже, нали? (предполагам)
6. Вие нямате билети, нали? (случайно)
7. Тя не го е изгубила, нали? (поне)
8. Вие не сте си подали оставката, нали? (надявам се)
9. Сега те вече няма да дойдат, нали? (имам чувството, че)
10. Той не би го направил, нали?
11. Шефът не ги е уволнил, нали?
12. Чашата не беше празна, нали?
13. Пътищата не бяха много хлъзгави, нали?
14. Линда няма да се омъжи за него, нали?

38 Today is Tuesday, isn't?

Б1 ПРЕДСТАВЯНЕ

■ За да изразим на английски език българското *нали,* използваме спомагателния глагол и личното местоимение-подлог (сравни Урок 38, А1).

• Ако спомагателният глагол е в положителна форма в първоначалното изречение, то той се повтаря пак, но в отрицателна форма.

You have met her, haven't you?
Срещал си се с нея, нали?

• Ако първоначалното изречение съдържа глагол във време, за чието образуване не се изисква спомагателен глагол (например сегашно време, минало свършено време), то в този случай използваме спомагателния глагол **to do** в изискваното време и лице.

You know her, don't you?
Вие я познавате, нали?
He retired last year, didn't he?
Той се пенсионира миналата година, нали?

to investigate	[investigeit]	*проучвам, разследвам*
to retire	[ritaiə]	*пенсионирам се*
strike	[straik]	*стачка*
union	[ju:niən]	*профсъюз, синдикат*
police	[pəlis]	*полиция*
fluently	[fluəntli]	*свободно, гладко*
toy	[tɔi]	*играчка*
horse	[ho:s]	*кон*

Б2 ПРИЛОЖЕНИЕ

1. **Today is Tuesday, isn't it?**
2. **They are on strike, aren't they?**
3. **She can do it, can't she?**
4. **You have met before, haven't you?**
5. **The unions were against it, weren't they?**
6. **The police will investigate, won't they?**
7. **This toy would be too expensive, wouldn't it?**
8. **You know her, don't you?**
9. **Her daughter speaks French fluently, doesn't she?**
10. **He lives abroad, doesn't he?**
11. **The French horse won the race, didn't it?**
12. **You retired last year, didn't you?**

Б3 ЗАБЕЛЕЖКИ (ВЪРХУ ИЗРЕЧЕНИЯ Б2)

■ 2. **to be on strike**, *стачкувам*
to go on strike, *започвам стачка*

■ 4. Обърнете внимание на употребата на сегашно перфектно време. В действителност **before** не е достатъчно точно (не е дата), за да оправдае употребата на минало време. Но бихме казали: **you met last year**.

■ 5. **union**, *профсъюз* (синдикат). Пълната форма е **trade-union** на британски английски и **labor union** на американски английски.

■ 6. Тъй като *полицията* е съвкупност от хора, тя може да бъде сметнатата за множествено число.

■ 10. Внимание с думата *чужденец:*

чужденец (за една страна)	**a foreigner**
чужда страна	**a foreign country**
чужд език	**a foreign language**
чужденец, странник, непознат	**a stranger**
в чужбина	**abroad**

■ 11. Дори и когато са просто прилагателни, както тук, думите, които означават националност, се пишат с главна буква.
an English car, a Japanese model
английска кола, японски модел

■ 12. *Пенсия* (фактът, че сме в пенсия), **retirement** [ritaiəmənt]; самата пенсия, **pension** [penʃən].

Б4 ПРЕВОД

1. Днес е вторник, нали?
2. Те стачкуват, нали?
3. Тя може да го направи, нали?
4. Вие вече сте се срещали, нали?
5. Профсъюзите бяха против, нали?
6. Полицията ще проведе разследване, нали?
7. Тази играчка би била много скъпа, нали?
8. Вие я познавате, нали?
9. Дъщеря ѝ говори свободно френски, нали?
10. Той живее в чужбина, нали?
11. Френският кон спечели състезанието, нали?
12. Вие се пенсионирахте миналата година, нали?

38 Упражнения

B1 УПРАЖНЕНИЯ

А. Добавете еквивалента на *нали:*

1. It is cold,
2. They will come,
3. She was surprised,
4. He enjoyed it,
5. Bob was late,
6. He would like it,
7. This car is expensive,
8. Her father is rich,
9. He has retired,
10. He knows her,

Б. Преведете на английски език:

1. Тя се омъжи за него преди две години.
2. Той не е бил уволнен, нали?
3. Пътят беше хлъзгав, нали?
4. Те стачкуват от една седмица.
5. Той живее в чужбина, нали?
6. Днес е вторник.

В. Поставете правилно ударението:

1. to complain
2. to refuse
3. to resign
4. to dismiss
5. empty
6. ticket
7. before
8. unions
9. police
10. to investigate
11. expensive
12. abroad
13. to retire

B2 ОТГОВОРИ

А.
1. isn't it?
2. won't they?
3. wasn't she?
4. didn't he?
5. wasn't he?
6. wouldn't he?
7. isn't it?
8. isn't he?
9. hasn't he?
10. doesn't he?

Б.
1. She married him two years ago.
2. He hadn't been dismissed, had he?
3. The road was slippery, wasn't it?
4. They have been on strike for a week.
5. He lives abroad, doesn't he?
6. Today is Tuesday.

В.
1. to compl**ai**n
2. to ref**u**se
3. to res**i**gn
4. to dism**i**ss
5. **e**mpty
6. t**i**cket
7. bef**o**re
8. **u**nions
9. pol**i**ce
10. to inv**e**stigate
11. exp**e**nsive
12. abr**oa**d
13. to ret**i**re

B4 СПОРТЪТ ВЪВ ВЕЛИКОБРИТАНИЯ

Въпреки че думата *спорт* е от френски произход (произхожда от старофренската дума *desport*, „действие да си създаваш движение"), във Великобритания са се зародили многобройни спортни дейности, възприети днес в цял свят.

■ Футболът, или **soccer** [sokə]

• Зародил се в елементарна форма в средновековна Англия и даващ повод за безредици, този спорт е бил първоначално забранен. Възобновен е през XIX в. в **public schools** и в университетите в Оксфорд и Кеймбридж, с начален регламент, който по-късно, през 1863 г. бил окончателно кодифициран от **Football Association** (**F. A.**). През 1872 г. била спечелена първата купа на Асоциацията (**F. A. Cup**), а през 1885 г. заплащането на играчите било узаконено. През 1888 г. била създадена **Football League** от 12 професионални клуба, а през 1930 г. се състояло и първото *Световно първенство* (**World Cup**).

• В наши дни 92 клуба от **Football League** играят мачове всяка събота, смущавани понякога от *хулигани* (**hooligans** – име, произлизащо от **Houlihan,** името на едно необуздано ирландско семейство, живяло в Лондон през XIX в.).

Футболните *финали* (**Cup finals**) [kʌp fainəlz] се провеждат на прочутия стадион **Wembley**.

■ *Ръгби* (**Rugby Football** или **Rugger** [rʌgə])

• Този спорт се зародил през 1823 г., когато младият **William Ellis**, ученик в **Public Schools** по **Rugby**, който спортувал **hurling**, игра на топка с крака (бъдещия футбол), взел топката в ръцете си и се затичал да я занесе в противниковата врата.

• Били установени правила и тази игра била възприета и поощрявана от *доктор Арнолд,* отговорник за **Public Schools**, като подходяща за закаляване на характера на неговите ученици.

• Различаваме *ръгби с 13 играчи* (**Rugby League**), игран най-вече от професионалисти, и *ръгби с 15 играчи* (**Rugby Union**) за аматьори.

• Най-важните *стадиони,* където се провеждат големите мачове, са **Twickenham** (до Лондон), **Murrayfield** в Шотландия и **Cardiff** в Уелс.

(продължава на стр. 328–329)

Г1 B AND B'S[1]

Clerk: **Good morning, can I help you?**
Frank: **Yes, we're looking for a Bed and Breakfast near the sea.**
Clerk: **There is the "Bay" B + B which is very reasonable.**
Frank: **How much is that, please?**
Clerk: **Thirty pounds with the shower and toilet on the same floor.**
Ann: **And with en suite?**
Clerk: **That would be forty pounds.**
Frank: **It's a little expensive.**
Clerk: **I can get you something cheaper but Mrs. Murphy does the best breakfast in the area.**
Ann: **No that's all right. We'll try Mrs. Murphy's breakfast.**

1. [bi: en bi:z] съкращение от **Bed and Breakfast:** във Великобритания настаняване в нещо като семейни пансиони с много по-ниски тарифи, отколкото тези в хотелите.

Г2 ДРУГИ НАЧИНИ НА НАСТАНЯВАНЕ (OTHER ACCOMMODATIONS)

Ако не държите да пребивавате в хотел (**to stay at a hotel**) или в пансион (**Bed and Breakfast**), в повечето англоезични страни съществуват и алтернативни решения (**alternative solutions**). Във Великобритания и Ирландия можете да отседнете в частна квартира, най-вече на село, където има ферми (**farm-houses**), които посрещат гости срещу заплащане (**paying guests**). За това съществуват каталози (**brochures** или **catalogues**, (ам.) **catalogs**), които могат да бъдат открити в туристическите бюра (**tourist offices**).

Г3 ПАНСИОНИ (ЛЕГЛО И ЗАКУСКА)

Чиновник: Добро утро, мога ли да ви помогна с нещо?
Франк: Да, търсим пансион, където да отседнем, близо до морето.
Чиновник: Такъв е „Бей“ (Л + З), където цените са разумни.
Франк: Какви са те (колко струва), моля?
Чиновник: Тридесет лири с душ и тоалетна на етажа.
Ан: А стая с душ и тоалетна?
Чиновник: Тя струва 40 лири.
Франк: Малко е скъпичко.
Чиновник: Мога да ви намеря нещо по-евтино, но госпожа Мърфи прави най-хубавата закуска в областта.
Ан: Не, това е добре. Ще опитаме закуската на госпожа Мърфи.

Г4 ПРАКТИЧНИ СЪВЕТИ

В САЩ *националните паркове* (**National Parks**) предлагат настаняване в *хижи* (**lodge** или **cabin**) с обикновени удобства, но *идеално разположени* (**ideally located**) сред природата.
Все повече се срещат *фургони* (**campers, mobile homes**) *за даване под наем* (**to rent**), както, разбира се, и *каравани* (**caravans**). А и да не забравяме *добрата стара палатка* (**the good old tent**), винаги актуална, стига само да откриете *терен, подходящ за къмпинг* (**campsite**), където да има *място в подходящия момент* (**room at the right time**), за да *я разпънете* (**to pitch it**).

КАКВО Е **COMMUTER**?

⇨ *ОТГОВОР НА СТР. 125*

39 I like swimming

A1 ПРЕДСТАВЯНЕ

■ Формата на **-ing** може да бъде три типа:
1. сегашно причастие: **a smiling boy**, *усмихващо се дете.*
2. продължително време: действието се извършва в момента: **he is waiting**, *той чака.*
3. отглаголно съществително: **Waiting is always unpleasant**. *Чакането е винаги неприятно.*
В последния случай отглаголните съществителни могат също като обикновените съществителни:
- да бъдат подлог или допълнение на сказуемото:
  Swimming is my hobby. *Плуването е любимото ми занимание.*
  I like swimming. *Обичам да плувам* (или *обичам плуването*).
- да бъдат предшествани от притежателно прилагателно:
  I am surprised at your saying so.
  Изненадан съм, че казвате това.
- да следват предлог (всеки глагол, който е след предлог, ще бъде във форма на **-ing**).

to swim*, *плувам*
to appreciate, *оценявам*
to insert, *въвеждам*
surprise [səpraiz], *изненада*
postcard, *пощ. картичка*
unpleasant, *неприятен*
to be used to, *привикнал съм да*
to look forward to, *очаквам с нетърпение*
to press, *натискам, опирам се*
coin [koin], *монета*
button [bʌtən], *копче, бутон*
mile [mail], *миля* (= 1,6 км)

A2 ПРИЛОЖЕНИЕ

1. **Waiting is always unpleasant.**
2. **I like swimming.**
3. **His coming was no surprise.**
4. **I appreciate his offering to help us.**
5. **He makes a little money by selling postcards.**
6. **This is the first thing you must do on arriving.**
7. **Insert the coin before pressing the button.**
8. **How do you feel after driving so many miles?**
9. **I'm not used to working so hard.**
10. **She looks forward to spending her holidays in Greece.**
11. **We are looking forward to seeing you again.**

A3 ЗАБЕЛЕЖКИ (ВЪРХУ ИЗРЕЧЕНИЯ A2)

■ 3. **was no surprise**: е по-силно от **was not a surprise**; смисълът е: *Пристигането му не беше никаква изненада.*
■ 7. **before pressing**: в смисъл *преди да*, **before** е предлог и следователно е последван от форма на **-ing,** когато въвежда глагол.
• Бихме могли също да имаме конструкцията: **before you press the button**, където **before** е съюз (последван на английски език от изявително наклонение).
■ 8. Формата **driving** е достатъчна, **after having driven** би била тежка.
■ 9. 10. **used to working; she looks forward to spending – to** тук е предлог (а не инфинитивна частица) и като такъв е последван от формата на **-ing**.
• За да проверим, че тук **to** е предлог, можем да измислим и други изрази:
She is not used to my car.
Тя не е свикнала с моята кола.
She is not used to this.
Тя не е свикнала с това.
където предлогът **to** въвежда съществително (**car**) или местоимение (**this**).

A4 ПРЕВОД

1. Чакането винаги е неприятно.
2. Обичам да плувам (плуването).
3. Пристигането му не беше никаква изненада.
4. Оценявам неговото предложение да ни помогне (факта, че той ни предлага да).
5. Той печели малко пари, като продава пощенски картички.
6. Това е първото нещо, което трябва да направите, като пристигнете.
7. Поставете монетата, преди да натиснете копчето.
8. Как се чувствате, след като сте карали в продължение на толкова километри?
9. Не съм свикнал да работя толкова усилено.
10. Тя очаква с нетърпение да прекара ваканцията си в Гърция.
11. Очакваме с нетърпение пак да ви видим.

39 Is it worth trying?

Б1 ПРЕДСТАВЯНЕ

• Някои глаголи, когато са последвани от друг глагол, изискват употребата на формата на **-ing**.

Например: **to enjoy** *обичам, изпитвам удоволствие да*
to risk *рискувам*
to avoid *избягвам*
to keep *продължавам, не преставам да*

Същото важи и за някои изрази, а именно:

I don't mind *Нямам нищо против да...*
I can't help *Не мога да не...*
It is worth *Струва си труда да...*
It's no use *Няма смисъл да...*

• Някои глаголи променят смисъла си в зависимост от това дали са последвани от инфинитив или от формата на **-ing** (сравнете А2, 11).

to seil	[seil]	*карам (плавателен съд), плавам*
to disturb	[distə:b]	*безпокоя*
to smoke	[smouk]	*пуша*
to travel		*пътувам*
a while		*(кратко) време, момент*

Б2 ПРИЛОЖЕНИЕ

1. Do you enjoy sailing?
2. We mustn't risk being late.
3. We must avoid disturbing them.
4. He keeps saying he was right.
5. I'm sorry I kept you waiting.
6. He doesn't mind losing.
7. Do you mind my smoking?
8. I couldn't help smiling.
9. Is it worth trying?
10. It's no use phoning now.
11. I remember meeting them last year.
12. Do you like travelling?
13. He stopped smoking a while ago.

39 Струва ли си труда да опитаме?

Б3 ЗАБЕЛЕЖКИ (ВЪРХУ ИЗРЕЧЕНИЯ Б2)

■ 7. В съвременния английски език се допуска също:
Do you mind me smoking?
■ 9. **Worth** се използва често за обозначаване на цена:
It is worth 10 dollars. *Това струва 10 долара.*
■ 11. • В смисъл на *спомням си* (за отминало събитие), **to remember** е последвано от форма на **-ing**
• В смисъл на *спомням си* (да направя нещо за в бъдеще), **to remember** е последвано от **to**:
I must remember to call him tomorrow,
Трябва да се сетя да му телефонирам утре.
■ 12. Но бихме казали: **I would like to travel to Italy.** *Бих искал да отида в Италия,* тъй като се касае за надежда, имаща връзка с бъдещето (и още неосъществена).
■ 13. Но бихме казали: **He stopped to buy cigarettes.** *Той се спря, за да купи цигари.*
■ 13. **while**, *кратко време, момент.*
използвано най-вече в изразите:

for a while,	*за малко, за известно време*
a long while ago,	*преди много време*
for a short while,	*за няколко мига*
a short while ago,	*преди малко, неотдавна*

Б4 ПРЕВОД

1. Обичате ли да карате платноходка (кораб)?
2. Не трябва да поемаме риска да закъснеем.
3. Трябва да избягваме да ги безпокоим.
4. Той непрекъснато повтаря, че имал право.
5. Съжалявам, че ви накарах да чакате.
6. Той няма нищо против да губи.
7. Имате ли нещо против да пуша?
8. Не можах да не се усмихна.
9. Струва ли си да опитаме?
10. Безполезно е да се телефонира сега.
11. Спомням си, че ги срещнах миналата година.
12. Обичате ли да пътувате (пътуванията)?
13. Той престана да пуши неотдавна.

39 Упражнения

B1 УПРАЖНЕНИЯ. ПРЕДЛОЗИ + -ING

A. Попълнете с предлог:
1. He makes money ... selling postcards.
2. This is what you will do ... arriving.
3. She's looking forward ... visiting them.
4. They are not used ... working so hard.
5. I'm looking forward to hearing ... you.
6. I am surprised ... your saying so.

Б. Прибавете еквивалента на *нали* (сравни Урок 38)
1. She likes swimming.
2. They'll be sorry.
3. You don't mind.
4. He's not used to it.
5. We mustn't do it.
6. He couldn't swim.

B2 ОТГОВОРИ

A. 1. by 2. on. 3. to 4. to 5. from 6. at

Б. 1. doesn't she?
2. won't they?
3. do you?
4. is he?
5. must we?
6. could he?

B3 НЯКОЛКО ИЗРАЗА С ПРЕДЛОГ + -ING

- **She is fond *of* riding.** *Тя много обича язденето.*
- **He is keen *on* skiing.** *Той се увлича по ските.*
- **You will be responsible *for* the bookings.**
  Вие ще отговаряте за резервациите.
- **I don't feel *like* going.** *Не ми се ходи там.*
- **The Welsh team looks *like* winning.**
  Изглежда, уелският отбор ще спечели.
- **He was charged *with* stealing.** *Обвиниха го в кражба.*
- **They apologized *for* arriving late,**
  Те се извиниха, че пристигнаха късно.
- **We must prevent him *from* doing it.**
  Ние трябва да му попречим да го направи.
- **They succeeded *in* launching a new model.**
  Те успяха да пуснат нов модел.
- **Forgive me *for* being late.**
  Извинете ме, че закъснях.

B4 СПОРТОВЕТЕ В САЩ

■ Спортовете, както и качествата, които те изискват – смелост, надминаване на собствените възможности, *колективен дух* (**team spirit**) и т.н., както и социално преуспяване – заемат важно място в *американския начин на живот* (**the American way of life**). Освен това телевизията се е заела със задачата да засили тяхното въздействие върху американските младежи. Преобладаващият *професионализъм* (**professionalism**) придобива икономически размери поради финансовия успех, който може да донесе спортната сполука. И така найдобрите играчи на голф, на бейзбол, на баскетбол, на американски футбол са не само богати и прочути, но също и боготворени като истински звезди от спортните площадки и от телевизионния екран. Атлетите също участват в системата, дори и по принцип да си остават аматьори.

■ Най-практикуваните спортове от младите американци в училище са, на първо място, *груповите спортове* (**team games**): **baseball**, **basketball** и **football**.

• Последният, който не трябва да смесваме с европейския *футбол* (**association football** или **soccer**), е американската версия на ръгби. Отбори от 11 играчи с *каски на главите* (**helmets**) и с *ватирани екипи* (**padded jerseys**) се придвижват върху правоъгълен терен с размери около 100 x 50 метра. Те трябва да отбелязват головете, като прекарват топката с овална форма отвъд *головата линия на противника* (**end zone**). Бейзболът, **baseball**, е американската версия на британския крикет. Той се играе с топка и една бухалка върху терен с формата на диамант (**baseball diamond**). По време на *срещата* (**game**) всеки от деветимата *играчи* (**players**) е последователно удрящ и хвърлящ. Трябва да отбележим, че както крикетът се е разпространил по цялата Британска общност, така и бейзболът е станал на практика национален спорт в Куба и Япония.

• Националните шампионати, било по бейзбол или по американски футбол и по баскетбол, се проследяват с интерес от зрителите както на *стадиона* (**stadium**), поемащ десетки хиляди запалянковци, така и по телевизията, която предава директно почти всички мачове.

Г1 SPORTS

Linda: **Nigel, let me introduce you to my cousin Pete, he's from Boston.**
Nigel: **Hi, Pete. Doesn't Boston have a great basketball team?**
Pete: **That's right. But I prefer baseball and football myself.**
Nigel: **Football? You mean soccer?**
Pete: **Football means American football. For soccer we say soccer. What do you play?**
Nigel: **I like watching soccer but I love playing rugby and other traditional sports.**
Linda: **Nigel is a cricketer. You know cricket, Pete, it's a bit like baseball, only more difficult.**

Г2 СПОРТОВЕТЕ ВЪВ ВЕЛИКОБРИТАНИЯ

■ Крикет (**Cricket**)

• По същество британски спорт, той сякаш бива разбиран и практикуван само от британците и от страните на Британската общност. Крикетът е бавен, спокоен и елегантен спорт.

• Два отбора от единадесет играчи, облечени в бяло, атакуват малка врата (**wicket**), висока 71 см и широка 22,5 см, защитавана от един *батсман* (**batsman**), снабден с бухалка, отпраща възможно най-далече топката, която един *противников хвърляч* (**bowler**) изпраща във вратата.

• Точките се печелят, когато вратарят отбива топката много надалече или когато успява да направи едно или повече отивания и връщания между двете врати (**wickets**). Батсманът бива отстранен, ако неговата врата (**wicket**) е съборена от топка или ако топката е уловена от противников играч. Изразът **"That's no cricket!"** означава: *„Това е недопустимо!"*

Г3 СПОРТОВЕТЕ

Линда: Найджъл, бих желала да ти представя моя братовчед Пит, той е от Бостън.
Найджъл: Здравей, Пит. Бостън има много добър баскетболен отбор, нали?
Пит: Точно така. Аз лично предпочитам бейзбола и футбола.
Найджъл: Футбола? Искаш да кажеш сокъра?
Пит: Футбол ще рече американски футбол. А на сокъра ние казваме сокър. А ти какво спортуваш?
Найджъл: Много обичам да гледам сокър, но обожавам да играя ръгби и другите традиционни спортове.
Линда: Найджъл играе крикет. Ти познаваш крикета, Пит; той прилича на бейзбола, но е малко по-труден.

Г4 СПОРТОВЕТЕ ВЪВ ВЕЛИКОБРИТАНИЯ

■ Тенис (**Tennis**)
Това название произлиза от старофренската дума **"tenetz"** (*дръжте*), дума, която биещият сервис казвал на своя противник при удара, с който вкарвал топката в игра.
• Но именно в Англия тенисът се развива в днешната си форма. Отначало игран върху морава (**lawn tennis**) от представителите на заможните класи, този спорт е станал по-популярен при кортове с твърда настилка (**hard courts**).
■ Гребане (**Rowing**)
Големите състезания стават на *Темза* (**the Thames**) и най-известни са *регатата* (**boat race**) между Оксфорд и Кеймбридж (**Oxford Cambridge**) в края на месец март и *Кралската регата „Хенли"* (**Henley Royal Regatta**) през юли.

КАКВО Е ТОВА **GREENBACK**?

⇨ *ОТГОВОР НА СТР. 147*

40 When were you born?

A1 ПРЕДСТАВЯНЕ

• Минало свършено време се използва, за да изрази действие, извършено в даден момент в миналото, което няма връзка с настоящето. Моментът се изразява с обстоятелство за определено време или се подразбира от контекста.

• Минало време с форма на **-ing** съответства на българското бъдеще в миналото.

• **I was going to,** *щях да* (сравни с Урок 16)

there was (+ единствено число)
there were (+ множествено число) *имаше*

I was born		*аз съм роден*
explosion	[iksplouʒən]	*избухване*
both	[bouθ]	*двамата заедно*
cautiously	[kɔ:ʃəsli]	*разумно*
to realize	[riəlaiz]	*осъзнавам*
each other	[i:tʃ ʌθə]	*един другиго*

A2 ПРИЛОЖЕНИЕ

1. **When were you born?**
2. **I was born in 1965.**
3. **When did you see him last?**
4. **I saw him a week ago.**
5. **Why didn't you tell me yesterday?**
6. **How long did you work for them?**
7. **I worked for them six years.**
8. **I didn't understand because he was speaking too fast.**
9. **It was raining very hard, so we had to buy an umbrella.**
10. **I was watching the TV when I heard the explosion.**
11. **They were both working in their garden when we called on them.**
12. **When I saw him last, he was driving more cautiously.**
13. **When did you realize they were going to lose the match?**
14. **They saw each other last year.**

А3 ЗАБЕЛЕЖКИ (ВЪРХУ ИЗРЕЧЕНИЯ А2)

■ 1. 2. *раждам се* представлява едно напълно завършено действие, минал факт с точна дата. Следователно съвсем нормално е да се използва минало свършено време. Не се оставяйте да бъдете повлияни от българското *роден съм.*

■ 3. **last** тук е равно на **for the last time**, *за последен път.*

■ 6. 7. Употребата на минало свършено време показва, че става дума за завършено действие. Ако цитираното по-долу лице работеше все още за същата организация, щяхме да имаме:

How long have you been working for them?
(От) колко време работите за тях?
I have been working for them for 6 years.
Работя за тях от 6 години. (сравни Б2, 3)

■ 11. Никога не поставяйте член пред **both**.
Двете деца, **both children** или **both the children**.

■ 14. **each other**: касае се за „възвратно местоимение" (виж страница 346).

■ **so much**: пред съществително име в множествено число – **so many** (виж Г1)

■ **such traffic jams**: единственото число е **such a traffic jam**. Обърнете внимание на отрицателния инфинитив **not to do** (виж Г1).

А4 ПРЕВОД

1. Кога сте роден?
2. Роден съм през 1965 година.
3. Кога го видяхте за последен път?
4. Видях го преди седмица.
5. Защо не ми го казахте вчера?
6. Колко време работихте за тях?
7. Работих за тях в продължение на 6 години.
8. Не разбирах, защото той говореше много бързо.
9. Валеше много силен дъжд, ето защо трябваше да си купим чадър.
10. Гледах телевизия, когато чух експлозията.
11. Те и двамата работеха в градината, когато ги посетихме.
12. Последния път, когато го видях, той караше по-разумно.
13. Ти кога си даде сметка, че те ще изгубят мача?
14. Те се видяха миналата година.

40 Have you been here long?

Б1 ПРЕДСТАВЯНЕ

■ Сегашно перфектно време е до голяма степен време на настоящето.

• То се използва за обозначаване на всички действия, които са започнали в миналото и които продължават в настоящето.

• В този случай то е най-често в продължителна форма на **-ing**. То изразява също минали действия, но които нямат точно определена дата и са най-вече изживени от гледна точка на настоящите им последствия.
Например: *Ходих в САЩ. = Познавам САЩ.*
I have been to the U.S.
Аз я срещнах. = Познавам я. **I have met her.**
The United States [junaitid steits] САЩ

• Внимание, тази дума се счита за съществително в единствено число: **The United States is a big country.**
САЩ е голяма страна.
half an hour *половин час*

Б2 ПРИЛОЖЕНИЕ

1. How long have you been working for them?
2. I have been working here for five years.
3. I have been working here since 1994.
4. She has been sdudying English at school for four years.
5. Have you been here long?
6. I have been here for five minutes.
7. We have been waiting for half an hour.
8. How long have you known him?
9. I have known him for two years.
10. I have known him since his marriage.
11. They have been waiting since half past five.
12. He's been on the phone since twenty to three.
13. Have you been to the United States?
14. No, we haven't, but we have been to Scotland.

Б3 ЗАБЕЛЕЖКИ (ВЪРХУ ИЗРЕЧЕНИЯ Б2)

■ 2. 3. **for**, *от,* изразява времетраене (5 г. са изтекли), **since**, *от,* означава момента на започване на действието (от 199... г.).
■ 4. Сравнете с:
She studied English at school for 4 years.
където минало свършено време означава, че действието е завършило, ето защо превеждаме:
Тя учи английски 4 години в училище.
■ 5. **long** тук е равнозначно на **for a long time**, *от дълго време.*
■ 9. **to know** се поставя много рядко в продължително време, но нищо не пречи да го поставим във форма на **-ing**, когато е деепричастие, както в примера, който следва (сравни Урок 39):
Knowing him as I do...
Познавайки го/ както го познавам...
■ 13. Обърнете внимание на тази идиоматична употреба на **to be** в смисъл на *отивам в една страна, посещавам страна.* Тази употреба съществува само в сегашно перфектно време. В минало време бихме казали: **We went to the United States in 1988.**
■ 14. Не се задоволяваме да отговорим с **yes** или **no**, а повтаряме спомагателния глагол (сравни с В4).

Б4 ПРЕВОД

1. От колко време работите за тях?
2. Работя тук от пет години.
3. Работя тук от 1994 г.
4. Тя учи английски в училище от 4 години.
5. От дълго време ли сте тук?
6. Аз съм тук от пет минути.
7. Ние чакаме от половин час.
8. От колко време го познавате?
9. Познавам го от две години.
10. Познавам го от сватбата му.
11. Те чакат от пет и половина.
12. Той е на телефона от три без двадесет.
13. Ходили ли сте в САЩ?
14. Не, но сме ходили в Шотландия.

40 Упражнения. Отговор с *да, не, напротив*

В1 УПРАЖНЕНИЯ

А. Преведете на английски език:

1. Аз съм ходил в САЩ.
2. Аз ходих в САЩ през 1988 г.
3. Срещал съм я.
4. Аз я срещнах миналата година.
5. Аз уча английски от 6 месеца.

Б. Попълнете с for или since:

1. I have known him ... four years.
2. She's been waiting ... 3 o'clock.
3. My daughter has been away ... a week.
4. It's been raining ... two days.
5. They've been working ... his telephone call.

В2 ОТГОВОРИ

А. 1. I have been to the United States.
2. I went to the U.S. in 1988.
3. I have met her.
4. I met her last year.
5. I have been studying English for 6 months.

Б. 1. for 2. since 3. for 4. for 5. since

В3 ОТГОВОР С *ДА, НЕ* ИЛИ *НАПРОТИВ*

■ На английски език най-често не се задоволяват да отговорят просто с *да, не* или *напротив,* а повтарят спомагателния глагол, използван във въпроса.

Do you know him? – Yes, I do. *Вие познавате ли го? – Да.*
– No, I don't. *– Не.*
You don't know him, I suppose? *Вие не го познавате, предполагам?*
– Yes, I do. *– Напротив, познавам го.*
Will they come? – Yes, they will. *Ще дойдат ли те? – Да.*
Don't you like it? – Yes, we do. *Не го ли харесвате? – Напротив.*
Did you see her? *Видяхте ли това?*
– No, we didn't. *– Не.*
Have they seen it? *Те видяха ли това?*
– No, they haven't. *– Не.*
Can she do it? – Yes, she can. *Може ли тя да го направи? – Да.*

B4 СКОТЛАНД ЯРД

■ Първият съвременен полицейски корпус се е появил през 1829 г. под името **Metropolitan Police Force**. Той бил създаден от тогавашния министър на вътрешните работи (**the Home Secretary** [houm sekritəri]) *Робърт Пийл.*
Bobby, което е умалително от *Робърт,* е станало *прякор* (**nickname** [nikneim]), който англичаните употребяват оттогава, за да назовават фамилиарно полицаите.

■ Първоначалното седалище на **Scotland Yard** било разположено в сграда, чиято задна врата имала излаз на тясна уличка със същото наименование. Оттогава всички места, които са подслонявали лондонската полиция, носят това име. Модерната сграда, която днес я приютява, разположена в квартала Уестминстър, носи името **New Scotland Yard**.

■ По времето на Робърт Пийл *полицаите,* **bobbies**, носели цилиндри и морскосини рединготи. Те били подменени с тъмносини мундири с *медни* копчета (**copper** [kɔpə] – откъдето и прякорът, често съкратен на **cop,** *ченге*) и с удължена каска. **Bobby** (в множествено число **bobbies**) не носи огнестрелно оръжие; той е снабден с *каучукова палка* (**truncheon** [trʌntʃən]) и често с *портативен радиоприемник-предавател* (**walkie-talkie** [wokitoki]). Все пак при по-рискови операции офицерите със специална подготовка носят оръжие.

■ **Metropolitan Police Force** е подчинена на Министерството на вътрешните работи. Само в най-старата част на Лондон, **City**, статутът ѝ е определен със специална кралска харта.
В страната съществуват 56 еднородни полицейски корпуса, съответстващи на делението ѝ на *графства* (**county** [kaunti]). Всеки от тези корпуси е автономен; финансиран е 50% от държавата и 50% от местните власти, които го контролират. Тези сили носят също сини униформи. В Северна Ирландия униформата е тъмнозелена.

Г1 AN ACCIDENT

Policeman: **Have you been here long?**
James: **We've been here for about five minutes. Why do you ask?**
Policeman: **So you saw the accident, didn't you?**
James: **No, we were watching TV when we heard the noise. That was about ten minutes ago. We thought it was an explosion, so we came down immediately...**
Jane: **There was so much traffic, it took a while for the police to arrive.**
James: **And look at the traffic jam now! Has anyone been hurt?**
Policeman: **No, luckily the two cars were not driving too fast.**
Jane: **People should drive more cautiously, especially when it's raining so hard.**

Г2 ПЪТНИ ТАБЕЛИ

A FEW ROAD SIGNS
НЯКОЛКО ПЪТНИ ТАБЕЛИ ВЪВ ВЕЛИКОБРИТАНИЯ

give way	*дайте път*
no overtaking	*забранено изпреварването*
no U-turn	*забранен обратен завой*
one way	*еднопосочно движение*
diversion	*отклонение*
reduce speed	*намалете скоростта*
road works ahead	*строителни работи*
roundabout	*задължително кръгово движение*
bump	*неравности по платното*
low clearance	*ограничена височина на превозното средство*

Г3 КАТАСТРОФА

Полицай: От дълго време ли сте тук?
Джеймс: Приблизително от пет минути. Защо питате?
Полицай: Тогава сте видели катастрофата, нали?
Джеймс: Не, ние гледахме телевизия, когато чухме шума. Беше преди около 10 минути. Помислихме, че е експлозия, ето защо слязохме веднага...
Джейн: Имаше толкова (интензивно) движение, че на полицията ѝ трябваше известно време, за да дойде.
Джеймс: А вижте сега какво задръстване! Има ли някой ранен?
Полицай: Не, за щастие двете коли не са се движели много бързо.
Джейн: Хората би трябвало да карат по-разумно, най-вече когато вали така силно.

Г4 ПЪТНИ ЗНАЦИ

A FEW ROAD SIGNS
НЯКОЛКО ПЪТНИ ЗНАКА В САЩ

men at work	*Внимание! Строителни работи!*
park at angle	*паркиране под ъгъл*
detour ahead	*отклонение*
all traffic merge left	*всички коли да се движат в лявото платно*
right lane must exit	*дясното платно – единствено за излизане*

КАКВО Е **SOAP-BOX ORATOR?**

⇨ *ОТГОВОР НА СТР. 91*

40a ТЕСТ – УРОЦИ ОТ 31 ДО 40

*Попълнете с **а**, **б**, **в** или **г**:*
(има само един верен отговор)

31. When I met him, he ______ several years.
а) had worked since
б) was working
в) had been working for
г) was working since

32. He told me he had ______ money left.
а) no
б) any
в) few
г) none

33. She'd have bought it if it ______ less expensive.
а) would be
б) should have been
в) had been
г) should be

34. He asked whether ______ here long.
а) have they been
б) had they been
в) they are being
г) they had been

35. I'd rather ______ come.
а) him not
б) he does not
в) he did not
г) him not to

(Виж отговорите на стр. 373)

36. We didn’t actually see him ______ it.
а) to steal
б) steal
в) stole
г) did steal

37. Have you had it ______ ?
а) checks
б) check
в) checked
г) checking

38. This would be too late, ______ it?
а) doesn’t
б) wouldn’t
в) can
г) hasn’t

39. We look forward to ______ you again.
а) we see
б) see
в) seeing
г) us seeing

40. There were ______ traffic jams that we decided not to go.
а) so much
б) such
в) many
г) how many

(Виж отговорите на стр. 373)

СЪДЪРЖАНИЕ НА КРАТКАТА ГРАМАТИЧЕСКА СПРАВКА

КРАТКА ГРАМАТИЧЕСКА СПРАВКА

1. СЪЩЕСТВИТЕЛНИ ИМЕНА

1. Род

В английския език понятието граматически род е почти изчезнало. Различават се само естествен род при съществителните, означаващи хора и животни, с някои изключения, и среден род за неодушевените предмети.

2. Множествено число

а) основно правило – прибавяме **-s** към формата за единствено число, дори и към собствените имена: **a car, two cars; the Johnsons.**

- в някои случаи **-s** води до промяна в правописа: **baby, babies; leaf, leaves; church, churches** или в произнасянето като [i] на едно вмъкнато **e**: **box, boxes** [boksiz]; **house, houses** [hauziz].

б) неправилни форми за множествено число – в този случай се променят или се добавят една или повече букви:

man, men; foot, feet; child, children;
евентуално промяна в произношението
woman [wumən]; women [wimin]

в) събирателни имена: това са съществителни имена, които са винаги в единствено (**luggage**) или в множествено (**scissors**) число.

Внимание: **people**, когато означава *хора*, е винаги в множествено число: **people say**... *хората казват (говори се)*...

г) непроменяеми: това са съществителни имена, които завършват на **s** (**a means**, *средство*), или не (**a sheep**, *овца*), но които се употребяват в единствено или в множествено число, без да променят формата си (**several means**, *много средства* – **two sheep**, *две овце*).

3. Сложни съществителни

Те се състоят от два елемента, свързани или не с тире. Първият елемент може да бъде съществително име: **bathroom**, *баня*, или пък глаголна форма: **sleeping-car**, *спален вагон.*

- множествено число засяга второто съществително.

4. Притежание: 's

the doctor's bag, *чантата на доктора*

- Никога няма член между двете съществителни, свързани чрез 's. Такъв се появява в краен случай пред притежателя, но по-скоро бихме казали: **Bob's car**, *колата на Боб*

  Mr Brown's wife, *жената на господин Браун*

  Защото **Bob** и **Mr Brown** никога не се членуват.
- В множествено число ще имаме:

  the doctors' bags, *чантите на лекарите*, но

  the firemen's car, *колата на пожарникарите*
- Притежанието 's касае по принцип само притежателите, които са човешки същества.

2. ЧЛЕН

1. Неопределителният член в английския език е **an** [ən] пред гласна, **a** [ə] пред съгласна. Липсва форма за множествено число.

- Той се употребява със съществителни нарицателни имена, но също и със сказуемно определение:

  My sister is a physician. *Моята сестра е лекарка.*

  или обособено име (приложение):

  Mr Smith, a well-known citizen of our town.

  Мистър Смит, добре познат гражданин на нашия град.
- Използва се и в други случаи:

  He went out without a hat. *Той излезе без шапка.*

  She makes £ 18 000 a year. *Тя печели 18 000 лири годишно.*

  To make a fire. *Паля огън.*

  To make a noise. *Вдигам шум,* и т.н.

2. Определителният член е **the**, произнася се [ðə] пред съгласна и [ði] пред гласна.

- Определителният член може да бъде изпуснат пред съществителни имена в множествено число, пред абстрактни имена, географски понятия, пред титли, предшестващи собствени имена, пред изрази: **last week, next month** и т.н. Но определителният член се появява пред тези имена, ако се прави някакво особено уточнение. Например:

  history *история*,

  но: **the history of man**, *историята на човечеството*

  France, *Франция*

  но: **the France of Napoleon**, *Франция на Наполеон*
- Определителният член се употребява:

  1) пред съществително име, определено от някакво допълнение:

The House of Lords, *Камарата на лордовете* (Великобритания)

или от подчинено относително изречение:

the man that came, *мъжът, който дойде*

2) пред обекти, които са единствени по рода си:

the world *светът;* **the sun**, *слънцето*; **the sky** *небето*

3) съществителни имена в единствено число с обобщаващо значение, служещи като представители на една категория:

the horse, *конят*; **the sterling**, *лирата*

4) субстантивирани прилагателни (прилагателни, употребени като съществителни имена):

the poor, *бедните;* **the rich**, *богатите*

the unemployed (ам. **the jobless**), *безработните*

5) институции, народи, спектакли, точно определени исторически факти, имена на морета, на реки, на планини: **the Pacific, the Rhine, the police, the Americans, the cinema, the Second World War, the Alps;**

6) сложни имена на държави: **the USA, the USSR.**

3. ПРИЛАГАТЕЛНИ ИМЕНА

- Качественото прилагателно не се променя по род и число: една и съща форма за мъжки и за женски род, за единствено и множествено число.
- То се поставя винаги пред съществителното, което характеризира: **a fast car**, *бърза кола.*
- Някои прилагателни са образувани въз основа на съществителни имена чрез прибавянето на окончание:

  useful, *полезен*; **useless**, *безполезен*;

  childish, *детски, детински;* **hairy**, *космат*
- Други прилагателни са съставени от два елемента, които могат да бъдат: прилагателни, наречия, съществителни имена, причастия и т.н. (включително причастия на **-ed**, наподобяващи глагол):

  good-looking, **short-sighted**, **ready-made, well-bred** и т.н.

  хубав *късоглед* *конфекция* *добре възпитан*
- Прилагателните имена, означаващи националност, се пишат винаги с главна буква:

  English, French, Swiss, American, Japanese

  и остават непроменени.
- <u>Прилагателни, употребени като съществителни:</u> тези същите прилагателни за националност, предшествани от определителен член, в множествено число могат да бъдат използвани като съществителни. В множествено число те не се променят, ако завършват на:

  ch: the French, *французите*

sh: the Irish, *ирландците*
ss: the Swiss, *швейцарците*
ese: the Chinese, *китайците*

и приемат **-s** в множествено число, ако завършват на:

an: the Russians, *руснаците*

Някои прилагателни могат да бъдат употребени като съществителни, за да представят цяла категория:

бедните, **the poor**; *слепите*, **the blind**

Внимание: субстантивираните прилагателни никога не приемат **-s**.

Казва се: *бедняк*, **a poor man**
слепец, **a blind man (woman).**

■ Сравнителна степен (виж Урок 22А, стр. 185). Да си припомним:

- Сравнителна степен във възходящ ред
  – добавяме **-er** към едносрично прилагателно;
  – поставяме **more** пред многосрично прилагателно;
  – допълнението е въведено с **than:**
  Peter is taller than John. *Питър е по-висок от Джон.*
  This one is more useful than mine.
  Този тук е по-полезен от моя.
- Сравнителна степен за равенство:
  as... as..., *също толкова... колкото*
  This book is as heavy as that one.
  Тази книга е също толкова тежка, колкото онази.
- Сравнителна степен за неравенство:
  not as/not so... as, *не толкова... колкото*
  His car is not so (as) fast as yours.
  Неговата кола не е толкова бърза, колкото вашата.
- Сравнителна степен в низходящ ред:
  less... than *по-малко... отколкото*
  My room is less comfortable than his.
  Моята стая е по-некомфортна (по-малко комфортна) от неговата.

■ Превъзходна степен (виж Урок 22Б). Да си припомним:

- за превъзходство: както при сравнителната степен:
  – добавяме **-est** към едносричното прилагателно, предшествано от **the;**
  – поставяме **the most** пред многосричното прилагателно;
  – допълнението е въведено според случая с **of, in, among:**
  The quickest way of all. *Най-бързият начин от всички.*
  The most important town in the country.
  Най-важният град в страната.
- за по-ниска степен: **the least** + прилагателно **...of/in/among**
  The least expensive of all cameras.

Най-евтиният от всички фотоапарати.

■ Неправилни сравнителни и превъзходни степени

bad ←	*лош* / *зле*	**worse** ←	*по-лош* / *по-зле*	**the worst** ←	*най-лош* / *най-зле*
good / **well** →	*добър* / *добре*	**better** →	*по-добър* / *по-добре*	**the best** →	*най-добър* / *най-добре*
far	*далеч*	**farther**	*по-далеч*	**the farthest**	*най-далеч*
		further	*по-нататък*	**the furthest**	*най-далечният*
old	*стар*	**older**	*по-стар*	**the oldest**	*най-стар*
		elder	*по-голям* (за възраст)	**the eldest**	*най-голям*

4. ПОКАЗАТЕЛНИ МЕСТОИМЕНИЯ

■ **This,** това тук, този тук – мн.ч. **these** [ði:z] тези тук
That, това там, този там – мн.ч. **those** [ðouz] тези там

• **This** означава близост в пространството и времето. В частност **this** се използва, за да съобщи това, което ще последва:

This is what we're going to do.
Ето какво ще направим.

Докато **that** отпраща към това, което предшества:

That's all for now. *Това е всичко засега.*

5. ЛИЧНИ МЕСТОИМЕНИЯ

• Лични местоимения подлог:

I	*аз*	**we**	*ние*
you	*ти*	**you**	*Вие*
he	*той*	**they**	*те*
she	*тя*		
it	*той, тя, то* (за предмети или животни)		

• Лични местоимения допълнение:

me	*ме, ми*	**us**	*ни*
you	*те, ти*	**you**	*ви*
him	*го, му*	**them**	*ги, им*
her	*я, ѝ*		
it	*го* (за предмети или животни)		

6. ПРИТЕЖАТЕЛНИ МЕСТОИМЕНИЯ

- Те се съгласуват с притежателя:

ПРИЛАГАТЕЛНИ	**my**	*мой, моя, мои*
	your	*твой, твоя, твои*
	his	*негов, негова, негови*
	her	*неин, нейна, нейни*
	its	*негов, негова, негови* (предмети и животни)
	our	*наш, наша, наши*
	your	*ваш, ваша, ваши*
	their	*техен, тяхна, техни*
МЕСТОИМЕНИЯ	**mine**	*моят, моята, моите*
	yours	*твоят, твоята, твоите*
	his	*неговият, неговата, неговите* (на него)
	hers	*нейният, нейната, нейните* (на нея)
	its own	*неговият, неговата, неговите* (предмети и животни)
	ours	*нашият, нашите*
	yours	*вашият, вашите*
	theirs	*техният, техните*

7. ВЪЗВРАТНИ МЕСТОИМЕНИЯ

myself, yourself, himself, herself, itself
ourselves, yourselves, themselves

Пример: **I enjoy myself**. *Забавлявам се*.
We enjoy ourselves. *Ние се забавляваме.*

- *Внимание:* много глаголи, които в българския език са възвратни, не са възвратни в английския, където възвратната конструкция е рядкост. Например:

мия се **to wash**
бръсна се **to shave**

8. ВЗАИМНИ МЕСТОИМЕНИЯ

- **each other**, *един друг*, или **one another**, *едни други*
- На теория се използва **each other** за двама души, **one another** за повече от двама.
- На практика те често са взаимозаменяеми:

They like each other. *Те се обичат* (един друг).
They will help one another. *Те ще си помогнат* (едни други).

9. ОТНОСИТЕЛНИ МЕСТОИМЕНИЯ

Те не се променят – имат една и съща форма в единствено и в множествено число, в женски и мъжки род.

■ Относителни местоимения подлог:

- За лица **who** може да замести подлог в мъжки и женски род, единствено и множествено число:

  The man who came. *Мъжът, който дойде.*
  The woman who came. *Жената, която дойде.*
  The boys who came. *Момчетата, които дойдоха.*

- За предмети **which** (единствено и множествено число):

  The car which is parked. *Колата, която е паркирана.*
  The cars which are parked. *Колите, които са паркирани.*

- Относителното местоимение **that** може да замести **who** или **which**, изпълняващи ролята на подлог.

■ Относителни местоимения допълнения:

- **Whom** или **who** за лица и **which** за предмети:

  The man whom you saw. *Мъжът, когото видяхте.*
  The house which he built. *Къщата, която той построи.*

- В практиката:

  1) **who** замества все повече и повече формата **whom**, която се използва само когато е непосредствено предшествана от предлог:

  The man to whom you spoke.
  Мъжът, с когото вие говорихте.

  но: **Did you see the man who you wanted to speak to?**
  Видяхте ли мъжа, с когото искахте да говорите?

  2) Много често относителното местоимение допълнение се изпуска:

  The house he built. *Къщата, която той построи.*
  The man you saw. *Мъжът, когото видяхте.*

  Това премахване на относителното местоимение е придружено с преместване на предлога в края на изречението, когато има такъв.

  The man you spoke to. *Мъжът, с когото вие говорихте.*

- Превод на *чийто, чиято, чието, чиито:*

  1) Когато *чийто, чиято, чието, чиито* означават притежание: **whose** за лица и често за предмети, **of which** за предмети:

  The friend whose car I drive.
  Приятелят, чиято кола карам.
  The house the roof of which (whose roof) you can see.
  Къщата, чийто покрив виждате.

  2) Когато *чийто, чиято, чието, чиито* е допълнение на глагол:

  предлог + **whom** за лица

предлог + **which** за предмети

The person of whom we are speaking.

Лицето, за което ние говорим.

The town from which I come.

Градът, от който аз произхождам.

- Превод на *това, което; този, който:*

Когато *това, което; този, който* известяват това, което ще последва, често се използва **what**:

What I want to say is that...

Това, което искам да кажа, е, че...

Когато *това, което; този, който* повтарят това, което предшества, **which**:

He is late, which is not surprising.

Той закъснява, това не е учудващо.

Внимание: *всичко това, което*/подлог ⎤
всичко това, каквото/допълнение ⎦→ **all that**

10. НЕОПРЕДЕЛИТЕЛНИ ПРИЛАГАТЕЛНИ И МЕСТОИМЕНИЯ

Касае се за прилагателни или за местоимения, които изразяват понятие за количество.

■ **Some** прилагателно или местоимение, според случая се превежда с *някои*, *неопределителен член.*

I have brought some sweets for you. *Донесох ви бонбони.*

Some said yes, some said perhaps.

Някои казаха „да", други казаха „може би".

- Забележка: използваме също **some** при въпрос, на който се надяваме или очакваме да получим положителен отговор.

Would you like some biscuits? *Искате ли бисквити?*

- думи, производни на **some**:

somebody, someone,	*някой*
something,	*нещо*
somewhere,	*някъде*

■ **Any**, прилагателно или местоимение, превежда се според случая с *някакъв, някой* (във въпр. и усл. изречение), или не се превежда; *никакъв, никой, никак* (в отр. и отр. въпр. изречение/в този случай имаме: **not... any**).

Have they left any message?

Те оставиха ли някакво съобщение?

Will any of you drive her home?

Някой от вас ще я закара ли вкъщи?

I haven't got any tobacco. *Нямам тютюн.*

- Забележка: използваме **any** в положително изречение в смисъл на *който и да е, всеки, какъвто и да е:*

Any of us could do it. *Всеки от нас може да го направи.*

- Думи, съставени въз основа на **any**:

anybody, anyone, *някой; никой; всеки*
anything, *нещо; нищо; какво да е, всичко*
anywhere, *някъде; никъде; къде да е, навсякъде*

■ **No**: това прилагателно е равностойно на **not... any**, *никой*. Отрицателно наречие „не“:

He gave no details. *Той не даде никакви подробности.*

• Сложни думи, образувани въз основа на **no**:

nobody, no one *никой*
nothing *нищо*
nowhere *никъде*

■ **None**: това местоимение съответства на **no** прилагателно: *никой, няма..., нищо* и т.н.

She has none. *Тя няма от това.*
None of us did it. *Никой от нас не го е направил.*

■ **All**: *всеки, всички*, се поставя пред определителния член, ако има такъв:

• прилагателно: **all the people,** *всички*
• местоимение: **All's well that ends well.** *Всичко е добро, когато свършва добре.*
• наречие: **She was all upset.** *Тя беше съвсем разстроена.*

■ **Both**: *и двамата, и двете*, се използва винаги без определителен член **the** като прилагателно или като местоимение:

• прилагателно: **Both books are worth reading.** *И двете книги си струва да бъдат прочетени.*
• местоимение: **I'll take both (of them).** *Ще взема и двете.*
• съюз: **It's both ridiculous and wrong.** *Това е нелепо и погрешно.*

■ **Each**: *всеки (един), всекиго, всекиму*

• прилагателно: **He saw each candidate.** *Той видя всеки кандидат.*
• местоимение: **I'll charge each of you £ 2.** *Ще ви взема по две лири на всеки.*

■ **Either**: *всеки; и единият, и другият; или единият, или другият (от двамата)*

• прилагателно: **Either bottle will do.** *Всяка една от бутилките ще свърши работа.*
• наречие: **I don't believe you either.** *Аз също не ви вярвам.*
• съюз: **either ... or,** *или ... или*
• местоимение: **You can tell either of them.** *Можете да го кажете на всеки от тях.*
• Забележка: **neither,** *нито единият, нито другият,* е отрицателната форма на **either** и го замества във всяка от неговите функции, освен като наречие в случай на отрицание:

I saw neither film.
Не съм гледал нито единия, нито другия филм.

Neither Peter nor John helped her.
Нито Питър, нито Джон ѝ помогнаха.

■ **Every:** *всеки, всяка ...* прилагателно, което съответства за единствено число на **all** за множествено число:

We meet every (other) day. *Ние се събираме през ден.*

■ **One:** *един, един-единствен, някой си:*

- прилагателно: **a one-way ticket** *еднопосочен билет*
  I know one Mr Herbert. *Познавам някой си г-н Хърбърт.*
- местоимение: **I'd like a red one.** *Бих искал един(-а) червен(а) (от тях).*
- множествено число: **ones**
  They showed me green ones only.
  Те ми показаха само зелени такива.

■ **Whole:** прилагателно или съществително, означава общност, колективно име в ед.ч., което може да се брои:

- прилагателно: *целият, цялата:* **the whole country,** *цялата страна.*
- съществително: *всичко, общото*

How much for the whole? *Колко за всичко?*

11. КОЛИЧЕСТВЕНИ ПРИЛАГАТЕЛНИ И МЕСТОИМЕНИЯ

Това са най-вече **much** и **many, little** и **few**, както и **more**, използвани било самостоятелно, било в съчетание с **how, as, so, too.**

- *много* .... **much** + единствено число
  many + множествено число

Much и **many** могат да бъдат заменени с **a lot of, a good deal of, plenty of.**

- *колко?* .... **how much** + единствено число?
  how many + множествено число?
- *малко* .... **little** + единствено число
  I have little work this week.
  Имам малко работа тази седмица.

  few + множествено число
  He has few friends.
  Той има малко приятели.

Внимание:
a little (+ единствено число), *малко*; **a few** (+ множествено число), *няколко*:

I have a little time. *Имам малко време.*
I saw a few persons. *Видях няколко души.*

- *толкова* .... **so (as) much** + единствено число
  so (as) many + множествено число
- *толкова малко от* ..... **so (as) little** + единствено число
  so (as) few + множествено число
- *прекалено, твърде много* **too much** + единствено число
  too many + множествено число
- *твърде малко от* ...... **too little** + единствено число
  too few + множествено число
- *повече от* .... **more** + единствено число или множествено число
- *не повече от* .... **no more** .... **(left)**
  not... any more... **(left)**

We have no more bread (left).
Нямаме повече хляб.
There were no more pedestrians on the road.
Нямаше вече пешеходци на пътя.

12. ВЪПРОСИТЕЛНИ МЕСТОИМЕНИЯ

1. За лица местоимението, изпълняващо ролята на подлог, е **who**:

Who saw him? *Кой го видя?*

- местоимение, изпълняващо ролята на допълнение, **whom** или **who**:

Whom (who) did you see? *Кого видяхте вие?*

- за притежателен падеж местоимението е **whose**:

Whose hat is it? *На кого (чия) е тази шапка?*

2. Местоимението, изпълняващо ролята на подлог, за предмети е **what**:

What makes you think so? *Какво ви кара да мислите така?*

- местоимението допълнение е също **what**:

What did you say? *Какво казахте?*

Забележки: с въпросителните местоимения, изпълняващи ролята на допълнение, често се прибягва до преместване на предлога.

Who did you give it to? *На кого го дадохте?*
What did you do it with? *С какво го направихте?*

- с въпросителните местоимения допълнения словоредът във въпроса е същият, както след въпросителните прилагателни:

Въпр. дума + спом. глагол + подлог + сказуемо + допълнение				
Who	**did**	**you**	**meet**	**at the station?**
Кого	*срещнахте*	*вие*		*на гарата?*

13. ВЪПРОСИТЕЛНИ МЕСТОИМЕНИЯ WHAT И WHICH

What – Which
Which съдържа идеята за по-ограничен избор:

What kind of books do you like?
Какъв вид книги харесвате?
Which book will you have?
Коя книга (коя от тези книги) *ще вземете?*

14. МОДАЛНИ ГЛАГОЛИ

I can	*мога* (мога, което зависи от мен)
I may	*може* (това зависи от случайността или от разрешение)
I must	*аз трябва*

■ Те имат следните общи характеристики:

• нямат инфинитив; нямат минало причастие (следователно нямат сегашно перфектно или минало предварително време); нямат форма на **-ing**.

• нямат **-s** в трето лице, единствено число, сегашно време:
she can, he must, it may

• последвани са от глагол в инфинитив без **to**:

You must do it. *Вие трябва да го направите.*
It may rain. *Възможно е да завали дъжд.*
She can come. *Тя може да дойде.*

• те се спрягат без спомагателен глагол, включително във въпросителна и отрицателна форма:

Can he carry it? *Може ли той да го носи?*
May I ask a question? *Мога ли да задам един въпрос?*
You mustn't speak so loud.
Не трябва да говорите толкова високо.
Can't you see I'm busy? *Не виждаш ли, че съм зает?*

Запомнете добре: забелязва се, че с глагол за възприятие (**to see, to hear**) **can** не се превежда.

• във времената и във формите, които им липсват, те са заместени от техния еквивалент:

to be able to	*за*	**I can**
to be allowed to	*за*	**I may**
to have to	*за*	**I must**

He will be able to do it. *Той ще може да го направи.*
They have been allowed to come.
Беше им разрешено да дойдат.
She had to run. *Тя трябваше да бяга.*

• минало време на **I can** е **I could**
• минало време на **I may** е **I might**
• минало време на **must** (същата форма **must**) е много рядко използвано, предпочита се **I had to, you had to** и т.н.

15. УПОТРЕБА НА СЕГАШНО ПЕРФЕКТНО ВРЕМЕ

■ **I have bought a book.** *Аз купих една книга.*
Образува се със спомагателния глагол *имам,* **have**:
He has come. *Той дойде.*
Сегашно перфектно време е време на настоящето:
• защото означава действие, което е започнало в миналото, но което трае още в настоящия момент:
Ние учим английски от 5 години.
We have been studying English for 5 years.
В този случай през повечето време то е с форма на **-ing.**
• защото означава действие, започнало в миналото, но чиято дата не се знае или пък е без значение, действието е изживяно най-вече под ъгъла на неговите настоящи последици:
Ходили ли сте в САЩ? (т.е. *Познавате ли в момента, в който ви говоря, САЩ?*)
Have you been to the United States?
Срещали ли сте я? **Have you met her?**
• обърнете внимание, че ако отговорът въвежда точна дата, то той ще бъде в просто минало време.
I went to the U.S. in 1978. – I met her last year.

16. УПОТРЕБА НА МИНАЛО ПРОСТО ВРЕМЕ

То се използва за всички видове действия или всички завършени факти (минали), най-вече ако те са с точно определена дата, т.е. когато може да се отговори на въпроса *кога?,* **When?**, дори и ако се касае за:
• близко минало:
I saw him yesterday. *Видях го вчера.*
She met him two years ago. *Тя го срещна преди две години.*
• или за действие с известно времетраене:
I studied Spanish for two years. *Учих испански две години.*
• минало продължително време с форма на **-ing** съответства често на българското минало несвършено време и набляга на времетраенето на действието:
I was watching the TV when he phoned.
Аз гледах телевизия, когато той ми телефонира.

17. БЛИЗКО БЪДЕЩЕ ВРЕМЕ

• **going to, about to**

Аз ще тръгна.	**I am going to leave.**
Той щеше да тръгне.	**He was going to leave.**
На път съм да тръгна.	**I am about to leave.**
Той беше на път да тръгне.	**He was about to leave.**

18. ПЕРФЕКТНО ВРЕМЕ

• **have/has just – had just**

Ние току-що го срещнахме.	**We have just met him.**
Тя току-що беше пристигнала.	**She had just arrived.**
Той току-що замина.	**He has just left.**

19. ОБИЧАЙНИ ПОВТАРЯЩИ СЕ ДЕЙСТВИЯ В МИНАЛОТО

• Изразява се повторение на едно и също действие в миналото.

I used to see him everyday. *Виждах го всеки ден.*

• За едно по-несистемно повторение и до голяма степен зависещо от подлога, се използва **would**:

He would often come and see me.

Той идваше често да ме види.

Внимание: формата **used to** може да се използва само в минало време; в сегашно време, за да преведем същото понятие за обичайност, ще кажем:

I usually see him on Mondays.

Обикновено аз го виждам в понеделник.

• Формата **used to** служи също за противопоставяне на едно минало свършено действие (за което по принцип се съжалява) на сегашно време:

Things are not what they used to be.

Нещата не са вече такива, каквито бяха (не стоят вече така).

20. ИНФИНИТИВНО ИЗРЕЧЕНИЕ

• Глаголът **to want,** *искам*, никога не е последван от **that** (*да*), а от съществително име (или от местоимение), което е едновременно допълнение на **to want** и подлог на глагола, който следва:

I want him to come. *Аз искам той да дойде.*
We don't want her to be late.
Ние не искаме тя да закъснява.

- Същата конструкция с **I'd like:**
I'd like them to come. *Бих искал те да дойдат.*

и с глаголи като **to expect** *(очаквам да)* и т.н.

21. ФОРМА НА -ING

Тя е три типа:

1. Продължителна форма:

- посочва, че едно действие се извършва в момента,
It's raining, *Вали дъжд* (в този момент).

като се противопоставя на сегашно просто време, което е по-абстрактно:

It often rains in this part of the country.
В тази област често вали дъжд.

- тази форма може също да се комбинира с всички времена:
It was raining. *Валеше дъжд.*
It has been raining, и т.н. *Вали.* (виж стр. 265)
- тази форма може също да обозначава предвидено бъдещо действие:
I am leaving tomorrow. *Заминавам утре.*

2. Отглаголно съществително:

То има едновременно характеристиките на съществително (може да бъде подлог или допълнение, да бъде предшествано от притежателно прилагателно и т.н.) и на глагол (може да има пряко допълнение):

Her leaving him so quickly does not surprise me.
Фактът, че тя го е напуснала тъй бързо, не ме изненадва.

3. Сегашно причастие:

a smiling child, *усмихващо се дете.*

Също като прилагателното, то се поставя преди съществителното име.

4. Забележки:

- когато даден предлог е последван от глагол, то този глагол е във форма на **-ing.**
before coming, *преди да дойде*
She's tired of driving. *Тя е уморена от карането.*

• Някои глаголи и изрази са последвани от формата на **-ing**. При някои глаголи това е единствената възможна форма за глагола, който ги следва. Така например **to enjoy**, *приятно ми е да, обичам;* **to avoid**, *избягвам;* **to keep**, *не преставам да, продължавам да;* **to risk**, *рискувам.*

Prices keep increasing. *Цените непрекъснато се покачват.*

• Същото се отнася и за изразите:

I don't mind.	*Нямам нищо против.*
Do you mind?	*Имаш ли нещо против?*
I can't help.	*Не мога да не...*
It is worth...	*Струва си труда да...*
It's no use...	*Няма смисъл... (Безсмислено е...)*

• Други глаголи са следвани от формата на **-ing** или от инфинив с **to** според случая. Такъв е случаят с:

to like, *обичам;* **to stop,** *спирам;*
to remember, *спомням си*

Най-общо инфинитив с **to** означава в този случай бъдещо или предполагаемо действие.

■ Сравнете:

I like travelling. *Обичам да пътувам.*
и **I'd like to travel to the United States.**
Бих искал да пътувам до САЩ.
I remember seeing him. *Спомням си, че съм го виждал.*
Remember to call me tomorrow. *Сети се да ми се обадиш утре.*

22. СТРАДАТЕЛЕН ЗАЛОГ

• Той се образува както и на български език:

Той е изпратен от директора. **He is sent by the manager.**

• Но когато един глагол на английски език има допълнение за лице и допълнение за предмет:

They sent me a book. *Те ми изпратиха книга.*

всяко от тези допълнения може да стане подлог в страдателен залог:

I was sent a book (by them).
A book was sent to me (by them).

• Със страдателен залог можем да преведем на английски език безличната форма, в която не е уточнен вършителят на действието:

Предложиха ми вратовръзка.
I was offered a tie.
Казаха ми, че...
I have been told (that)... I was told (that)...

23. ГЛАГОЛИ, ПОСЛЕДВАНИ ОТ ИНФИНИТИВ БЕЗ ТО

Това са най-вече:

1. модалните глаголи: **can, must, may** (сравни стр. 142, 150, 192)
2. **to let,** защото той спомага за образуване на повелително наклонение:

   Let us go! *Хайде да отиваме!*

защото той има смисъл на *оставям:*

   I won't let him do it. *Няма да го оставя да го направи.*

3. **to make:**

I'll make you understand. *Ще ви накарам да го разберете.*

4. **to have:** в смисъл на *карам някого да направи нещо, принуждавам* някого да направи нещо:

   I'll have them repair it. *Ще ги накарам да го поправят.*

5. глаголи за възприятие, в частност **to see** и **to hear:**

   I heard him come. *Чух го да идва.*

   I saw him go. *Видях го да тръгва.*

които могат също да влизат в конструкция с форма на **-ing**.

Изразите **I'd rather,** *предпочитам да,* и **I'd better,** *по-добре да:*

   You'd better hurry. *По-добре е да побързате.*

   I'd rather wait. *Предпочитам да почакам.*

6. **Why,** когато въпросът не уточнява подлог, също ще бъде последван от инфинитив без **to**.

   Why do it tomorrow? *Защо да го правя утре?*

   Why not do it today? *Защо да не го направя днес?*

24. СЪЮЗИ (сравни Урок 35, стр. 292–294)

Съществуват два вида съюзи: съчинителни, които свързват две части помежду им, и подчинителни, които обединяват главно изречение и подчинено.

1. Съчинителни съюзи:

and	*и*	**as well as**	*както и*
but	*но*		
but then	*в замяна на това, но тогава*		
either... or	*или... или, било... било*		
for	*защото*	**however**	*обаче*
indeed	*в действителност*		
moreover	*освен това*	**neither... nor**	*нито... нито*
nevertheless	*при все това*	**not only...**	*не само*
but also	*но и*	**now**	*понеже, тъй като*
only	*само*	**so**	*така че*

still	*все пак*	**that is to say**	*тоест*
that is why	*ето защо*	**then**	*тогава, значи*
therefore	*следователно*	**too**	*също*
yet	*обаче*		

2. Подчинителни съюзи:

after*	*след като*	**all the more...**	*още повече че*
as/because	*...че*	**as**	*като*
as if	*сякаш*	**as long as**	*докато, докъдето*
as soon as	*веднага щом*	**as though**	*сякаш*
because	*защото*	**before***	*преди да*
for fear that	*от страх да не...*	**however**	*както и да..., обаче*
if	*ако*	**in as much as**	*в рамките на*
the less... as	*не толкова*	**till*, until***	*докато*
unless	*освен ако не*	**when**	*когато*
in case	*в случай че*	**in order that**	*за да*
in order to	*с цел да (за да)*	**lest**	*за да не*
once	*веднъж да, щом*	**provided**	*стига само да*
since*	*понеже, откакто*	**so as to**	*така, че; за да*
so much as	*дотолкова, доколкото*		
so much so...	*толкова*	**that**	*за; за да*
so that	*за да*	**so... that**	*колкото и да*
supposing	*ако, в случай че*	**whenever**	*всеки път, когато*
whereas	*докато*	**whether... or**	*дали... или*
while	*докато*	**without***	*без да*

Думите, до които е отбелязан знакът *, са също и предлози.

Забележки:

1) На английски език подчинителните съюзи почти винаги изискват употребата на изявително наклонение.

2) **That**, *че*, един от най-често употребяваните съюзи, често се изпуска, когато въвежда подчинено изречение, което допълва глагола.

3) **As** и **like**, *като*, по принцип **as** въвежда сравнение между глаголи, а **like** между съществителни имена (или местоимения), но в разговорния американски английски често срещаме **like** пред глагол.

A man like you. *Човек като вас.*

He did as (like) I wanted.

Той направи така, както аз исках.

4) **Since**, *понеже* и *откакто* като съюз; *от* като предлог.

25. СЛОВОРЕД НА ВЪПРОСИТЕЛНО ИЗРЕЧЕНИЕ

Когато въпросът започва с въпросително местоимение (**when** и т.н.) или с относително местоимение-допълнение (**who, whom, what**), имаме следния словоред:

1 въпр. мест.	2 спом. глагол	3 подлог	4 глагол	5 допълнение
Where	**did**	**you**	**see**	**her?**
Къде я видяхте?				
What	**will**	**you**	**tell**	**him?**
Какво ще му кажете?				

26. ВЪПРОСИТЕЛНО НАРЕЧИЕ (виж Урок 20, стр. 166)

- Да си припомним: имаме същия словоред, както по-горе:

въпр. местоимение + спом. глагол + подлог (глагол) и т.н.?

- Тази схема се прилага спрямо всички въпросителни наречия: **how? when? where? why?**

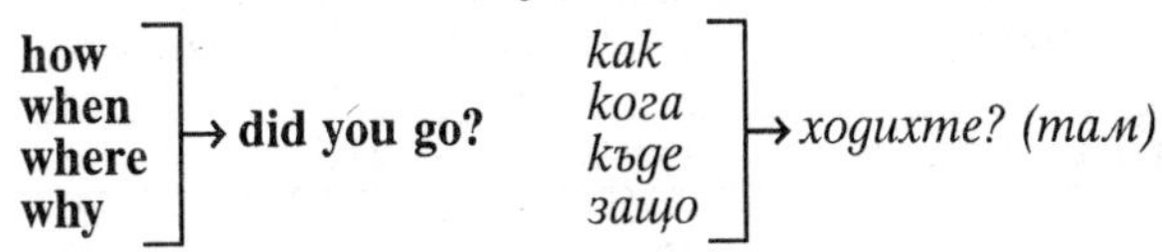

■ Случай с **how**:

- употребено самостоятелно *как:*

  How are you? *Как сте?*

- последвано от прилагателно или наречие:

  колко **How much/many?**

  какъв, каква, какво **How far is it?** *На какво разстояние?*

27. НАРЕЧИЯ (виж Урок 28, стр. 232)

■ Наречието пояснява глагол, прилагателно име, друго наречие или цяло изречение.

- наречието често се образува от прилагателно, към което се прибавя **-l(y)**

furious	*яростен*	**furiously**	*яростно*
full	*пълен*	**fully**	*напълно*
weary	*отегчен*	**wearily**	*отегчено*

■ Място на наречието: винаги преди прилагателното или наречието. Никога между сказуемото и неговото допълнение:

• наречията за <u>време</u> (**always**, *винаги*; **often**, *често*; и т.н.) са винаги пред сказуемото или след спомагателния глагол.
• наречията, позволяващи да се определи <u>датата с точност</u> (**immediately**, *незабавно*; **suddenly**, *внезапно*; **today**, *днес,* и т.н.), се поставят обикновено в началото или в края на изречението.
• **There**, *там*; **here**, *тук,* и наречията за <u>място</u> се поставят в края на изречението.
• **Much**, *много*; **little**, *малко*, и наречията за <u>количество</u> са обикновено в края на изречението.
Наречията за <u>начин</u> (**quietly**, *спокойно*) се поставят след допълнението или преди сказуемото, или след спомагателния глагол.
• *достатъчно*, **enough,** се поставя след прилагателното или наречието, преди или след съществителното:

sure enough,	*достатъчно сигурен*
frequently enough,	*достатъчно често.*

Is there enough butter? Is there milk enough?
Има ли достатъчно масло? ...мляко?
• *твърде много,* **too much/too many**

too much money	*твърде много пари*
too many cars	*твърде много коли*
he drinks too much	*той пие твърде много*
she has too many	*тя има твърде много (от тях)*

28. ВЪЗКЛИЦАНИЯ (сравни Урок 30, стр. 248)

■ <u>Да си припомним</u>. Главните възклицания са:

• **what** + съществително	**What an evening!** *Каква вечер!*
• **how** + прилагателно	**How clever (a man) he is!** *Колко е умен този човек!*
• **so** + прилагателно	**It was so nice of you!** *Беше толкова мило от ваша страна!*
• **such** + (прил.) + същ.	**They are such bores!** *Те са такива досадници!*
• **so much**	**He drinks so much!** *Той пие толкова!*
• **so many**	**We ate so many cherries!** *Изядохме толкова много череши!*

29. ПРЕДЛОЗИ (сравни Урок 24, стр. 200)

■ Те въвеждат допълнението. <u>Без допълнение няма предлог.</u>

Например:	**Wait for me!**	*Чакай ме!*
	Wait!	*Чакай!*

Забележете, че предлозите могат да бъдат <u>пренесени в края на изречението.</u>

Where does he come from? *Откъде идва той?*
Here's the man you wanted to talk to.
Ето човека, с когото вие искахте да говорите.
Обърнете внимание на изпускането на относителното местоимение в последния случай.

30. ПРЕДЛОЗИ, КОИТО СЕ ПОСТАВЯТ СЛЕД СКАЗУЕМОТО (сравни Урок 27, стр. 224)

■ Предлозите, които се поставят след глагола, образуват едно цяло със сказуемото, спрямо което те могат:
1) да внесат известен нюанс в смисъла му;

to look *гледам*
to look up *вдигам поглед*

2) да променят основно смисъла му;

to go up *качвам се*
to go out *излизам*

За разлика от същинския предлог, предлогът, който се поставя след сказуемото, продължава да съществува в инфинитив и в повелително наклонение: **to go out,** *излизам* – **go out!** *излезте!*
■ Един и същи глагол, употребен с различни предлози, които го следват, ще има коренно различен смисъл. И така:
• **to get** – този глагол, който, употребен самостоятелно, означава *получавам*, ако е последван от съществително, и *ставам*, ако е последван от прилагателно, приема различни значения в зависимост от предлога, който го следва:

to get up *ставам*
to get out *излизам*
to get down *слизам*
to get away *заминавам, измъквам се*
to get in *влизам*

■ В действителност в този случай предлогът, който следва глагола, му придава главния смисъл.
Забележки върху превода на <u>същинските предлози и на предлозите, следващи глагола (постпозитивни елементи).</u>
Техният смисъл е много силен, особено когато те обозначават движение.

He was running down the street.
Той тичаше надолу по улицата.
He ran away. *Той избяга.*

Обърнете внимание, че много английски предлози се употребяват и като наречия. Предлози и наречия, употребени след дадени глаголи, често пъти променят основното им значение.
Пример: **to make**, *правя*; **to make up**, *гримирам се*; **to go**, *отивам, ходя*; **go away,** *заминавам*; **go down,** *слизам*; **go on,** *продължавам.*

31. ЧИСЛИТЕЛНИ ИМЕНА

а) бройни		б) редни		
0 **zero**	[ziərou]			
1 **one**	[wʌn]	1-и	**1st first**	[fə:st]
2 **two**	[tu:]	2-и	**2nd second**	[sekənd]
3 **three**	[θri:]	3-и	**3rd third**	[θə:d]
4 **four**	[fo:]	4-и	**4th fourth**	[fo:θ]
5 **five**	[faiv]	5-и	**5th fifth**	[fifθ]
6 **six**	[siks]	6-и	**6th sixth**	[siksθ]
7 **seven**	[sevən]	7-и	**7th seventh**	[sevenθ]
8 **eight**	[eit]	8-и	**8th eighth**	[eitθ]
9 **nine**	[nain]	9-и	**9th ninth**	[nainθ]
10 **ten**	[ten]	10-и	**10th tenth**	[tenθ]
11 **eleven**	[ilevən]	11-и	**11th eleventh**	[ilevenθ]
12 **twelve**	[twelv]	12-и	**12th twelfth**	[twelfθ]
13 **thirteen**	[θə:ti:n]	13-и	**13th thirteenth**	[θə:tɪ:nθ]
14 **fourteen**	[fo:ti:n]	14-и	**14th fourteenth**	[fo:tɪ:nθ]
15 **fifteen**	[fifti:n]	15-и	**15th fifteenth**	[fiftɪ:nθ]
16 **sixteen**	[siksti:n]	16-и	**16th sixteenth**	[sikstɪ:nθ]
17 **seventeen**	[sevənti:n]	17-и	**17th seventeenth**	[sevəntɪ:nθ]
18 **eighteen**	[eiti:n]	18-и	**18th eighteenth**	[eitɪ:nθ]
19 **nineteen**	[nainti:n]	19-и	**19th nineteenth**	[naintɪ:nθ]
20 **twenty**	[twenti]	20-и	**20th twentieth**	[twentiəθ]
30 **thirty**	[θə:ti]	30-и	**30th thirtieth**	[θə:tiəθ]
40 **forty**	[fo:ti]	40-и	**40th fortieth**	[fɔ:tiəθ]
50 **fifty**	[fifti]	50-и	**50th fiftieth**	[fiftiəθ]
60 **sixty**	[siksti]	60-и	**60th sixtieth**	[sikstiəθ]
70 **seventy**	[sevənti]	70-и	**70th seventieth**	[sevəntiəθ]
80 **eighty**	[eiti]	80-и	**80th eightieth**	[eitiəθ]
90 **ninety**	[nainti]	90-и	**90th ninetieth**	[naintiəθ]
100 **a hundred**	[hʌndrid]	100-тен	**100th hundredth**	[hʌndridθ]
1000 **a thousand**	[θauzənd]	1000-ден	**1000th thousandth**	[θauzəndθ]

32. МЕРКИ (Measures)

- *дължина* **lenght**
  - **1 inch (1 in., 1")** = 0,0254 m
  - **1 foot (1 ft., 1')** = 0,305 m = 12"
  - **1 yard (1 yd.)** = 0,91 m = 3 ft
  - **1 mile (1 ml.)** = 1609,34 m
- *тегло* **weight**
  - **1 ounce (1 oz.)** = 28,35 g
  - **1 pound (1 lb.)** = 453,59 g
  - **1 stone (1 st.)** = 6,35 g
  - **1 ton** = 1016 kg

• *обем* **capacity**

1 pint = 0,568 l
1 quart = 1,136 l (= 2 pints)
1 gallon (gl) (Великобритания) =4,54 l
1 gallon (gl) (САЩ) =3,78 l

33. WHAT TIME IS IT? КОЛКО Е ЧАСЪТ?

■ За отразяване на часа в английския език се използват числата от 1 до 12:
• от 1 до 12 a. m. [ei em] за сутрин
• от 1 до 12 p. m. [pi: em] за следобед
• от друга страна, циферблатът се разделя на *половина* (**the half-hour** [ha:f auə]); тогава се дават минутите + часът, който е изминал, или пък минутите, които остават до следващия час.

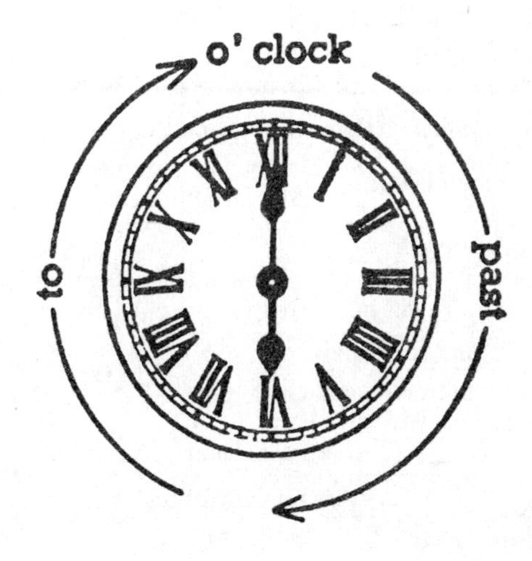

■ Следователно ще кажем:
• **8 o'clock** [eit ə klɔk]: *8 часа,* или **8 a. м.**: *8 часа сутринта*
• **a quarter past nine (a. m.)**: *9 часа и четвърт*
• **half past ten**: *десет часа и половина*
• **twenty-five to eleven**: *единадесет без двадесет и пет*
• **twelve o'clock**: *12 ч на обяд,* а след това *12 ч полунощ*
• **2 p. m.** *четиринадесет часа*
■ **What's the time now?** *Колко е часът?*
It's seven sharp. *Седем часа точно.*

34. СПРЕЖЕНИЕ НА TO BE, *СЪМ*

ИНФИНИТИВ	ПРИЧАСТИЕ
Сегашен **to be** *съм* Минал **to have been** *бил съм*	Сегашно **being** *биващ* Минало **been** *бил*
ИЗЯВИТЕЛНО НАКЛОНЕНИЕ	
Сегашно време *аз съм*	
I am **he (she, it) is** **we (you, they) are**	Отрицателна форма **I am not** Въпросителна форма **Am I?**
Минало свършено време *аз бях*	
I (he, she, it) was **we (you, they) were**	Отрицателна форма **I was not** Въпросителна форма **Was I?**
Сегашно перфектно време	
I (you, we, they) have been **he (she, it) has been**	Отрицателна форма **I have not been** Въпросителна форма **Have I been?**
Минало предварително време *аз съм бил*	
I (he, she, it) / **we, you, they** → **had been**	Отрицателна форма **I had not been** Въпросителна форма **Had I been?**
Бъдеще време *ще бъда*	
I (we) shall be **you (they, he, she, it) will be**	Отрицателна форма **I shall not be** Въпросителна форма **Shall I be?**
Бъдеще предварително време *аз ще съм бил*	
I (we) shall have been **you (they, he, she, it) will have been**	Отр. форма **I shall not have been** Въпр. форма **Shall I have been?**
УСЛОВНО НАКЛОНЕНИЕ	
Сегашно време *аз бих*	
I (we) should be **you (they, he, she, it) would be**	Отр. форма **I should not be** Въпр. форма **Should I be?**
Минало време *аз бих бил*	
I (we) should have been **you (they, he, she, it) would have been**	Отр. форма **I should not have been** Въпр. форма **Should I have been?**
ПОВЕЛИТЕЛНО НАКЛОНЕНИЕ	**ПОДЧИНИТЕЛНО НАКЛОНЕНИЕ**
be! *бъди* **don't be!** **let me, us, him, it, them, be! don't let me… be!**	**I, we, you** / **they, he, she, it** → **be**

35. СПРЕЖЕНИЕ НА TO HAVE, *ИМАМ*

ИНФИНИТИВ			ПРИЧАСТИЕ		
Сегашен Минал	to have to have had	*имам* *имал съм*	Сегашно Минало	having had	*имащ* *имал*

ИЗЯВИТЕЛНО НАКЛОНЕНИЕ	
Сегашно време *имам*	
I (we, you, they) have **he (she, it) has**	Отр. форма **I have not** Въпр. форма **Have I?**
Минало свършено време *имах*	
I (we, you, they)] → **had** **he (she, it)**]	Отр. форма **I had not** Въпр. форма **Had I?**
Сегашно перфектно време *имал съм*	
I (we, you, they) have had **he (she, it) has had**	Отр. форма **I have not had** Въпр. форма **Have I had?**
Минало предварително време *бях имал*	
I (we, you, they) had had **he (she, it) had had**	Отр. форма **I had not had** Въпр. форма **Had I had?**
Бъдеще време *ще имам*	
I (we) shall have **you (they, he, she, it) will have**	Отр. форма **I shall not have** Въпр. форма **Shall I have?**
Бъдеще предварително време *ще съм имал*	
I (we) shall have had **you (they, he, she, it) will have had**	Отр. форма **I shall not have had** Въпр. форма **Shall I have had?**
УСЛОВНО НАКЛОНЕНИЕ	
Сегашно време *бих имал*	
I (we) should have **you (they, he, she, it) would have**	Отр. форма **I should not have** Въпр. форма **Should I have?**
Минало време *щях да имам*	
I (we) should have had **you (they, he, she, it) would have had**	Отр. форма **I should not have had** Въпр. форма **Should I have had?**

ПОВЕЛИТЕЛНО НАКЛОНЕНИЕ		ПОДЧИНИТЕЛНО НАКЛОНЕНИЕ
have! *имай!* **let me, us, him, her, it, them, have!**	**don't have!** **don't let me, us, him, her, it, them, have!**	**I, we, you**] → **have** **they, he, she, it**]

36. СПРЕЖЕНИЕ НА TO BOOK, *РЕЗЕРВИРАМ, ЗАПАЗВАМ*

ИНФИНИТИВ		ПРИЧАСТИЕ	
Сегашен to book *запазвам*	Минал to have booked *съм запазил*	Сегашно booking *запазващ*	Минало booked *запазен*

ИЗЯВИТЕЛНО НАКЛОНЕНИЕ

Сегашно време *аз запазвам*

I (we, you, they) book he (she, it) books	Отр. форма **I do not, he does not book** Въпр. форма **Do I, Does he book?**

Минало свършено време *запазих*

I, we, you, they he, she, it → booked	Отр. форма **I did not book** Въпр. форма **Did I book?**

Сегашно перфектно време *запазил съм*

I (we, you, they) have booked he (she, it) has booked	Отр. форма **I have not booked** Въпр. форма **Have I booked?**

Минало предварително време *аз бях запазил*

I, we, you, they he, she, it → had booked	Отр. форма **I had not booked** Въпр. форма **Had I booked?**

Бъдеще време *ще запазя*

I (we) shall book you (they, he, she, it) will book	Отр. форма **I shall not book** Въпр. форма **Shall I book?**

Бъдеще предварително време *ще съм запазил*

I (we) shall have booked you (they, he, she, it) will have booked	Отр. форма **I shall not have booked** Въпр. форма **Shall I have booked?**

УСЛОВНО НАКЛОНЕНИЕ

Сегашно време *бих резервирал*

I (we) should book you (they, he, she, it) would book	Отр. форма **I should not book** Въпр. форма **Should I book?**

Минало време *щях да съм резервирал*

I (we) should have booked you (they, he, she, it) would have booked	Отр. форма **I should not have booked** Въпр. форма **Should I have booked?**

ПОВЕЛИТЕЛНО НАКЛОНЕНИЕ		ПОДЧИНИТЕЛНО НАКЛОНЕНИЕ
book! *запази!* **let me, us, him, her it, them, book!**	**don't book!** **don't let me, us, him, her it, them book!**	**I, we, you they, he, she, it → book**

37. СПРЕЖЕНИЕ НА TO EAT [i:t] *ЯМ*

<table>
<tr><td colspan="2">ИНФИНИТИВ</td><td colspan="2">ПРИЧАСТИЕ</td></tr>
<tr><td colspan="2">Сегашен to eat ям
Минал to have eaten ял съм</td><td colspan="2">Сегашно eating ядящ
Минало eaten ял</td></tr>
<tr><td colspan="4">ИЗЯВИТЕЛНО НАКЛОНЕНИЕ</td></tr>
<tr><td colspan="4">Сегашно време ям</td></tr>
<tr><td colspan="2">I (we, you, they) eat
he (she, it) eats</td><td colspan="2">Отр. форма I do not, He does not eat
Въпр. форма Do I, Does he eat?</td></tr>
<tr><td colspan="4">Минало свършено време ядох</td></tr>
<tr><td colspan="2">I, we, you, they
he, she, it → ate</td><td colspan="2">Отр. форма I did not eat
Въпр. форма Did I eat?</td></tr>
<tr><td colspan="4">Сегашно перфектно време ял съм</td></tr>
<tr><td colspan="2">I (we, you, they) have eaten
he (she, it) has eaten</td><td colspan="2">Отр. форма I have not eaten
Въпр. форма Have I, Has he eaten?</td></tr>
<tr><td colspan="4">Минало предварително време бях ял</td></tr>
<tr><td colspan="2">I, we, you, they
he, she, it → had eaten</td><td colspan="2">Отр. форма I had not eaten
Въпр. форма Have I eaten?</td></tr>
<tr><td colspan="4">Бъдеще време ще ям</td></tr>
<tr><td colspan="2">I (we) shall eat
you (they, he, she, it) will eat</td><td colspan="2">Отр. форма I shall not eat
Въпр. форма Shall I eat?</td></tr>
<tr><td colspan="4">Бъдеще предварително време ще съм ял</td></tr>
<tr><td colspan="2">I (we) shall have eaten
you (they, he, she, it) will have eaten</td><td colspan="2">Отр. форма I shall not have eaten
Въпр. форма Shall I have eaten?</td></tr>
<tr><td colspan="4">УСЛОВНО НАКЛОНЕНИЕ</td></tr>
<tr><td colspan="4">Сегашно време бих ял</td></tr>
<tr><td colspan="2">I (we) should eat
you (they, he, she, it) would eat</td><td colspan="2">Отр. форма I should not eat
Въпр. форма Should I eat?</td></tr>
<tr><td colspan="4">Минало време щях да съм ял</td></tr>
<tr><td colspan="2">I (we) should have eaten
you (they, he, she, it) would have eaten</td><td colspan="2">Отр. форма I should not have eaten
Въпр. форма Should I have eaten?</td></tr>
<tr><td colspan="2">ПОВЕЛИТЕЛНО НАКЛОНЕНИЕ</td><td colspan="2">ПОДЧИНИТЕЛНО НАКЛОНЕНИЕ</td></tr>
<tr><td>eat! яж!
let me, us, him, her it, them, eat!</td><td>don't eat!
don't let me, us, him, her it, them, eat!</td><td colspan="2">I, we, you
they, he, she, it → eat</td></tr>
</table>

38. НЕПРАВИЛНИ ИЛИ „СИЛНИ" ГЛАГОЛИ

Инфинитив	Мин. св. време	Мин. причастие
to be, *съм*	**was/were**	**been**
to bear [beə], *нося, понасям*	**bore**	**borne**
to beat, *бия*	**beat**	**beaten**
to become, *ставам*	**became**	**become**
to begin, *започвам*	**began**	**begun**
to bend, *навеждам, прегъвам*	**bent**	**bent**
to bet, *обзалагам се*	**bet**	**bet**
to bind [baind], *връзвам*	**bound**	**bound** [baund]
to bite [bait], *хапя*	**bit**	**bitten**
to bleed, *кървя*	**bled**	**bled**
to blow [blou], *духам*	**blew**	**blown**
to break, *счупвам, чупя*	**broke**	**broken**
to bring, *донасям*	**brought**	**brought** [bro:t]
to build [bild], *строя*	**built**	**built**
to burn, *изгарям*	**burnt**	**burnt**
to burst, *избухвам*	**burst**	**burst**
to buy [bai], *купувам*	**bought**	**bought**
to cast, *пускам, захвърлям*	**cast**	**cast**
to catch, *улавям*	**caught**	**caught** [ko:t]
to choose [tʃu:z], *избирам*	**chose**	**chosen**
to cling, *улавям се*	**clung**	**clung**
to come, *идвам*	**came**	**come**
to cost, *струвам*	**cost**	**cost**
to cut, *режа*	**cut**	**cut**
to dare [deə], *смея, дръзвам*	**dared**	**dared**
to deal [di:l], *раздавам*	**dealt**	**dealt** [delt]
to dig, *копая*	**dug**	**dug**
to do, *правя*	**did**	**done** [dʌn]
to draw, *дърпам, рисувам*	**drew**	**drawn**
to dream, *мечтая*	**dreamt**	**dreamt** [dremt]
to drink, *пия*	**drank**	**drunk**
to drive [draiv], *шофирам*	**drove**	**driven** [drivən]
to eat, *ям*	**ate**	**eaten**
to fall, *падам*	**fell**	**fallen**
to feed, *храня (се)*	**fed**	**fed**
to feel, *изпитвам, чувствам (се)*	**felt**	**felt**
to fight [fait], *бия се*	**fought**	**fought** [fo:t]
to find [faind], *намирам*	**found**	**found** [faund]
to fly, *летя*	**flew**	**flown**
to forbid, *забранявам*	**forbade**	**forbidden**

to forget, *забравям*	**forgot**	**forgotten**
to freeze, *замразявам*	**froze**	**frozen**
to get, *получавам*	**got**	**got**
to give, *давам*	**gave**	**given** [given]
to go, *отивам*	**went**	**gone**
to grind [graind], *смилам, изострям*	**ground**	**ground**
to grow [grou], *раста*	**grew**	**grown**
to hang, *вися, обесвам*	**hung**	**hung**
to have, *имам*	**had**	**had**
to hear [hiə], *чувам*	**heard**	**heard**
to hide [haid], *крия, крия се*	**hid**	**hidden**
to hit, *чукам*	**hit**	**hit**
to hold [hould], *държа*	**held**	**held**
to hurt, *ранявам*	**hurt**	**hurt**
to keep, *пазя*	**kept**	**kept**
to kneel [ni:l], *коленича*	**knelt**	**knelt**
to know [nou], *знам, познавам*	**knew**	**known** [noun]
to lay, *поставям, разпростирам*	**laid**	**laid**
to lead, *водя*	**led**	**led**
to lean, *навеждам се*	**leant**	**leant** [lent]
to leap, *скачам, подскачам*	**leapt**	**leapt** [lept]
to learn, *уча*	**learnt**	**learnt**
to leave, *оставям, напускам*	**left**	**left**
to lend, *давам назаем*	**lent**	**lent**
to let, *оставям*	**let**	**let**
to lie [lai], *лежа*	**lay**	**lain**
to light [lait], *запалвам, осветявам*	**lit**	**lit**
to lose [lu:z], *губя*	**lost**	**lost**
to make [meik], *правя*	**made**	**made**
to mean [mi:n], *означавам*	**meant**	**meant** [ment]
to meet, *срещам*	**met**	**met**
to overcome, *превъзмогвам*	**overcame**	**overcome**
to pay, *плащам*	**paid**	**paid**
to put, *поставям*	**put**	**put**
to read, *чета*	**read**	**read** [red]
to rend, *разкъсвам*	**rent**	**rent**
to rid, *избавям, освобождавам*	**rid**	**rid**
to ride [raid], *яздя, карам колело*	**rode**	**ridden**
to ring, *звъня*	**rang**	**rung**
to rise [raiz], *ставам*	**rose**	**risen** [risən]
to run, *тичам*	**ran**	**run**
to say, *казвам*	**said**	**said**
to see, *виждам*	**saw**	**seen**
to seek, *търся*	**sought**	**sought** [so:t]

to sell, *продавам*	**sold**	**sold** [sould]
to send, *изпращам*	**sent**	**sent**
to set, *поставям*	**set**	**set**
to shake [ʃeik], *разтърсвам*	**shook**	**shaken**
to shine [ʃain], *блестя*	**shone**	**shone**
to shoot, *стрелям*	**shot**	**shot**
to show, *показвам*	**showed**	**shown**
to shrink, *свивам се, стеснявам*	**shrank**	**shrunk**
to shut, *затварям*	**shut**	**shut**
to sing, *пея*	**sang**	**sung**
to sit, *седя*	**sat**	**sat**
to sleep, *спя*	**slept**	**slept**
to smell, *мириша*	**smelt**	**smelt**
to speak, *говоря*	**spoke**	**spoken**
to spell, *спелувам*	**spelt**	**spelt**
to spend, *харча*	**spent**	**spent**
to spread [spred], *простирам (се)*	**spread**	**spread**
to spring, *скачам*	**sprang**	**sprung**
to stand, *стоя*	**stood**	**stood**
to steal, *крада*	**stole**	**stolen**
to stick, *залепвам*	**stuck**	**stuck**
to sting, *жиля*	**stung**	**stung**
to stink, *воня*	**stank**	**stunk**
to strike [straik], *удрям*	**struck**	**struck**
to swear [sweə], *кълна се, ругая*	**swore**	**sworn**
to sweep, *мета*	**swept**	**swept**
to swell, *надувам (се)*	**swelled**	**swollen, swelled**
to swim, *плувам*	**swam**	**swum**
to swing, *люлея (се)*	**swung**	**swung**
to take, *вземам*	**took**	**taken**
to teach [ti:tʃ], *преподавам*	**taught**	**taught** [tɔ:t]
to tear, *разкъсвам*	**tore**	**torn**
to tell, *казвам*	**told**	**told** [tould]
to think, *мисля*	**thought**	**thought** [θo:t]
to throw [θrou], *хвърлям*	**threw**	**thrown**
to understand, *разбирам*	**understood**	**understood**
to wear [weə], *нося* (за дрехи)	**wore**	**worn**
to weep, *плача*	**wept**	**wept**
to win, *спечелвам, побеждавам*	**won**	**won**
to wind, *вия (се), лъкатуша*	**wound**	**wound**
to withdraw, *отдръпвам (се)*	**withdrew**	**withdrawn**
to write [rait], *пиша*	**wrote**	**written**

39. ПРОИЗНОШЕНИЕ И ФОНЕТИКА

Представихме произношението на някои думи със символи между скоби [ ]. Това са символите от системата на Международната фонетична асоциация (A. P. I.).

За да извлечете полза от това, трябва винаги да помните следните принципи:

■ 1) Всяка буква символ трябва да бъде произнесена (и тя има постоянна стойност): например английското **contract** се транскрибира [kəntr**æ**kt], крайните съгласни [k] и [t] се произнасят.

■ 2) Английските гласни могат да бъдат кратки или дълги: ако гласната е дълга, тя ще бъде последвана от символа [:]. Така например [i:] в **seat** [si:t] е по-дълго от [i] в **sit** [sit].

■ 3) Дифтонгите (двугласните), специфични за английския език, са предадени чрез символите: [iə], [eə], [uə], [ai], [ɔi], [au], [ou], където се чува всяка буква.

Например:	**here**	[hiə] произнесете добре [hi-ə]
	wear	[weə] произнесете добре [we-ə]
	sure	[ʃuə] произнесете добре [ʃu-ə]
	my	[mai] приблизително като „май“
	boy	[boi] приблизително като „бой“
	house	[haus]; [au] приблизително като в „каучук“
	show	[ʃou] произнесете добре [ou]

■ 4) Някои съгласни със специфичен звук:

[θ] съответства на **th** от **think** и прилича на „**t**“, произнесено с език между зъбите.

[ð] съответства на **th** от **the, this, that** и прилича на „**d**“, произнесено с език между зъбите.

■ 5) [ŋ] обозначава особеното произношение на групата съгласни **-ng**, като в българските думи „Ангел“, „Анка“.

■ 6) След дълги гласни и в края на думата английското **r** е леко доловимо, то не ще бъде представено тук. (Обаче обърнете внимание, че в тези положения то се произнася в Северна Англия, в Шотландия и в САЩ.)

■ 7) Буквите с по-плътен шрифт показват, че ударението пада върху сричката, в която те се намират. Например: r**e**cord.

■ 8) Внимание: това ударение е част от смисъла на думата:

а) преместването му води до промяна в смисъла;
Например: **to record** [rik**o**:d] *записвам на магнетофон*;
a record [r**e**kə:d] *плоча*

б) когато говорим, трябва да потъмним онази част, върху която не пада ударението.

40. АЗБУКА

Упражнявайте се да спелувате (произнасяте буква по буква) вашето име:

a	[ei]	**h**	[eitʃ]	**o**	[ou]	**v**	[vi]
b	[bi:]	**i**	[ai]	**p**	[pi]	**w**	[dʌbəl ju:]
c	[si:]	**j**	[dʒei]	**q**	[kju]	**x**	[eks]
d	[di:]	**k**	[kei]	**r**	[a:]	**y**	[wai]
e	[i:]	**l**	[el]	**s**	[es]	**z**	[zed]
f	[ef]	**m**	[em]	**t**	[ti]		[zi:] (ам. англ.)
g	[dʒi]	**n**	[en]	**u**	[ju]		

За да спелуваме главните букви, казваме за А: **capital A** и т.н. Когато се спелуват две еднакви букви, които са една след друга, се казва: **oo, ff** и т.н. – **double o** [dʌbəl ou], **double f** [dʌbəl ef].

■ Отговори на тестовете

10ª (стр. 92–93)

1. а, 2. б, 3. в, 4. б, 5. в, 6. б, 7. б, 8. в, 9. г, 10. б

20ª (стр. 174–175)

11. в, 12. в, 13. г, 14. в, 15. б, 16. б, 17. а, 18. в, 19. в, 20. в

30ª (стр. 256–257)

21. г, 22. б, 23. а, 24. б, 25. г, 26. в, 27. г, 28. б, 29. в, 30. в

40ª (стр. 338–339)

31. в, 32. а, 33. в, 34. г, 35. в, 36. б, 37. в, 38. б, 39. в, 40. б

■ ИЗЧИСЛЕТЕ ВАШИЯ РЕЗУЛТАТ!

■ РЕЗУЛТАТИ И ОЦЕНКА

→ от 36 до 40 т. Много добри знания.

→ от 30 до 35 т. Добри знания.

→ от 25 до 29 т. Има знания, но има още неовладени неща.

→ от 20 до 24 т. Средно ниво, но трябва да се изучат повторно всички неовладени единици.

→ от 15 до 19 т. Има какво още да се направи; научете повторно всички неовладени единици.

→ от 10 до 14 т. Много неовладени единици; научете отново всичко онова, което не знаете.

→ от 0 до 9 т. Не губете кураж и започнете отначало.

АНГЛИЙСКО-БЪЛГАРСКИ РЕЧНИК

a, an *един, една*
a. m. (= ante meridiem) *сутрин (-та)*
abbey *абатство*
about *по повод на, за, относно*
above *над*
abroad *чужбина (в чужбина)*
accept (to) *приемам*
accessory (мн.ч. **accessories**) *добавка, принадлежности*
accommodate (to) *настанявам*
accomodation *помещение, квартира*
accompany (to) *придружавам*
accordion *акордеон*
accountant *счетоводител*
ace *ас, асо*
actor *актьор*
actually *в действителност*
address *адрес*
admit (to) *допускам, признавам*
advance *преднина, аванс*
advertiser *известител, конферансие*
advice (to) *съветвам*
afford (to) *позволявам си*
after *след; след като*
afternoon *след обяд*
again *пак, отново*
against *срещу*
age *възраст*
agent *агент*
agree (to) *съгласявам се*
aim *цел*
ale *английска бира*
all that *всичко, което*
all the time *през цялото време*
all traffic merge left (ам.) *всички коли да се движат в лявото платно*
alley *алея*
almost *почти*
alone *сам, -а*
already *вече*
alter (to) *поправям, променям*
alternative solution *резервно (алтернативно) решение*
alternator *алтернатор, генератор за променлив ток*
always *винаги*
amplifier *апарат за увеличаване на снимки, увеличител*
amusement arcade *игрална зала*
and *и*
animal *животно*
another *друг, -а*
answer *отговор*
answer (to) *отговарям*
anthem *химн*
any *някой, малко, никак*
apologize (to) *извинявам (се)*
appartment (ам.) *апартамент*
appeal *призив, привличане*
apple *ябълка*
apply for (to) *кандидатирам се за*
appoint (to) *определям, назначавам*
appointment *среща, назначение*
appreciate (to) *оценявам*
April *април*
April Fool's Day *Първи април*
arithmetics *аритметика*
arm waving *махане с ръка*
army *армия*
arrest (to) *арестувам*
arrive (to) *пристигам*
as *когато; като, колкото и, както*
as long as *докато*
as soon as *щом като*
as... as *толкова... колкото*
ask (to) *питам; искам; моля*
asparagus *аспержи*
aspirin *аспирин; хапче аспирин*
at *на, в*
auction *търг*
audience *аудиенция; слушатели*
aunt *леля*

avoid (to) *избягвам*
away *далече, в далечината*
B. A. *бакалавър по хуманитарните науки*
B. Sc. *бакалавър по естествените науки*
baby *бебе*
backward *назад, заднешком*
bad *лош*
badly *лошо*
bag *чанта, куфар*
baked *печен на фурна*
baker *хлебар*
banana *банан*
band *оркестър*
bank *банка*
bank holiday *неработен (празничен) ден*
banner *знаме, хоругва*
bar (at the) *на бара, на тезгяха*
barbecued *печен на жарава*
barley *ечемик*
barrow *гробна могила; ръчна количка*
bartender *барман*
basil *босилек*
bass *контрабас*
bath *баня*
bath (to have a) *къпя се*
bathroom *баня (помещение)*
batsman *играч, който удря с бухалката (бейзбол, крикет)*
battle *битка*
be off (to) *тръгвам*
be out (to) *отсъствам; излязъл съм*
be* (to) *съм*
bear* (to) *нося, понасям*
because *защото*
Bed & Breakfast *пълен пансион*
beer *бира*
before *пред; отпред; преди да*
behind *зад; след; отвъд*
believe (to) *вярвам*
below *под*
best (the) *най-добрият*
bet *облог, залог*
bet (to have a) *обзалагам се*
bet* (to) *обзалагам се*
better *по-добър*
better (to be) *добре съм; подобрявам се*
betting *бас, басиране*
betting shop *бюро за наддаване и за залози*
betting tax *такса върху облозите*
beyond *отвъд*
bicycle *велосипед*
big *голям, -а; едър, -а*
bike *велосипед*
bill *сметка* (Великобритания); *билет*
birthday *рожден ден*
biscuit *бисквита*
bitter *горчив; тъмна бира*
black *черен, -а*
bless (to) *благославям*
blue *син, -я*
boarding *качване на кораб* и т.н.
boarding card *бордна карта*
boat *кораб*
bobby *полицай* (Великобритания)
body *тяло*
boil (to) *възвирам*
boiled potatoes *варени картофи*
bonnet (Великобритания) *капак на мотор; боне, барета*
book *книга*
bookseller *книжар*
booze (жаргон) *алкохол*
booze (to) *пия много; препивам* (жаргон)
boozer (жаргон) *пиянде; пияница*
border *граница*
borrow (to) *вземам назаем*
boss *шеф; собственик; работодател*
both *двамата*

bother (to) *безпокоя; досаждам*
bottled *бутилиран*
bowler *играч* (бейзбол, крикет), който подава, хвърля топката
braised *задушен* (за месо)
brake *спирачка*
brand *белег; марка*
brandy *коняк*
breakdown *повреда*
breakfast *закуска*
brew (to) *варя бира; запарвам*
brewery (мн.ч. **breweries**) *бирена фабрика*
bride *годеница*
bridge *мост*
bring* (to) *донасям*
Britain *Великобритания*
broadcast (to) *излъчвам* (радио- и телевизионни програми)
broadcasting *радио- и TV предаване*
brother *брат*
brown *кафяв, -а*
buck (жаргон) *долар*
bugle *тръба, рог*
build (to) *строя*
bulb *електрическа крушка*
bump (Великобритания) *друсане на кола по лош път*
bumper *броня*
bus lane *платно, запазено за автобуси*
bus ticket *автобусен билет*
business *работа*
busy *зает, -а*
but *но*
butcher *касапин, месар*
butter *масло*
button *копче; бутон*
buy* (to) *купувам*
by now *вече*
cab (САЩ) *такси*
cab-driver *шофьор на такси*
cabby (=cab-driver) *шофьор на такси*
cabin (САЩ) *хижа*
cable *кабел*
cake *кейк, торта*
call (to) *викам, наричам*
call on (to) *посещавам; минавам да видя*
calm (to) *успокоявам*
camera *фотоапарат*
campaign *кампания*
camper *автокаравана*
campsite *терен за къмпинг*
candidate *кандидат, -ка*
canvas *платно, брезент*
car *лека кола*
car crash *автомобилна катастрофа*
car park *автопарк*
carburator (САЩ) *карбуратор*
carburetter (Великобритания) *карбуратор*
careful *грижлив, -а; старателен, -а*
carry (to) *нося, пренасям*
carry on (to) *продължавам*
cassette *касета*
cassette-player *касетофон*
castle *замък*
casual *небрежен, случаен*
cat *котка*
catch* (to) *хващам, улавям, настигам*
cautiously *предпазливо, внимателно*
C.D. (compact disk) *компактдиск*
CD-Player *четящо устройство на компактдиск*
CD-Rom *сидиром*
cello *виолончело*
central bank *централна банка*
centre/center *център*
cereal *зърнени храни*
chance (by) *случайност, случайно*
change *дребни пари; обмяна*
change (to) *сменям*
channel *телевизионен канал*
character *характер; действащо лице*

charge *цена за плащане; такса*
charge (to) *карам да плаща*
cheap *евтино*
cheat (to) *хитрувам; мамя*
check (to) *контролирам, проверявам*
check out (to) *напускам и плащам*
check-in *регистрирам се в хотел*
checker *шахматна дъска*
cheer (to) *приветствам; насърчавам*
cheese *сирене*
chemist *аптекар; химик*
cheque (Великобритания) *чек*
check (САЩ) *чек*
chervil *сушан* (вид подправка)
chicken broth *пилешки бульон*
chicken pie *пилешки пай*
child *дете*
china *порцелан*
chip *пържени картофи*
chives *вид лук*
choose* (to) *избирам*
chop *пържола, котлет*
Christmas/Xmas *Коледа*
church *църква*
cigarette *цигара*
cinnamon *канела*
circus *площад* (кръгъл)
civil *цивилен, -а; граждански, -а*
civil rights *граждански права*
civil servant *държавен чиновник*
Civil Service *държавни ведомства*
claim (to) *твърдя; претендирам*
clarinet *кларнет*
clean (to) *почиствам*
clerk *чиновник*
clever *интелигентен, -а; умен, -а*
click (to) *щраквам* (клавиш, бутон)
cliff *скала*
climb (to) *катеря се*
close (to) *затварям*
club *спатия* (карта за игра)
clutch *амбреаж*
coat *палто*
cobbler *обущар*
coffee *кафе*
coin *монета*
cold *хрема*
collect call (САЩ) *телефонен разговор за сметка на повиквания номер*
collection *събиране на пощата*
college *колеж, факултет*
colo(u)r *цвят*
come* (to) *идвам*
come* in (to) *влизам*
comedy *комедия*
comfortable *комфортен*
commercial *реклама* (телевизионна)
Common Market *Общ пазар*
commute (to) *пътувам с карта*
commuter *пътник с карта*
compete (to) *съпернича, състезавам се*
complain (to) *оплаквам се*
complete (to) *довършвам*
comprehensive school *средно училище*
computer *компютър*
concert *концерт*
confectioner's *сладкарница*
Congress *Конгрес*
constituency *избирателен окръг, избиратели*
cook *готвач, -ка*
cool *свеж, -а; спокоен, -а; дързък*
cool (to) *охлаждам*
cooperate (to) *сътруднича*
cop (жаргон) *ченге*
copper *мед* (метал)
copy *екземпляр* (вестник)
corn (ам.) *царевица*
corner *ъгъл*
correct change *дребни пари*
cost* (to) *струвам*
cottage *селска къща*
country (мн.ч. **countries**) *страна, държава* (вж. стр. 73)

county *графство*
couple of (a) *няколко, две*
cracker *фишек, бомбичка*
craftsman *занаятчия*
crank *манивела*
crankcase *картер*
crescent *къщи, построени в полукръг*
cross *кръст; сърдит*
crown *корона*
culture *култура*
cumin *кимион*
cup *чаша* (за чай, кафе); *купа*
cup final *финал* (на купата за футбол)
cuppa (= **cup**) *чаша* (за чай, кафе)
customer *клиент*
cut* (**to**) *режа*
D.I.Y. *магазин „Направи си сам“*
daily (мн.ч. **dailies**) *ежедневник; всекидневен, -а*
damage (**to**) *повреждам*
dart *стреличка*
dart board *мишена* (за стрелички)
date *дата; среща*
daughter *дъщеря*
deal *сделка*
deal* (**to**) *раздавам* (карти); *отнасям се*
death *смърт*
debt *дълг*
decide (**to**) *решавам*
declaration *декларация*
declare (**to**) *декларирам; заявявам*
decoder *декодиращо устройство*
decorate (**to**) *украсявам*
deep *дълбок, -а*
delay *закъснение*
delicatessen *деликатеси, готови храни*
delicious *възхитителен, -а*
deliver (**to**) *доставям*
Democrat *демократ*
dental surgeon *стоматолог хирург*
dentist *зъболекар*
department store *универсален магазин*
deposit *влог; депозит*
depressed *потиснат, -а*
detached house *индивидуална къща*
detour ahead (САЩ) *отклонение*
develop (**to**) *развивам*
diagnosis *диагноза*
dialect *диалект*
diamond *каро* (карта за игра); *диамант*
dictionary *речник*
difference *разлика*
different *различен, -а*
differently *различно*
difficulty *трудност*
digital camera *дигитален фотоапарат*
dime (САЩ) *монета от 10 цента*
dining-room *трапезария*
dinner *вечеря*
director *директор*
directory *телефонен указател*
discount *отстъпка в цената, отбив*
discover (**to**) *откривам*
discussion *спор, дискусия*
dismiss (**to**) *отпращам, уволнявам, изпъждам*
disturb (**to**) *безпокоя, притеснявам*
diversion (Великобритания) *отклонение*
do on purpose (**to**) *правя нарочно*
do* (**to**) *правя*
dock *док, пристанище*
doctor *доктор, лекар*
documentary *документален филм*
dominoes *домино*
donkey *магаре*
donut (**dough-nut**) *поничка*
door *врата*
double room *стая с две легла*

double-decker *автобус на два етажа*
down *долу*
dram *1,77 г* (мярка за тегло)
drama *драма*
draught *наливна бира*
dream *сън; мечта*
drink *питие; напитка*
drink (to have a) *пия* (пийвам чаша)
drink* (to) *пия*
drive* (to) *карам, шофирам*
drug *лекарство*
drum *барабан*
drums *ударни инструменти*
drunk *пиян, -а*
during *по време на; през*
Dutch (to go) *деля разноските*
DVD (Digital Video Disc) *дигитален видеодиск*
each other *един друг; взаимно*
early *рано*
earthenware *глинени изделия*
eastbound *посока изток*
Easter Monday *понеделник след Великден*
eat* (to) *ям*
education *възпитаване; образование*
eel *змиорка* (риба)
egg *яйце*
electrician *електротехник*
elementary school *начално училище*
elephant *слон*
else *друг*
emphasize (to) *подчертавам, изтъквам*
end *край*
end (to) *свършвам*
engineer *инженер*
English *англичанин, -ка*
enjoy (to) *забавлявам се; изпитвам удоволствие да*
envelope *плик*
equipment *екипировка, оборудване*
error *грешка*
escalator *ескалатор*
Establishment *управляваща класа* (върхушката)
estate *имение; имущество*
European Union *Европейски съюз*
evening news *вечерен телевизионен журнал*
eventually *в крайна сметка*
ever *някога; винаги*
every *всеки, -а*
everyone *всички*
everywhere *навсякъде*
everything *всичко*
evidence *доказателство; свидетелство*
exam(ination) *изпит*
excess luggage *свръхбагаж*
exchange *обмяна*
executive *ръководен кадър*
exempt *освободен от*
exhaust pipe *ауспух*
exhausted *изтощен, -а*
exhibition *изложба*
expect (to) *очаквам да; разчитам на*
expensive *скъп, -а*
experienced *опитен, -а*
explain (to) *обяснявам*
explanation *обяснение*
explosion *избухване, експлозия*
export *износ*
expression *израз*
extra *допълнителен, -а*
extra charge *допълнителна сума за плащане*
eye *око*
fail (to) *пропадам*
fall* (to) *падам*
fan *вентилатор*
fan belt *ремък* (на вентилатор)
far *далеч, далече*
fare *тарифа*
farm *ферма*

farmer *фермер*
fast *бърз, -а; бързо*
father *баща*
feed* (to) *храня; захранвам*
feel* (to) *усещам, чувствам (се), изпитвам*
fellow *събрат, другар, човек, тип*
few *малко*
fiddle *вид цигулка*
fifth form *пети* (клас)
fight* (to) *бия се, боря се*
figure *цифра, фигура*
film, movie (САЩ) *филм, кино*
find* (to) *намирам*
finish (to) *завършвам, свършвам*
fire *пожар*
fireworks *фойерверки*
firm *предприятие*
first form *шести* (клас)
fish *риба*
fishmonger *продавач на риба, рибар*
fix (to) *поправям, определям*
flag *знаме*
flat *бемол;* (Великобритания) *апартамент*
flight ticket *самолетен билет*
floor *етаж*
floppy disc *дискета*
fluctuate (to) *варирам; колебая се*
fluently *свободно; плавно*
fog *мъгла*
fool *глупак*
football pool *футболна прогноза*
for *през; от; за; по време на*
for fear that *от страх да не би*
ford *брод*
foreign *чужденец, -ка*
forest *гора*
forget* (to) *забравям*
fork *вилица*
form *формуляр*
forward *напред; нататък*
free *свободен, -а; безплатен, -а*
freedom *свобода*
Friday *петък*
fried *пържен, -а*
friend *приятел, -ка*
frightened *ужасен, -а; уплашен, -а*
from... to *от... до*
front of (in) *срещу*
full *пълен, -а*
full board *пълен пансион*
full tank *пълен резервоар*
fully booked *всичко ангажирано* (продадено); *няма свободни места*
fun (to have) *забавлявам се*
funny *смешен, -а; забавен, -а*
furniture *мебели, мебелировка*
fuss *суетене, щуране, бъркотия*
gallon *галон; 4,54 л* (Великобритания); *3,78 л* (САЩ)
gambling *хазарт, комар*
game *игра, мач, партия*
garden *градина*
garlic *чесън*
gate *врата, порта*
gear box *скоростна кутия*
gem *скъпоценен камък*
general delivery *поща „до поискване“* (САЩ)
general elections *парламентарни* (общи) *избори*
general practitioner *общопрактикуващ лекар; G. P.*
gentleman *джентълмен; господин*
Gents *тоалетна мъже*
get in (to) *влизам*
get* (to) *получавам*
get* down (to) *залавям се да*
get* on (to) *продължавам*
get out (to) *излизам*
get* up (to) *ставам*
get* warmer (to) *правя* (ставам) *по-топъл*
ginger *джинджифил*

give way (Великобритания) *отстъпете; направете път*
give* (to) *давам*
give* a hand (to) *помагам*
give* up (to) *изоставям, отказвам се*
glad *щастлив, -а; радостен, -на*
glass (мн.ч. **glasses**) *чаша; стъкло*
glasses *очила*
go on (to) *продължавам*
go out (to) *излизам*
go* (to) *отивам, тръгвам*
God *Бог*
gold *злато*
good *добър, -а; добре*
Good Friday *Разпети Петък*
G.O.P. Grand Old Party (САЩ) *Републиканска партия*
government *правителство*
grammar school *начално училище*
grand *банкнота или сума от 1000 долара*
grand piano *роял*
grandfather *дядо*
grandmother *баба*
grant (to) *съгласен съм, давам, отпускам, разрешавам*
grass court *затревен тенискорт*
green *зелен, -а*
greenback *„гущер"* (долар); *банкнота*
grey *сив, -а*
grilled *печен на скара*
grocer *бакалин*
grocery *бакалница*
grow* old (to) *старея, остарявам*
guest *гост; клиент* (хотел)
guest house *пансион*
guitar *китара*
gulf *залив*
gutter *канал, улей, канавка*
gutter press *жълта преса*
habit *навик*
haggis *пълнен овчи стомах* (подобно на саздърма)
hair *коса*
hairdresser *фризьор*
half pint *половинка* (бира)
half-board (Великобритания) *полупансион*
hang (to) *закачвам*
hanging (to be) *вися*
happen (to) *ставам; случвам се*
happy *щастлив, -а*
hard *твърд, -а*
hard court (tennis) *тенискорт с твърда настилка*
hard-boiled *твърдо сварен* (за яйце)
hardly *едва*
harp *арфа*
harpsichord *клавесин*
hashed browns *пържени картофи*
have* fun (to) *забавлявам се*
headache *главоболие*
headlight *фар* (на кола)
health *здраве*
health food shop *магазин за диетични продукти*
hear* (to) *слушам; чувам*
heart *сърце, купа* (карта за игра)
heart attack *сърдечна криза*
heavy *тежък, -а*
helmet *каска*
help *помощ*
help (to) *помагам*
her *тя, я, ѝ; неин*
Hereditary Peers *наследствени перове*
hesitate (to) *колебая се*
hi! *здравей!*
high *висок, -а*
high (to be) *пиян съм*
high school *средно училище* (14–18 г.)
higher education *висше образование*
him *го, му*
hire (to) *наемам, ангажирам*

holiday *ваканция*
home *къща, дом*
Home Secretary *министър на вътрешните работи*
honeymoon *меден месец*
hood (САЩ) *капак на мотор*
hooligan *хулиган, вандал*
hop *хмел*
hope (to) *надявам се*
horn *рог*
horse *кон*
hospital *болница*
hotel *хотел*
hour *час*
house *къща*
House of Commons *Камара на общините*
House of Lords *Камара на лордовете*
how! *като, колко!*
how? *колко?*
how much/many? *колко?*
however... *колкото и... да*
huge *огромен, -а*
hurry up (to) *бързам*
hurt* (to) *ранявам (се); наранявам*
husband *съпруг*
idea *идея*
ideally *идеално*
identical *еднакъв, -а; идентичен, -а*
if *дали*
ignition key *контактен ключ*
imagine (to) *представям си*
immediately *незабавно*
in *в*
in case *в случай че*
inch(es) *инч = 2,554 см*
increase *увеличаване*
indeed *наистина, действително*
independance *независимост*
independant *независим, -а*
indian *индиец, -ка; индианец, -ка*
inhabitant *жител*
insert (to) *вкарвам*
inside *вътре*
intelligent *интелигентен, -а*
intend (to) *имам намерение да*
interesting *интересен, -а*
introduce (to) *въвеждам, вкарвам; представям някого*
invader *нашественик*
investigate (to) *водя анкета* (следствие)
invited *поканен, -а*
iron *желязо; ютия*
isle *остров*
issue *спорен въпрос; номер* (на вестник); *изход*
it *тя, го, му, я* (ср.р.)
item *артикул* (в магазин)
jack *вале* (карта за игра); *крик*
jacket *сако*
jam *конфитюр*
jelly *желе*
jewel *бижу; скъпоценен камък*
job *работа*
join (to) *присъединявам се*
jolly (to be) *пиян съм*
journalist *журналист*
juice *сок*
junior high school *прогимназия* (12–13 г.)
just *точен, -а; справедлив, -а*
keep* (to) *държа; продължавам да, пазя*
key *ключ*
kill (to) *убивам*
kind *вид*
kindergarten *детска градина*
king *крал*
kitchen *кухня*
knee *коляно*
kneel down (to) *коленича*
kneeling (to be) *коленичил съм*
knife (мн.ч. **knives**) *нож*
knock (to) *удрям, чукам*

Labour Party *Лейбъристка партия*
Ladies *тоалетна жени*
lager *светла бира*
lake *езеро*
lane *тясна улица, пътека, платно*
laptop microcomputer *портативен компютър*
large *голям, -а; обширен, -а*
last *последен, -а*
late *закъснял, -а; късно*
laugh (to) *смея се*
launderette *обществена пералня*
lawn tennis *тенискорт върху трева*
lawyer *юрист; адвокат*
lay* (to) *поставям; слагам* (маса)
leak *теч*
lean* (to) *навеждам се*
learn* (to) *уча*
leave* (to) *напускам, оставям, заминавам*
leave* for (to) *заминавам за*
legal *законна валута; законен, -а; легален, -а*
legal holidays *празнични* (неприсъствени) *дни*
leisure *свободно* (от работа) *време*
lemon *лимон*
lend* (to) *давам назаем; заемам*
less… than *по-малко... от* (сравнителна низходяща степен)
lest *да не би да*
let in (to) *вкарвам*
let know (to) *съобщавам*
Liberal Party *Либерална партия*
licence fee *лицензна такса; такса за разрешително*
licence plate (САЩ) *регистрационна табелка на кола*
lie down (to) *лягам си, лежа*
life *живот*
Life Peers *пожизнени перове*
like (to) *обичам, харесвам*
listen (to) *чувам*
little *малък*
little (a) *малко*
live (to) *живея*
livestock *добитък*
local *редовен клиент*
local *местен, -а*
local school board *местна комисия по образованието*
located *разположен, -а*
lock (to) *заключвам*
lodge *хижа*
long *дълъг, -а*
look (to have a) *хвърлям поглед*
look (to) *гледам, изглеждам*
look for (to) *търся*
look forward (to) *нетърпелив съм да, очаквам с нетърпение да*
look out (to) *внимавам*
look up (to) *вдигам очи*
lose* (to) *губя*
lost *изгубен; загубен*
lot of (a) *много*
lots of *много от; голям брой от; голямо количество от*
lottery (мн.ч. **lotteries**) *лотария*
loudspeaker *високоговорител*
lounge *салон, хол*
love *любов*
lovely *прелестен, -а*
low clearance (Великобритания) *ограничение за височина на превозно средство*
lucky *късметлия, -йка*
luggage *багаж*
lunch *обед*
luncheon *обед*
lying (to be) *излегнал съм се*
M. P. Member of Parliament *член на Парламента*
magazine *илюстровано списание*
mail *поща*
make money (to) *печеля пари*

make* a fuss (to) *правя сцени, капризи*
make* a mistake (to) *заблуждавам се; допускам грешка*
make* an appointment (to) *определям среща*
make* coffee, tea (to) *правя кафе, чай*
malt *малц*
malted *малцов, -а* (за бира)
man *мъж*
manage (to) *справям се, оправям се; уреждам се да*
manager *директор*
mansion *имение*
many *много*
marble *мрамор*
marmalade *мармалад*
marriage *сватба*
marry (to) *женя се; омъжвам се*
Master's degree *магистърска степен*
match (мн.ч. **matches**) *мач; кибрит*
may *аз мога* (евентуалност, позволение)
maybe *може би*
me *ми, мене, ме*
mean* (to) *означавам, искам да кажа*
measure *мярка*
mechanic *механик*
medicine *лекарство*
medium *средно опечен* (за месо)
meet* (to) *срещам*
meeting *събрание*
member *член*
men at work (САЩ) *Внимание, строителни работи!*
mention (to) *споменавам*
meter *брояч, метър*
mews *уличка*
midnight *полунощ*
mild *лек, -а; лека бира; мек*
mile *миля* (= 1609 м)
milk *прясно мляко*
milkman *млекар*
mind *ум; дух*
mind (to) *обръщам внимание*
mint *мента*
miss (to) *липсва ми; изпускам*
mistake *грешка*
mistaken (to be) *греша; допускам грешка*
mobile home *автокаравана*
Monday *понеделник*
money *пари*
montainous *планински, -а*
month *месец*
monthly (мн. ч. **monthlies**) *месечен, -а*; (месечни)
more *повече*
more... than *повече... отколкото*
morning *сутрин*
mother *майка*
mountain *планина*
move out (to) *премествам се в ново жилище*
much *много*
muffin *кифличка*
murder *убийство*
mussel *мида*
mutual *взаимен, -а*
my *мой, моя, мои*
mysterious *тайнствен, -а; загадъчен, -а*
name *име*
national *национален, -а*
national park *национален парк*
nationality *националност* (виж стр. 73)
nephew *племенник*
network *мрежа*
never *никога*
new *нов, -а*
newsagent's *вестникарска будка*
newspaper *вестник*

nice *добър, -а; красив, -а; хубав, -а; мил, -а*
nickel *никел; монета от 5 цента* (САЩ)
nickname *прякор*
niece *племенница*
no *не; никакъв*
noise *шум*
noisy *шумен, -а*
nomination *назначаване*
nominees *официални кандидати*
none *никакъв, -а, -и*
northbound *посока север*
not *не* (частичка за отрицание)
not so (as) *не толкова... колкото*
not yet *не още*
nothing *нищо*
notice (to) *забелязвам*
novel *роман*
now *сега*
number *число* (виж стр. 362); *музикално парче*
number plate (САЩ) *регистрационна табелка* (на автомобил)
nurse *медицинска сестра*
nursery school *детска градина*
oboe *обой*
occasion *случай*
occasionally *от време на време*
occur (to) *идва ми на ума; ставам, случвам се*
of which *на когото, на която, на които; чийто, чиято, чиито*
off *от-, из-* (за отдалеченост)
offer (to) *предлагам*
office *офис*
often *често*
old *стар, -а*
on *върху*
on tap *наливен* (за бира, вино)
once *веднъж, някога, след като*
one *един, -а*
one way (Великобритания) *еднопосочен, -а*
one-armed bandit *игрален автомат*
one-way ticket (САЩ) *еднопосочен билет*
only *само*
open (to) *отварям*
opening hours *работно време*
operated (to be) *оперирам се*
operation (to have an) *оперирам се*
opportunity *случай*
orange *портокал*
orchestra *оркестър* (за класическа музика)
order *поръчка*
ounce *унция* (= 28,35 г)
out *вън, отвън*
outside *вън, навън, отвън, извън*
over *над*
overtaken (to be) *изпреварвам* (разрешавам да ме изпреварят)
overtaking (no) (Великобритания) *забранено изпреварването*
ox (oxen) *вол, говедо*
oxtail soup *говежди бульон*
oyster *стрида*
p. m. (post meridiem) *след обяд*
padded jersey *ватирана блуза*
painkiller *болкоуспокояващ; аналгетик*
painting *картина; живопис*
pan *тиган*
pancake *палачинка*
paprika *червен пипер*
parents *родители*
park (to) *паркирам*
park at angle (САЩ) *паркиране под ъгъл*
parking lot *паркинг*
Parliament *парламент*
parsley *магданоз*
partition *разделяне*
party *прием, празник*
pass (to) *минавам, изпреварвам*

pass on (to) *прекарвам*
passenger *пътник*
passer-by *минувач*
passport *паспорт*
pasty *питка*
pay attention (to) *внимавам*
paying guest *гост, който плаща* (нощувка + храна)
PC (Personal computer) *персонален компютър*
pen *писалка*
people *хора*
perhaps *може би*
personal *личен, -а*
personnel manager *началник отдел „Личен състав“*
pharmacy *аптека*
phone (to) *телефонирам*
phone call *телефонно обаждане*
phone-book *телефонен указател*
phone-box *телефонна кабина*
phone-number *телефонен номер*
photo(graph) *фотография, снимка*
physician *лекар*
piano *пиано*
pick up *събиране на пощата*
pictures (the) *кино*
pig *прасе*
pill *хапче*
pilot *пилот*
pint *пинта* (= 0,568 л)
pitch (to) *разпъвам палатка*
pity *милост, състрадание*
platform *платформа; перон*
play (to) *играя*
play the guitar (to) *свиря на китара*
play the piano (to) *свиря на пиано*
play the fool (to) *преструвам се на идиот*
play-station *игрална зала*
player *играч*
please *ако обичате*
pleased *доволен, -а*
pleasure *удоволствие*
plot *заговор, съзаклятие*
point *точка; място*
point out (to) *отбелязвам*
police *полиция*
policy *политика*
polite *учтив, -а*
pool *блато; билярд*
popular press *популярна преса*
pork *свинско*
porridge *овесена каша*
position *пост*
possible *възможен, -а*
post (to) *пускам по пощата*
postal code *пощенски код*
postcard *пощенска картичка*
poste restante *поща „до поискване“* (Великобритания)
postman *пощальон*
postpone (to) *отлагам, отсрочвам*
pot still *съд за бавна дестилация* (аламбик)
pound *паунд* (= 0,454 кг)
pound *паунд* (= лира)
pre-shrunk *предварително обработен, за да не се свие*
prefer (to) *предпочитам*
prescription *рецепта* (медицинска)
present *подарък*
President *президент*
press (to) *натискам*
pretty *красив, -а*
primary school *начално училище*
Prime Minister *министър-председател*
prime time *най-гледано (слушано) време* (за радио- и тв програми)
prince *принц*
printer *принтер*
private *частен, -а*
private school *частно училище*
probably *вероятно*

problem *проблем*
professionalism *професионализъм*
profession *професия*
programme *програма*
promise (to) *обещавам*
propose (to) *предлагам*
prove (to) *доказвам; оказвам (се)*
provided *стига само да*
pub *бар; квартално заведение*
public school *държавно училище* (виж стр. 108)
public transport *обществен транспорт*
publish (to) *публикувам, издавам*
publisher *издател*
puncture *спукване* (гума)
purple *виолетов, -а*
put* (to) *поставям*
put* down (to) *поставям, свалям*
put* on (to) *слагам, обличам*
quart *мярка за вместимост* (= 1,14 л)
quarter *четвърт; монета от 25 цента* (САЩ)
queen *кралица*
question *въпрос*
queue (to) *стоя на опашка*
quid *лира стерлинг* (фамилиарно)
quietly *тих, -о, спокойно*
quite *съвсем; достатъчно*
race *надбягване*
radiator *радиатор*
radio (-set) *радиоприемник*
rain (to) *вали дъжд*
range *гама*
rare *полусуров* (за месо); *рядък, -а*
rarely *рядко*
raspberry *малина*
rate *процент*
read* (to) *чета*
reading *четиво*
realize (to) *давам си сметка*
really *действително, наистина*
rear-view mirror *огледало за обратно виждане*
reasonable *разумен, -а*
receipt *разписка*
receive (to) *получавам*
receptionist *администратор* (в хотел)
recommend (to) *препоръчвам*
record *плоча*
recorder *магнетофон, записващо устройство*
red *червен, -а*
reduce speed (Великобритания) *намалете скоростта*
reduced fare *намалена тарифа*
refuse (to) *отказвам*
regatta *регата*
register (to) *вписвам, записвам се*
registered letter *препоръчано писмо*
reign (to) *царувам*
relative *роднина; относителен, -а*
remind (to) *напомням, припомням*
rent (to) *наемам*
repair (to) *поправям*
repeat (to) *повтарям*
repent (to) *разкайвам се*
replace (to) *замествам*
report *доклад*
republic *република*
resign (to) *подавам оставка*
rest (to) *почивам си*
restaurant *ресторант*
restroom (САЩ) *тоалетни*
retire (to) *пенсионирам се*
return *завръщане*
return (to) *завръщам се*
return ticket (Великобритания) *билет отиване и връщане*
reverse charge call *телефонно обаждане за сметка на хората, на които се обаждаме*
review *списание, рецензия*
right lane must exit (САЩ) *задъл-*

жително движение в дясното платно
right time (the) *подходящ момент*
rights *права*
risk (to) *рискувам*
river *река*
road *път*
road works ahead (Великобритания) *Пътят е в ремонт!*
roast beef *ростбиф*
roasted *печен, -а*
roof *покрив*
room *помещение; стая; място*
room temperature (at) *шамбриран; със стайна температура*
round *кръгъл; кръгово движение*
round trip ticket (САЩ) *билет отиване и връщане*
round-the-clock *двадесет и четири часа в денонощието*
roundabout (Великобритания) *площад с кръгово движение*
row *ред, редица*
rugger *ръгби*
rule (to) *ръководя*
run* away (to) *бягам, избягвам*
rye *ръж*
sad *тъжен, -а*
saffron *шафран* (подправка)
sail (to) *плавам*
sailor *моряк*
salad *салата*
salary *заплата*
sale(s) *продажба, разпродажби*
salesperson *продавач, -ка*
salmon *сьомга*
same *еднакъв, -а; идентичен, -а*
Saturday *събота*
sausage *наденичка, салам*
sausage roll *баничка* (пирожка) *с кренвирш*
save money (to) *спестявам, икономисвам*
saxophone *саксофон*
say* (to) *казвам, заявявам*
say sth to sb (to) *казвам нещо някому*
scrambled *бъркани* (за яйца)
screen *екран*
seat *седалище; седалка*
secret *тайна*
secretary *секретар*
see* (to) *виждам*
seldom *рядко*
semi-detached house *къща близнак*
semi-grand *малък роял*
Senate *Сенат* (Горната камара на парламент)
send* (to) *изпращам*
series *поредица от тематични предавания*
serve (to) *сервирам, служа*
Shadow Cabinet *Кабинет в сянка*
shake hand (to) *ръкувам се*
share *част, дял, пай*
sharp *диез*
shelf (мн.ч. **shelves**) *етажерка, -и*
shelter *подслон*
shirt *риза*
shock absorber *амортисьор*
shop *дюкян, магазин*
shop (to) *пазарувам*
shopkeeper *търговец, -ка*
shopping *покупки, пазаруване*
short story *новела*
shout (to) *викам*
show *спектакъл*
show in (to) *въвеждам*
show* (to) *показвам*
shower *душ*
shrimp *скарида*
sick *болен*
silly *глупак; глупав, -а*
silver *сребро, сребърни монети*
silverware *сребърни прибори* (съдове)

simmer (to) *къкря; разпалвам се* (от гняв)
since *от; понеже, откакто*
sing* (to) *пея*
single *сам, -а; ерген, мома*
single room *единична стая*
single ticket (Великобритания) *еднопосочен билет*
sister *сестра*
sit* down (to) *сядам*
sitting (to be) *седнал съм*
sixth form *единадесети клас*
sleep* (to) *спя*
slippery *хлъзгав, -а*
slot machine *игрален автомат*
slow *бавен, -а*
slow down *забавям*
slowly *бавно*
small change *дребни монети; ресто*
smart *интелигентен, -а; елегантен, -а*
smelling salts *амонячна сода за вдишване и ободряване*
smile at (to) *усмихвам се*
smog *лондонска мъгла*
smoke (to) *пуша*
smoked fish *пушена риба*
snooker *билярд*
so *така; толкова*
so that *за да*
soapbox *сапунерка*
soccer *футбол*
Social security *Социално осигуряване*
soft-boiled *рохко сварен* (за яйце)
software *програмен продукт*
sole *писия*
some *неопр. местоимение*
somebody *някой*
someone *някой*
sometimes *понякога*
son *син*
song *песен*
soon *скоро*
sooner or later *рано или късно*
sore *болезнен, -а*
sorry (to be) *съжалявам*
soup *супа*
sousaphone *бас* (духов инструмент)
southbound *насочен на юг, отправящ се на юг*
spade *пика* (карта за игра)
spare tyre *резервна гума*
spark plug *свещ* (за кола)
speak* (to) *говоря*
speaker *оратор*
specialist *специалист*
speech *реч, говор*
spell* (to) *спелувам*
spend* (to) *изразходвам; харча*
spirit *дух, ум*
spoil (to) *глезя, разглезвам*
spoon *лъжица*
spy *шпионин*
square *квадрат; площад* (правоъгълен или квадратен)
square meter *квадратен метър*
stadium *стадион*
stake *миза, залог*
stall (to) *затъвам, блокирам* (за кола)
stammer (to) *заеквам*
stamp *пощенска марка*
stand up (to) *ставам*
stand* (to) *търпя, понасям; прав съм*
stand-by *резервен списък*
standing (to be) *прав съм*
star *звезда*
start (to) *започвам, потеглям*
state *състояние; щат*
state (to) *декларирам, заявявам; упоменавам*
state school *държавно училище*
station *гара*
stationer's *книжарница*

stay *престой, пребиваване*
stay at a hotel (to) *отсядам в хотел*
steak *пържола, бифтек*
steak and kidney pie *кръгло хлебче с говеждо и бъбречета*
steal* (to) *измъквам се; крада*
steering wheel *автомобилен волан*
sterling *солиден, -а; истински*
stew *рагу, яхния*
stewed *задушено* (ядене)
sticker *самозалепващ се*
still *още, все пак*
stone *камък;* мярка за тегло = 6,3 кг
stone-washed *избелял* (за джинси)
store (САЩ) *магазин*
storm *буря*
story *история; виц*
strange *странен, -а*
street *улица*
stress (to) *наблягам на*
strike *стачка*
stripe *резка, райе*
study (to) *уча*
stuffed *пълнен, -а*
stupid *глупав, -а*
stutter (to) *заеквам*
suburbs *предградие*
succeed (to) *успявам*
such! *такъв, -а; толкова!*
suit *костюм*
suit (to) *подхождам*
summer *лято*
Sunday *неделя*
Sunday paper *неделен вестник*
sunny *слънчев, -а*
sunny-side up *на очи* (за яйца)
supper *късна вечеря* (към 22 ч)
Supreme Court *Върховен съд*
sure *сигурен,-а*
surgeon *хирург*
surname *фамилно име*
surprise *изненада*
surprised *изненадан, -а*
swim* (to) *плувам*
swimming-pool *басейн*
Swiss *швейцарски, -а; швейцарец, -ка*
switch off (to) *изгасвам*
switch on (to) *запалвам*
table *маса*
take off (to) *отлепвам; свалям, отлитам*
take* (to) *вземам*
take* care (to) *внимавам*
take* care of (to) *поемам грижата за; грижа се за*
tale *разказ, приказка*
tall *висок, -а*
tame (to) *опитомявам*
tank *резервоар*
tap *кранче* (на чешма)
tap (on) *под налягане;* (наливен) *за напитка*
tape *лента; магнетофонна лента*
tape-recorder *магнетофон*
tarragon *градински пелин*
taste (to) *вкусвам, опитвам*
taxi *такси*
tea *чай*
tea cup *чаша за чай*
tea-caddy *кутия за чай*
tea-kettle *чайник за кипване на вода за чай*
teach* (to) *преподавам*
teacher *учител, -ка; преподавател, -ка*
team *отбор*
team game *колективен спорт*
team spirit *колективен дух*
television(-set) *телевизионен приемник*
tell* (to) *казвам, разказвам*
tell* sb sth (to) *казвам нещо на някого*
ten *десет*
tent *палатка*
terrace *улица с редица от еднакви*

къщи
that *това; този, тази; който; когото*
thatched *покрит със слама* (за покрив)
theatre *театър*
them *тях; ги, им*
then *тогава*
there *там*
there is/are *има* (безл. израз)
thing *нещо*
think* (to) *мисля*
think about (to) *мисля за*
this *това; този, тази*
though *въпреки че*
throat *гърло*
throne *трон*
throw a rod (to) *дърпам лоста*
Thursday *четвъртък*
thyme *мащерка*
ticket *билет*
till *докато*
time *време*
time (in) *навреме*
tip *бакшиш; поверително сведение*
tipsy *пиян, -а*
tired *изморен, -а*
toast *препечен хляб*
tobacconist *магазинче за продажба на тютюн и цигари*
today *днес*
together *заедно*
toilets *тоалетни*
toll *пътна такса*
tomorrow *утре*
too *също*
too much *много*
toothache *зъбобол*
Tory (мн.ч. **Tories**) *консерватор, -и*
tour (to) *обикалям, обхождам*
tourist *турист*
tourist office *туристическо бюро*
(to) tow *влека*
tower *кула*
town *град*
town-hall *кметство*
toy *играчка*
trackway *шосе*
traditional *традиционен, -на*
tragedy *трагедия*
train *влак*
training period *стаж*
translate (to) *превеждам*
travel (to) *пътувам*
travel(l)er *пътник, -чка*
treatment *лечение; третиране, обноски*
trick *фокус, трик; измама*
trifle *шарлота* (вид десерт)
trip *пътуване*
trombone *тромбон*
trump *коз* (карти)
truncheon *тояга, сопа; палка*
trust (to) *доверявам се, вярвам*
try (мн.ч. **tries**) *опит, -и*
try (to) *опитвам*
tuba *туба* (музикален инструмент)
tube *тръба, цев; метро*
Tuesday *вторник*
tuner *вид радиоприемник*
tunnel *тунел*
turn *обиколка; обръщане*
turn down (to) *отхвърлям*
turnover *оборот; промяна*
TV (-set) *телевизор*
twin bedroom *стая с две легла*
two *две*
U-turn (no) (Великобритания) *забранен обратен завой*
uncle *чичо*
under *под*
underdone *месо алангле*
undergo (to) *понасям, търпя*
undergo surgery (to) *оперирам се*
understand* (to) *разбирам*
unexpected *неочакван, -а*

union *съюз, синдикат*
university *университет*
unless *освен ако, ако не*
unpleasant *неприятен, -а*
unusual *необикновен, -а*
up *горе*
upper sixth *последният гимназиален клас* (ост.)
upright piano *обикновено пиано*
upset *разстроен, -а*
us *нас, ни*
USD = US Dollar *щатски долар*
use (to) *използвам, служа си с*
used to (to be) *свикнал, привикнал съм да*
useful *полезен, -а*
usual *обичаен, -а*
usually *обикновено*
utter (to) *произнасям*
vegetables *зеленчуци*
very well *много добре*
victory *победа*
village *село*
violin *цигулка*
visit (to) *посещавам*
visitor *посетител; турист*
voucher *ваучер* (купон)
wait (to) *чакам*
waiter *сервитьор*
waitress *сервитьорка*
wake* up (to) *събуждам се*
walk (to have a) *разхождам се*
walk (to) *ходя*
walkie-talkie *радиостанция за близка връзка*
walkman *уокмен*
wall *стена*
war *война*
warehouse *склад*
warm *топло*
warm (to) *стоплям, претоплям*
warn (to) *предупреждавам*
warning *предупреждение*
watch *часовник*
watch out (to) *внимавам*
water *вода*
way *път; начин*
way of life *начин на живот*
wear* (to) *нося*
Wednesday *сряда*
week *седмица*
weekly (мн.ч. **weeklies**) *седмичник, -ци*
Welfare State *държава с добра социална политика*
well *добре*
well done *добре опечен, -а*
Welsh *уелски*
Welsh rarebit *топло предястие от шунка, сирене и препечен хляб*
westbound *посока запад*
wharf (мн.ч. **wharves**) *скеля, кей; пристан*
what *това, което*
what! *какъв, каква, какви!*
what? *какво? за какво? какъв?*
when *когато*
when? *кога*
whenever *всеки път, когато; когато и да е*
where? *къде?*
whether *дали...* (ако)
which *който; когото*
which? *кой? коя? кои?*
while *докато, когато*
while (a) *момент; малко* (за време)
while (for a) *за малко, за кратко*
whisky/whiskey *уиски*
whisper (to) *шушукам; шепна*
white *бял, -а*
who *кой*
who(m) *когото*
who(m)? *кой?*
whose *чийто, чиято*
whose? *на кого? за кого?*
why *защо?*

wicket *прозорче на гише*
wide *широк, -а*
wife (мн.ч. **wives**) *съпруга, жена*
win* (to) *печеля*
window *прозорец*
windscreen (Великобритания) *предно стъкло на автомобил*
windshield (САЩ) *предно стъкло на автомобил*
wine *вино*
winning *сполука; печалба; печеливш*
wish (to) *пожелавам*
with *с, със*
without *без*
woman (мн.ч. **women**) *жена, -и*
wonder (to) *питам (се); чудя се*
work *работа*
work (to) *работя*
worker *работник*
world *свят*
worry (to) *безпокоя (се), тревожа (се)*
worse *по-лошо*
worst (the) *най-лошото*
wounded *ранен, -а*
write* (to) *пиша*
write* out (to) *съставям*
Xmas (= Christmas) *Коледа*
xylophone *ксилофон*
yard *ярд* (= 0,914 м), *двор*
year *година*
yellow *жълт, -а*
you *вие, ти*
young *млад, -а*
your *ваш, твой*
zip code *пощенски код* (ам.)
zoo *зоологическа градина*

БЪЛГАРО-АНГЛИЙСКИ РЕЧНИК

абатство **abbey**
аванс (преднина) **advance**
автобусен билет **bus ticket**
автобус на два етажа **double-decker**
автокаравана **camper; mobile home**
автомобилна катастрофа **car crash**
автопарк **parking lot; car park**
агент **agent**
администратор в хотел **receptionist**
администрация, управление **Civil Service**
адрес **address**
аз мога **I may** (за позволение, вероятност)
ако **if**
ако обичате **please**
акордеон **accordion**
акостиране **boarding**
аксесоари, допълнения **accessory (accessories)**
актьор **actor**
алея **alley**
алкохол (жаргон) **booze**
алтернативно решение **alternative solution**
алтернатор **alternator**
амбриаж **clutch**
амортисьор **shock absorber**
аналгетик **painkiller**
англичанин, -ка **English**
апартамент (Великобритания) **flat** (САЩ) **appartment**
април **April**
аптека **pharmacy**
аптекар, -ка **chemist**
аритметика **arithmetics**
армия **army**
артикул (в магазин) **item**
арфа **harp**
ас **ace**
аспержа **asparagus**
аспирин **aspirin**
аудиенция, аудитория **audience**
ауспух **exhaust pipe**
баба **grandmother**
бавен, -а **slow**
бавно **slowly**
багаж **luggage**
бакалавър по хуманитарни науки **B. A.**
бакалавър по природоматематически науки **B. Sc.**
бакалница **grocery; grocer's**
бакшиш **tip**
банан **banana**
банка **bank**
баня **bath; bathroom**
барабан **drum**
барман **bartender**
бас **sousaphone**
батсман (бейзбол, крикет) **batsman**
баща **father**
бебе **baby**
без **without**
безплатен, -а **free**
безпокоя се **(to) worry**
безпокоя **(to) disturb, (to) bother**
безучастен **cool, casual**
бемол **flat**
бижу, скъпоценен камък **jewel**
билет **ticket**
билет отиване и връщане (Великобритания) **return ticket**
билет отиване и връщане (САЩ) **round-trip ticket**
билярд **pool; snooker**
бира **beer; ale** (Великобритания)
бирена фабрика **brewery** (мн. ч. **breweries**)
бисквита **biscuit**
битка **battle**
благославям **(to) bless**
блокирам (авт.) **(to) stall**
Бог **God**

болезнен, -а **sore**
болен, -а **sick**
болница **hospital**
бордова карта **boarding card**
боря се, бия се **(to) fight**
босилек **basil**
брат **brother**
брод **ford**
брой (на вестник) **issue**
броня **bumper**
брояч (метър) **meter**
буря **storm**
бутилка; бутилиран **bottle(d)**
бърз **fast**
бързам **(to) hurry up**
бързо **fast**
бъркани (за яйца) **scrambled**
бял, -а **white**
в, на **in; into; at**
ваканция **holidays**
вале (карта за игра) **jack**
вали дъжд **(to) rain**
вандал, хулиган **hooligan**
варен **boiled**
ватиран екип **padded jersey**
ваш, ваши **your**
ваучер (купон) **voucher**
в действителност **indeed; actually**
вдигам очи **(to) look up**
веднага след като **as soon as**
веднъж **once**
Великобритания **Great Britain**
велосипед **bicycle; bike**
велур **buck**
вентилатор **fan**
вероятно **probably**
вестник **newspaper**
вестникарска будка **newsagent's**
вече **already**
вечерно информационно предаване **evening news**
вечеря **dinner**
взаимен, -на **mutual**
вземам **(to) take**
вид **kind**
виждам **(to) see**
викам **(to) shout**
вилица **fork**
винаги **always**
вино **wine**
виолетов, -а **purple**
виолончело **cello**
висок, -а **high, tall**
високоговорител **loudspeaker**
висше образование **higher education**
в крайна сметка **eventually**
вкусвам **(to) taste**
влак **train**
влизам **(to) come in; (to) get in**
вмъквам **(to) insert**
внимавам **(to) pay attention; (to) look out; (to) watch out**
вода **water**
водя следствие **(to) investigate**
война **war**
вол **ox** (мн. ч. **oxen**)
волан **steering wheel**
вписвам (се); записвам (се) **(to) register**
врата **door; gate**
вратичка **wicket**
време; (навреме) **time; (in time)**
врява **fuss**
връщам се **(to) return**
всеки **every**
всеки път, когато **whenever**
всеки **everyone**
всичко **everything**
всичко това **all that**
в случай че **in case**
вторник **Tuesday**
въвеждам **(to) show in**
възможен, -а **possible**
възраст **age**
вън; навън; отвън; **out; outside**
въобразявам си **(to) imagine**

въпреки че **though**
въпрос **question**
вървя **(to) walk**
върху **on**
вътре **inside**
вярвам **(to) believe**
гара **station**
главоболие **headache**
гледам; изглеждам **(to) look**
глезя **(to) spoil***
глупав, -а **stupid, silly**
глупак **fool**
го, му **him**
говоря **(to) speak***
годеница **bride**
година **year**
голям, -а **big**
голям магазин **department store**
гора **forest**
горе **up**
горчив, -а **bitter**
гост, клиент **guest**
готвач, -ка **cook**
град **town**
градина **garden**
градински пелин **tarragon**
граждански, -а **civil**
граждански права **civil rights**
граница **border**
графство **county**
греша **(to be) mistaken**
грешка **error; mistake**
грижа се за **(to) take* care of**
грижлив, -а; старателен, -а **careful**
гробна могила **barrow**
губя **(to) lose***
гърло **throat**
давам **(to) give***
давам под наем **(to) rent**
давам си сметка **(to) realize**
далече **away; far**
дали **whether**
дата **date**
двадесет и четири часа в денонощието **round-the-clock**
двама, двамата **both**
две **two, (a) couple of**
дебел, -а **thick, fat** (за човек)
ДВД (дигитален видеодиск) **DVD (Digital Video Disc)**
действащо лице **character**
декларация **declaration**
декодиращо устройство **decoder**
деликатеси, готови храни **delicatessen**
демократ **democrat**
ден **day**
десет **ten**
дете **child**
детска градина **nursery school; kindergarten**
джентълмен **gentleman**
джинджифил **ginger**
диагноза **diagnosis**
диалект **dialect**
диамант **diamond**
дигитална камера **digital camera**
диез **sharp**
директор **director; manager**
дискета **floppy disc**
днес **today**
добитък **livestock**
добре **well**
добре изпечен **well done**
добър, -а **good**
доверявам се на **(to) trust**
доволен, -а **pleased**
довършвам **(to) complete**
док, пристанище **dock**
доказвам **(to) prove**
докато **as long as; till as**
докато **while**
доклад **report**
доктор, лекар **doctor**
документален филм **documentary**

долар (жаргон) **buck**
долу; надолу **down**
домино **dominoes**
донасям **(to) bring**
до поискване **general delivery**
допускам **(to) admit**
допълнителен, -а **extra**
допълнителна сума за плащане **extra charge**
досаждам **(to) bother**
доставям **(to) deliver**
доставя ми удоволствие да **(to) enjoy**
доста **quite**
достатъчно **enough**
до този момент, досега **by now**
драматичен, -а **dramatic**
дребни пари **small change**
друг, -а **else**
друг, още един **another**
дълбок, -а **deep**
дълг; задължение **debt**
душ **shower**
дух **spirit**
дълъг, -а **long**
държава с добра социална политика **Welfare State**
държавен служител **civil servant**
държавна служба **Civil Service**
държавно училище **state school**
дъщеря **daughter**
дядо **grandfather**
Европейски съюз (ЕС) **European Union (EU)**
евтин, -а **cheap**
едва **hardly**
един, -а, -о **one**
единадесети клас **upper sixth**
единствен, единичен **single**
един на друг **each other**
еднакъв, -а **identical; same**
еднопосочен билет (Великобритания) **single ticket**
еднопосочен билет (САЩ) **one-way ticket**
еднопосочно движение (Великобритания) **one way**
ежедневник , -ци **daily** (мн. ч. **dailies**)
езеро **lake**
екземпляр **copy**
екипировка **equipment**
екран **screen**
експлозия **explosion**
елегантен, -а **smart**
електрическа крушка **bulb**
електротехник **electrician**
ерген **single**
ескалатор **escalator**
етаж **floor**
етажерка, -и **shelf** (мн. ч. **shelves**)
ечемик **barley**
желе **jelly**
желязо **iron**
жена, -и **woman/women**
женя се, омъжвам се **(to) marry**
живея **(to) live**
живопис; картина **painting**
живот **life**
животно **animal**
жилищен блок, голямо жилище **mansion**
жител **inhabitant**
журналист **journalist,** (ам.) **newsman**
жълт, -а **yellow**
жълта преса **gutter press**
за **for**
забавлявам се **(to) have* fun**
забавям **(to) slow down**
забелязвам **(to) notice**
заблуждавам се **(to) make* a mistake**
забравям **(to) forget***
завръщане **return**
завършвам **(to) finish**
заговор, съзаклятие **plot**
загубен, -а **lost**
зад **behind**

задушен (месо и пр.) **braised**
заедно **both; together**
заеквам **(to) stammer; (to) stutter**
заемам **(to) lend***
заемам, вземам на заем **(to) borrow**
зает, -а **busy**
заключвам **(to) lock**
законен **legal**
закуска **breakfast**
закъснение **delay**
закъснял, -а; късно **late**
залив **gulf**
залог **stake**
замествам **(to) replace**
за миг **for a while**
заминавам (за) **leave (for), (to) be off**
замък **castle**
занаятчия **craftsman**
запалвам (включвам) **(to) switch on**
запарвам (чай) **to brew**
записвам **(to) record**
записващо устройство **recorder**
заплата **salary**
запознавам **(to) introduce**
затварям **(to) close**
защо? **why?**
защото **because**
заявявам **(to) declare; (to) state**
звезда **star**
здраве **health**
здравей! **hi!**
зелен, -а **green**
зеленчуци **vegetables**
злато **gold**
змиорка **eel**
знаме **flag; banner**
зоологическа градина **zoo**
зъбобол **toothache**
зъболекар **dentist**
зърнени храни **cereal**
и **and**
игра, гейм **game**
игрален автомат **slot machine; one-armed bandit**
игрална зала **amusement arcade; play-station**
играч **player**
играчка **toy**
играя **(to) play**
идвам **(to) come***
идеално **ideally**
идея **idea**
избирам **(to) choose***
избирателен район **constituency**
избягвам **(to) avoid**
извинявам се **(to) apologize**
издател, -ка **publisher**
издутина **bump**
изключвам (ел.) **(to) switch off**
излизам **(to) get* out; (to) go out**
изложба **exhibition**
изненада **surprise**
изненадан, -а **surprised**
износ **export**
изпит **exam(ination)**
изпитвам; чувствам **(to) feel***
използвам; служа си с **(to) use**
изпращам **(to) send**
изпускам **(to) miss**
израз **expression**
изтощен, -а **exhausted**
илюстровано списание **magazine**
има (безличен израз) **there is/are**
имам намерение да **(to) intend**
имам средствата за **(to) afford**
име **name**
имение **manor, estate**
индивидуална къща **detached house**
индиец, -ка/индианец, -ка **indian**
инженер **engineer**
интелигентен, -а **clever, intelligent, smart**
интересен, -а **interesting**
история, разказ **story**
кабел **cable**

казан за ракия (аламбик) **pot still**
казвам, заявявам **(to) say*; (to) tell**
казвам някому нещо **(to) say sth to sb; (to) tell* sb sth**
какво, за какво, какъв, какъвто **what**
кандидатура **nomination**
Камара на лордовете **House of Lords**
Камара на общините **House of Commons**
кампания, военна операция **campaign**
камък **stone**
канавка **gutter**
кандидат, -ка **candidate**
канела **cinnamon**
кандидатствам за **(to) apply for**
кантора на букмейкър **betting shop**
капак на мотор (Великобритания) **bonnet;** (САЩ) **hood**
капаро **deposit**
карам **(to) drive***
карам да платят **(to) charge**
карбуратор (Великобритания) **carburetter;** (САЩ) **carburator**
каро (карта за игра) **diamond**
картер **crankcase**
картоф **potato(es)**
касета **cassette**
касетофон **cassette-player**
каска **helmet**
катеря се **(to) climb**
като **as**
кафе **coffee**
кафене **pub**
кафяв, -а **brown**
квадратен метър **square meter**
квартира, настаняване **accommodation**
кей **platform**
кейк, торта **cake**
кибрит (клечка) **match,** *(кутия)* **box of matches**
кимион **cumin**
кино **cinema, film, pictures, movie** (САЩ)
кипвам **(to) boil**
китара **guitar**
кифличка **muffin**
клавесин **harpsichord**
кларнет **clarinet**
клиент, -ка **customer**
ключ **key**
кметство **town-hall**
книга **book**
книжар **bookseller**
книжарница за канцеларски принадлежности **stationery**
кога, когато **when**
коз **trump card**
кой? **who(m)?**
който; когото; това което **which, who, whom**
кола **car**
колебая се **(to) hesitate, (to) fluctuate**
Коледа **Christmas (=Xmas)**
колеж, висше училище **college**
колективен дух **team spirit**
колективен спорт **team game**
коленича **(to) kneel down**
колко? **how much/many?**
коляно **knee**
комар (хазарт) **gambling**
комедия **comedy**
компактдиск **C. D. compact disc**
компютър **computer**
кон **horse**
Конгрес **Congress**
Консерватор, -и **Tory** (мн. ч. **Tories**)
контактен ключ **ignition key**
контрабас **bass**
контролирам **(to) check**
конфитюр **jam**
концерт **concert**
коняк **brandy**

копче **button**
кораб **boat**
корона **crown**
коса, -и **hair**
костюм **suit**
котка **cat**
котлет **chop**
крада **(to) steal***
край **end**
крал, кралица **king; queen**
кран **tap**
красив, -а **pretty**
крик **jack**
кръгово движение (Великобритания) **roundabout**
кръгъл,-а **round**
кръст **cross**
ксилофон **xylophone**
кула **tower**
култура **culture**
купа (в спорта) **cup**
куп (голям брой) **lots of**
купувам **(to) buy***
куфар **suit-case, valise**
кухня **kitchen**
къде? **where?**
къпя се **(to) have a bath**
късметлия **lucky**
късна вечеря **supper**
къща **house, home**
къща близнак **semy-detached house**
Лейбъристка партия **Labor Party**
лекар **physician**
лекарство **drug, medicine**
леля **aunt**
лечение **treatment**
Либерална партия **Liberal Party**
лимон **lemon**
лира стерлинг (фам.) **quid**
личен състав **personnel**
локва, блато **pool**
лондонско метро **tube**
лотария **lottery** (мн.ч. **lotteries**)
лош, -а **bad**
лъжица **spoon**
любезен, -а; мил, -а **nice**
любов **love**
лягам, лежа **lie down**
лято **summer**
магазин (Великобритания) **shop;** (САЩ) **store**
магазин за диетични продукти **health food shop**
магазин „Направи си сам“ **D.I.Y. shop**
магазин за продажба на тютюн и цигари **tobacconist**
магаре **donkey**
магданоз **parsley, chervil**
магистър (научна степен) **Master's degree (M. A.)**
магнетофон **tape-recorder**
магнетофонна лента **tape**
майка **mother**
малина **raspberry**
малко **little (a); few**
малко (за време) **while (a)**
малц **malt**
мамя, играя нечестно **(to) cheat**
манивела **crank**
марка, белег **brand, stamp**
мармалад **marmalade**
маса **table**
масло **butter**
мач **match** (мн.ч. **matches**)
мащерка **thyme**
ме, на мене **me**
мебели, мебелировка **furniture**
мед (метал) **copper**
меден месец **honeymoon**
медицинска сестра **nurse**
мек, кротък **mild**
мента **mint**
месар, касапин **butcher**
месец **month**
месечен, -и **monthly**

местен, -а **local**
местна комисия по образованието **local school board**
механик **mechanik**
мида **mussel**
милост, състрадание **pity**
минавам, преминавам **(to) pass**
министър на вътрешните работи **Home Secretary**
министър-председател **Prime-Minister**
минувач **passer-by**
мисля за **(to) think* about**
мисля **(to) think***
мишена при игра на стрелички **dart board**
млад, -а **young**
млекар **milkman**
много **a lot of; many; much; too much**
много добре **very well**
може би **may be; perhaps**
мой, моя, мои **my**
монета; (разг.) *пари* **coin**
моряк **sailor**
мост **bridge**
мрамор **marble**
мрежа **network**
музикално парче **tune**
мъгла **fog**
мъгла, примесена с пушек **smog**
мъж, -е **man (men)**
мярка **measure**
наблягам на **(to) emphasize, (to) stress**
навеждам се **(to) lean***
навик, привичка **habit**
навсякъде **everywhere**
над **above, over**
надбягване **race**
наденица **sausage**
надявам се **(to) hope**
наемам **(to) hire**
назад, заднешком **backward**
наистина, действително **really**
най-гледано, слушано време **prime time**
назначавам **(to) appoint**
назначаване **appointment**
най-добър **the best**
най-лош **the worst**
на кого? (за кого?) **whose?**
наливен, -а (за бира) **on draught; on tap**
намалена тарифа **reduced fare**
наминавам, навестявам **(to) call on**
намирам **(to) find***
напред **forward**
напускам, изоставям, заминавам **(to) leave***
напускам и плащам **(to) check out**
напълно **quite**
наричам **(to) call**
нас, ни **us**
наследствени перове **Hereditary Peers**
настанявам **(to) accomodate**
настигам **(to) overtake**
национален, -а **national**
национален парк **national park**
националност (виж стр. 73) **nationality**
начално училище **elementary school; grammar school; primary school**
начин на живот **way of life**
нашественик **invader**
не (частица за отрицание) **not**
не; никой **no**
не още **not yet**
не толкова... колкото **not so (as)**
неделя **Sunday**
недопечен **underdone, rare**
незабавно **immediately**
независим, -а **independent**
независимост **independence**
необичаен, -а **unusual**

неочакван, -а; ненадеен, -а **unexpected**
неприятен, -а; противен, -а **unpleasant**
нещо **thing**
никел (метал) **nickel;** *монета от 5 цента* (САЩ) **nickel**
никога **never**
никой, -я, -и **none**
нищо **nothing**
но **but**
нов, -а **new**
нож **knife** (мн.ч. **knives**)
нося **(to) bear*; (to) carry; (to) wear***
някакви **any**
някой **somebody, someone**
няколко **some; couple of (a)**
обаждане за сметка на отсрещния **reverse charge call, collect call** (САЩ)
обед **lunch; luncheon**
обещавам **(to) promise**
обзалагам се **(to have a) bet; (to) bet***
обикновено **usually**
обиколка **turn**
обичаен, -а **usual**
обичам, харесвам **(to) like**
облог **bet; betting**
обмяна **exchange**
обой **oboe**
оборот **turnover**
образование **education**
обущар **cobbler**
обширен, -а; просторен, -а **large**
Общ пазар **Common Market**
обществен транспорт **public transport**
обществена пералня на самообслужване **launderette**
общопрактикуващ лекар **general practitioner**
обяснение **explanation**
обяснявам **(to) explain**
овесена каша **porridge**
огледало за обратно виждане **rear-view mirror**
ограничена височина на превозното средство (Великобритания) **low clearance**
огромен, -а **huge**
означавам; искам да кажа **(to) mean***
окачвам **(to) hang***
око **eye**
оперирам (се) **(to be) operated; (to have) an operation; (to) undergo surgery**
опит, -и **try; tries**
опитвам **(to) try**
опитен, -а **experienced**
опитомявам **(to) tame**
оплаквам се **(to) complain**
определям си среща **(to) make* an appointment**
оратор **speaker**
оркестър (за класическа музика) **orchestra; band**
освободен, -а от задължение **exempt**
освобождавам, уволнявам **(to) dismiss**
особа **public character**
оставям; отказвам се **(to) give* up**
остарявам **(to) grow* old**
остров **isle**
от; от... до **from... to; off**
от; понеже **since; for**
отбелязвам **(to) point out**
отбив, отстъпка **discount**
отбор **team**
отварям **(to) open**
от време на време **occasionally**
отвъд **beyond**
отговарям **(to) answer**
отивам **(to) go***

отказвам **refuse**
отклонение **detour ahead** (САЩ); **diversion** (Великобритания)
откривам **(to) discover**
отлагам, отсрочвам **(to) postpone**
от страх да не би **(for) fear that; lest**
отсъствам **(to) be out**
отхвърлям (предложение) **(to) turn down**
офис **office**
официален кандидат **nominee**
оценявам **(to) appreciate**
очаквам **(to) expect**
очаквам с нетърпение **(to) look forward to**
очила **glasses**
още **still**
падам **(to) fall**
пазарувам **(to) shop**
пазаруване **shopping**
пазя **(to) keep***
палатка **tent**
палачинка **pancake**
палка **truncheon**
палто **coat**
пансион **guest house; bed and breakfast**
пари **money;** *дребни* **silver**
паркирам **(to) park**
паркирам под ъгъл **park at angle** (САЩ)
Парламент **Parliament**
парламентарни избори **general elections**
паспорт **passport**
пенсионирам се **(to) retire**
персонален компютър **PC personal computer**
песен **song**
пестя, спестявам **(to) save money**
пети клас **fifth form**
петък **Friday**
печалба, победа **winning**
принтер **printer**
печеля **(to) win***
печеля пари **(to) make money**
печен, -а **roasted**
печен на жарава **barbecued**
печен на скара **grilled**
печен на фурна **baked**
пея **(to) sing***
пиано **piano; upright piano**
пийвам по чашка **(to) have a drink**
пика (карта за игра) **spade**
пилешки бульон **chicken broth**
пилешки пай **chicken pie**
пилот **pilot**
пирожка с месо **sausage roll**
писалка **pen**
писия **sole**
питам; моля; искам **(to) ask**
питие **drink**
пиша **(to) write**
пия **(to) drink;** *фиркам* **(to) booze**
пиян съм **(to be) jolly; drunk, tipsy**
пияница (жаргон) **boozer**
плавам **(to) sail**
планина **mountain**
планински, -а **mountainous**
платно **canvas**
платно (за автобуси) **bus lane**
племенник, -ца **nephew; niece**
плик **envelope**
плоча (грамофонна) **record**
площад (кръгъл) **circus**
площад (правоъгълен) **square**
плувам **(to) swim***
плувен басейн **swimming-pool**
по-малко... от **less... than**
победа **victory**
побягвам **(to) run* away**
по (повече)... отколкото **more... than**
поверителна информация **tip**
повече **more**
повиквам; наричам **(to) call**

по повод на **about**
повреда **breakdown**
повреждам **(to) damage**
повтарям **(to) repeat**
поглеждам **(to) have a look**
под **below; under**
подавам молба, заявление **(to) apply for**
подавам си оставката **(to) resign**
подарък **present**
по-добре съм **(to be) better**
по-добър **better**
подслон **shelter**
потиснат, -а **depressed**
подходящ момент **the right time**
пожар **fire**
пожелавам **(to) wish**
пожизнени перове **Life Peers**
показание, доказателство **evidence**
показвам **(to) show***
поканен, -а **invited**
покрив **roof**
покрит със слама **thatched**
полезен, -а **useful**
политика **policy**
полиция **police**
полицай (фам.) (Великобритания) **bobby**
половинка бира **half pint**
по-лош **worse**
полунощ **midnight**
полупансион (Великобритания) **half-board**
получавам **(to) receive; (to) get***
помагам **(to) give* a hand; (to) help**
помещение, сграда **premises**
помощ **help**
понеделник **Monday**
понеделник след Великден **Easter Monday**
поничка **donut; dough-nut**
понякога **sometimes**
поправям **(to) fix; (to) repair**
популярна преса **popular press**
портативен компютър (лаптоп) **laptop; microcomputer**
портокал **orange**
порцелан **china**
поръчка **order**
посетител, -ка; турист, -ка **visitor**
посещавам **(to) tour; (to) visit; (to) call on**
пост **position**
поставям, слагам **(to) put*; (to) put* down; (to) lay; (to) put* on**
последен, -на **last**
посока запад **westbound**
посока изток **eastbound**
посока север **northbound**
посока юг **southbound**
потеглям **(to) start**
почивам (си) **(to) rest**
почти **almost**
поща **mail**
пощальон **postman**
пощенска картичка **postcard**
пощенски код **postal code** (Великобритания); **zip code** (САЩ)
права **rights**
правителство **government**
правя **(to) do***
правя кафе, чай **(to) make* coffee, tea**
правя нарочно **(to) do on purpose**
правя се на идиот **(to) play the fool**
празничен (неприсъствен) ден (Великобритания) **bank holiday; legal holiday**
пран (за джинси) **stone-washed**
прасе **pig**
пребивавам в хотел **(to) stay at a hotel**
превеждам **(to) translate**
пред, преди **before**
предградие **suburbs**

преди обяд **a. m. (= ante meridiem)**
предлагам **(to) offer**
предно стъкло на автомобил (САЩ) **windshield;** (Великобритания) **windscreen**
предпазливо **cautiously**
предпочитам **(to) prefer**
преподавам **(to) teach***
предприятие, фирма **firm**
предупреждавам **(to) warn**
предупреждение **warning**
предлагам **(to) propose**
представям някого **(to) introduce**
през; по време на **for; during**
президент **President**
през цялото време **all the time**
прелестен, -а; чуден, -а **delicious**
премествам се (от жилище) **(to) move out**
пренасям **(to) carry**
препечен хляб **toast**
препечен хляб със сирене **Welsh rarebit**
препоръчано писмо **registered letter**
препоръчвам **(to) recommend**
престой, пребиваване **stay**
претендирам **(to) claim**
признавам **(to) admit**
приветствам **(to) cheer**
привличане **appeal**
придружавам **(to) accompany**
прием **party**
приемам **(to) accept, (to) grant**
призив **appeal**
принц **prince**
припомням, напомням **(to) remind**
пристан, кей **wharf** (мн.ч. **warves)**
присъединявам се **(to) join**
приятел, -ка **friend, fellow**
проблем **problem**
проверявам **(to) check**
програма **programme**
програмен продукт **software**
продавач, -ка **salesperson**
продължавам **(to) get* on; (to) go on; (to) keep; (to) carry* on**
прозвище, прякор **nickname**
прозорец **window**
произнасям **(to) utter**
променям, преправям **(to) alter**
промяна **change**
пропадам **(to) fail**
професионализъм **professionalism**
професия **profession**
профсъюз **union**
процент **rate**
прясно мляко **milk**
публикувам **(to) publish**
пускам **(to) let in**
пускам по пощата **(to) post**
пуша **(to) smoke**
пушена риба **smoked fish**
пълен, -а **full; fully booked**
пълен пансион **full board**
пълен резервоар **full tank**
пълнен, -а **stuffed**
първи април **April Fool's Day**
пържен (за яйца) **sunny-side up, fried**
пържени картофки **hashed browns**
път **way, road**
пътна такса **toll**
пътник, -чка **passenger, travel(l)er**
пътувам **(to) travel**
пътувам с карта **(to) commute**
пътуване **trip**
пътят е в ремонт (Великобритания) **road works ahead**
работа **business, job, work**
работник **worker**
работно време **opening hours**
работя **(to) work**
радиатор **radiator**
радио- и ТВ разпространение **broadcasting**
радиоприемник **radio (-set); tunner**
радиостанция с малък обхват

walkie-talkie
радостен, -а **glad**
разбирам **(to) understand***
развеселявам **(to) cheer up, (to) brighten**
развивам **(to) develop**
раздавам, разпределям **(to) deal**
разделяне **partition**
разказ **short story, tale**
разказвам истории, вицове **(to) tell stories**
разкайвам се **(to) repent**
разлика **difference**
различен, -а **different**
различно **differently**
разписка **receipt**
разположен, -а **located**
разпродажба с намаление **sale**
разпространявам (радио- и телевизионни програми) **(to) broadcast**
разпъвам (палатка) **to pitch**
разтревожен **upset**
разумен **reasonable**
разхлаждам се **(to) cool**
разхождам се **(to have) a walk**
разчитам на **(to) expect**
райе, резка **stripe**
ранен, -а **wounded**
рано **early**
рано или късно **sooner or later**
ранявам, наранявам се **(to) hurt**
регата **regatta**
регистрационна табела на кола (Великобритания) **number plate;** (САЩ) **licence plate**
регистрирам се в хотел **check in**
ред, редица **row, range**
режа **(to) cut***
резервен **stand-by**
резервна гума **spare-tyre**
резервоар **tank**
река **river**
рекламирам **advertise**
ремък **fan belt**
република **republic**
ресто **change**
ресторант **restaurant**
рецензия **review**
рецепта **prescription**
реч **speech**
речник **dictionary**
решавам **(to) decide**
риба **fish**
рибар, търговец на риба **fishmonger**
риза **shirt**
рискувам **(to) risk**
рог **horn**
родители **parents**
роднина **relative**
рожден ден **birthday**
роман **novel**
ростбиф **roast beef**
рохко сварен (за яйце) **soft-boiled**
роял **grand piano**
ръгби **rugger**
ръж **rye**
ръководен кадър **executive**
рядко **rarely; seldom**
рядък, -а **rare**
с, със **with**
саздърма **haggis**
сако **jacket**
саксофон **saxophone**
салата **salad**
салон, фоайе **lounge**
сам, -а **alone**
са̀мо **only**
самозалепващ се **sticker**
самолетен билет **flight ticket**
сапунерка **soap-box**
сватба **marriage**
Свети петък **Good Friday**
светла бира **lager**
свещ (авт.) **spark plug**
свикнал съм да **(to be) used to**
свиря на китара **(to) play the guitar**

свиря на пиано **(to) play the piano**
свободно **fluently**
свобода **freedom**
свободен, -а **free**
свободно време (от работа) **leisure time**
свръхбагаж **excess luggage**
свършвам **(to) end**
свят **world**
сделка **deal**
сега **now**
седалка **seat**
седмица **week**
седмичник, -ци **weekly (weeklies)**
седнал съм **(to be) sitting**
секретар **secretary**
село **village**
селска къща **cottage**
Сенат **Senate**
сервирам **(to) serve**
сервитьор, -ка **waiter, waitress**
сестра **sister**
сив, -а **grey**
сигурен, -а **sure**
сидиром **CD-Rom**
син **son**
син, -я **blue**
сирене **cheese**
скалист морски бряг **cliff**
скарида **shrimp**
склад **warehouse**
скоро **soon**
скоростна кутия **gear box**
скъп, -а **expensive**
скъпоценен камък **gem**
сладкарница **confectioner's**
след **after**
следобед **afternoon; p. m. (= post meridiem)**
слон **elephant**
слушам **(to) listen**
случай **opportunity; occasion**
случайно **by chance**
слънчев, -а **sunny**
сменям **(to) change**
сметка, обява, банкнота, афиш **bill**
смешен, -а **funny**
смея се **(to) laugh**
смущавам **(to) bother, (to) embarrass**
смърт **death**
снимка **photo(graph)**
сок **juice**
социално осигуряване **Social security**
спатия **club**
спектакъл **show**
спелувам, пиша буква по буква **(to) spell**
специалист **specialist**
спирам; арестувам **(to) arrest**
спирачка **brake**
списание **review; magazine**
споделям разноските **(to go) Dutch**
спокоен, -а **cool**
спокойно, тихо **quietly**
споменавам **(to) mention**
спор, дискусия **discussion, issue**
спукване (авт.), *пробиване* **puncture**
спя **(to) sleep***
сребърни прибори (сребърни съдове) **silverware**
средно училище, среден курс (12–13 г.) **junior high school**; *горен курс (14–18 г.)* **high school, public school**
среща **appointment**
срещам **(to) meet***
срещу **against; in front of**
сряда **Wednesday**
ставам **(to) stand up; (to) get up**
ставам, случвам се **(to) happen; (to) occur**
стадион **stadium**
стаж **training period**
стар, -а **old**
стачка **strike**
стая с две легла **double room; twin**

bedroom
стая с едно легло **single room**
стек, пържола **steak**
стена **wall**
стига само да **unless; provided**
стоматолог-хирург **dental surgeon**
стоя **(to) stand**
стискам ръка **(to) shake hand**
страна **country** (мн.ч. **countries**)
странен, -а; чудноват, -а **strange**
стреличка **dart**
стрида **oyster**
строя, построявам **(to) build***
струвам, коствам **(to) cost***
супа **soup**
стъкло, чаша **glass** (мн.ч. **glasses**)
сьомга **salmon**
счетоводител **accountant**
събиране на писма **pick up; collection**
събличам **(to) take off**
събота **Saturday**
събрание **meeting**
събуждам се **(to) wake* up**
съветвам **(to) advice**
съгласен съм **(to) agree**
съжаляващ, -а; каещ се, -а се **sorry**
съм **(to) be***
сън, мечта **dream**
съобщавам **(to) let know**
съответствам, подхождам **(to) suit**
съпернича **(to) compete**
съпруг **husband**
съпруга, жена **wife** (мн.ч. **wives**)
сърдечна криза **heart attak**
сърдит, -а (разг.) **cross**
сърце; купа (карта за игра) **heart**
сътруднича **(to) cooperate**
също **too**
също толкова **as... as**
сядам **(to) sit down**
тайна **secret**
тайнствен, -а; загадъчен, -а **mysterious**
така; толкова **so**
така че **so that**
такса върху залаганията **betting tax**
такса (цена на билет) **fare**
такси **taxi; cab**
такъв, -а, такива **such**
там **there**
твърд, -а **hard**
твърдо сварен (за яйце) **hard-boiled**
твърдя, потвърждавам **(to) claim**
те; ги; им **them**
те; ти; на теб **you**
театър **theatre**
тегля, влача **(to) tow**
тежък, -а **heavy**
тежко, лошо **badly**
тезгях (на тезгяха, на бара) **bar (at the bar)**
телевизионен канал **channel**
телевизионен приемник **television (set)**
телевизор **TV (-set)**
телевизионна реклама **commercial**
телефонен номер **phone number**
телефонен указател **phone-book; directory**
телефонирам **(to) phone**
телефонна кабина **phone box**
телефонно обаждане **phone call**
тематично предаване в поредица **series (TV)**
тенискорт върху трева **laun tennis**
тенискорт с твърда настилка **hardcourt (tennis)**
теракота **earthenware**
терен за къмпинг **campsite**
теч **leak**
тиган **pan**
тоалетна **toilets, restroom** (САЩ); **Ladies, Gents** (Великобритания)
това; този (за нещо близко) **this**
тогава **then**

този; онзи; който, когото **that**
точени кори за сладкиш **pastry**
точка, място **point**
точно **just**
топло **warm**
топля, претоплям **(to) warm**
трагедия **tragedy**
традиционен, -на **traditional**
трапезария **dining-room**
треперя, тръпна **(to) shiver**
третирам **(to) deal* with, to treat**
тромбон **trombone**
трон **throne**
тръба (муз.) **bugle**
тръба; метро **tube**
трудност **difficulty**
туба (муз.) **tuba**
тунел **tunnel**
турист **tourist**
туристически офис; бюро по туризъм **tourist office**
тъжен, -а **sad**
тъмна бира **bitter**
търг **auction**
търговец, -ка **shopkeeper**
търпя, понасям **(to) stand*; (to) undergo, to bear**
търся **(to) look for**
тя; я; ѝ **her**
тяло **body**
тясна уличка **lane**
убивам **(to) kill**
убийство **murder**
увеличение **increase**
увиснал съм **(to be) hanging**
удобен, -а **comfortable**
удоволствие **pleasure**
удрям, чукам **(to) knock**
уелски, -а **Welsh**
ужасѐн, -а, уплашен **frightened**
уиски **whisky; whiskey**
украсявам **(to) decorate**
улица **street**
уличка **mews**
ум **mind**
уморен, -а **tired**
университет **university**
уокмен **walkman**
управлявам **(to) rule**
управлявам; успявам **(to) manage**
управляваща класа, върхушка **Establishment**
усилвател **amplifier**
усмихвам се **(to) smile at**
успокоявам **(to) calm**
успявам **(to) succeed**
утре **tomorrow**
уча **(to) learn*; (to) study**
учител, -ка; преподавател, -ка **teacher**
учтив, -а **polite**
утрин **morning**
факултет **faculty, department**
фамилно име **surname**
фар (авт.) **headlight**
ферма **farm**
фермер **farmer**
филм **film; (САЩ) movie**
финал (на купата по футбол) **cup final**
фишек **cracker**
фойерверки **fireworks**
формуляр **form**
фотоапарат **camera**
фризьор **hairdresser**
футбол **soccer, football**
футболна прогноза **football pool**
хапче **pill**
характер **character**
харесвам **(to) like**
харча **(to) spend***
хващам, улавям **(to) catch***
хвърляч (при игра на крикет) **bowler**
хижа **lodge; (САЩ) cabin**
химн **anthem**
хирург **surgeon**

хладен, -а, хладнокръвен **cool**
хлебар **baker**
хлъзгав, -а **slippery**
хмел **hop**
хора **people**
хотел **hotel**
хубав, -а; прекрасен, -а **lovely**
храня **(to) feed***
хрема **cold**
царевица **corn**
царувам **(to) reign**
цвят **colo(u)r**
цел **aim**
цена, такса **charge**
централна банка **central bank**
център **centre, center**
цигара **cigarette**
цигулка **fiddle; violin**
цифра **figure**
църква **church**
чай **tea**
чакам **(to) wait**
чакам на опашка **(to) queue**
чанта **bag**
час **hour**
часовник (ръчен) **watch**
част, дял **share, part**
частен, -а **private**
частно училище **private school**
чаша за чай, за кафе **cup; cuppa** (фам.)
чек (Великобритания) **cheque;** (САЩ) **check**
ченге (жаргон) **cop**
червен, -а **red**
червен пипер **paprika**
черен, -а **black**
черпня (в бара) **round**
често **often**
чесън **garlic**
чета **(to) read***
четвърт **quarter**
четвъртък **Thursday**
четиво **reading**
четящо устройство на компакт-дискове **CD-Player**
член **member**
чийто, чиято, чието, чиито **whose**
чиновник, -чка **clerk**
чипс **chips**
число **number**
чистя **(to) clean**
чичо **uncle**
чувам **(to) hear***
чувствам (се) **(to) feel***
в чужбина **abroad**
чужд, -а **foreign**
шега, номер **trick**
шести (клас) **first form**
шеф на отдел „Личен състав" **personnel manager**
шеф, собственик **boss**
широк, -а **wide**
шосе **trackway**
шофьор на такси **cab-driver; cabby** (САЩ)
шпионин **spy**
шум **noise**
шумен, -а **noisy**
шушукам, шепна **(to) whisper**
шамбриран; със стайна температура **room temperature (at)**
шарлота (вид десерт) **trifle**
шафран (подправка) **saffron**
шахматна дъска **checker**
щракам, натискам (бутон, клавиш) **(to) click; (to) press**
ъгъл **corner**
юрист **lawyer**
ябълка **apple**
яйце **egg**
ям **(to) eat***

АЗБУЧЕН ИНДЕКС

(цифрите отпращат към сътветните страници)

ДА ПРОГОВОРИМ АНГЛИЙСКИ С 40 УРОКА

Мишел Маршето, Жан-Пиер Берман, Мишел Савио,
Джо-Ан Питърс, Деклан Маккавана

Редактор: *Венера Атанасова*
Коректор: *Мария Иванова*

Френска, първо издание
Формат 84/108/32
Печатни коли 26

ИЗДАТЕЛСКА КЪЩА „ХЕРМЕС“
Пловдив 4000, ул. „Богомил“ № 59
Тел. (032) 608 100, 630 630
E-mail: info@hermesbooks.com
www.hermesbooks.com

Печатница: „Образование и наука“ ЕАД – София